新潮文庫

鍵のかかる部屋

三島由紀夫著

目次

鍵のかかる部屋

彩絵《だみえ》硝子《ガラス》

化粧品売場では粧《よそお》った女のような香水壜《びん》がならんでいた。人の手が近よってもそれはそ知らぬ顔をしていた。彼にはそれが冷たい女たちのようにみえた。範囲と限界のなかの液体はすきとおった石ににていた。壜を振ると眠った女の目のような泡《あわ》がわきあがるが、すぐ沈黙即《すなわ》ち石にかえって了《しま》う。

退役造船中将男爵《だんしやく》宗方《むなかた》氏は大きな香水を買った。自分のために、である。

雨が降っていた、薄荷《はつか》の糸のように。彼は家へ帰る。角のポストのところで彼は思い出した。妻《さい》の歌の会だ。四時から九時までが規定だった。だが婦人は規定をやぶるエチケットの試験を実地に自分に対してとり行うのが好きである。それで御常連は二時近くにすっかり集る。

宗方氏令弟はシンガポオル支店長で、東京の学校へ通っている息子を、宗方氏に預けて任地へ赴いた。——宗方氏はベルを押した。出て来た女中にきくとその甥《おい》は留守だ。玄関には派手な草履がいっぱい並んでいた。この草履たちの持主は、もはや銀にすべきところの傘の柄に、色とりどりのカット・グラスを用いていた。

氏の書斎は奥の離れだ。彼はそこで研究ひとつするわけではない。書棚には観艦式記念の大きな軍艦模型、鉄や銀や錫《すず》やの進水式記念品が所嫌わず並べてあった。大鷲《おおわし》の剝製《はくせい》が米材《べいざい》の台の上で眠っていた。
机に氏自身の名刺が一枚のっかっている。
表——宗方　禎之助《ていのすけ》
裏——（二段詰八ポイント活字）被服改良運動委員会会長、少年海軍智識《ちしき》普及会会長、日露戦争日本海海戦記念会理事……等々
すなわちこの机のうえで、綴入《とじいり》和紙に謄写《とうしゃ》した本年度上半期支出決算報告だの、親戚《しんせき》の娘が遊びに来てわすれて行った雑誌「少女歌劇」なぞを読めばこと足りるのである。海軍時代彼は壁ばっかりながめて暮していた。壁には海図と統計と青写真が貼《は》ってあった。軍艦製造に従事する一隻《せき》ごとに彼はなにがしに有名になった。造船のもといになる完全な技術はろくに知りもせぬくせに、新考案が多くてひとをおどろかした。艦長室の窓《まど》の開閉装置だの、砲塔の電燈《でんとう》に施した特殊な装置……それからハンモックと天井との距離の欠点を統計で説明して、何寸何分とか下げさしたりした。これらがいつのまにか彼を出世させてしまった。養子先の父宗方男《だん》は公家《くげ》にも係らず大の海軍好きで、養子が出世するたびに女婿《じょせい》にみこんだ先見の明を誇りながらやがて死んだ。（因《ちな》みに禎之助氏の実父野崎豪昶氏は氏三歳のときに世を去った）

宗方禎之助氏はたしかに幸運児だったのである。なにしろ中将だ。そうして男爵だ。同期生の中でも五番をくだらぬ出世番附の筈《はず》である。

結婚のときは「嬉《うれ》しい」と思った。それだけだった。生れてはじめての行水をすませて再び彼は走りだした……。

若夫人はよく士官の夫人たちとの集まりで夫のわるくちを並べ立てた。おんなじ悪口でも妙に言い甲斐《がい》があった。そのうちに皆が皆競争的になった。退《ひ》けたあとなぞ宗方夫人はことに自分が満足しているのを感じた。ともすればそれは夫への信頼のはかりの重さに過ぎぬかもしれないのだ。

若さの半ばに達すると深刻癖が彼女をとらえた。「死ぬ」と言ってみたり、世捨人のようなものに自分をたとえたり、和歌をひねくったりし出した。それは公家華族の血の一つのあらわれでもあった。

宗方氏はまいにち遅くほとんど無意識に帰ってきてまた早朝家を出る生活をつづけていた。ときたま心のくつろぐ休暇なぞに勁《つよ》く妻を意識すると、それはたしかにひとつの刺戟《しげき》だった。ところがだんだんつづけているうちにその刺戟はどうやら不自然にみえてきた。刺戟のよろこびの前《さき》に「日常」のない自分のさびしさが心をにぶらせた。これだけモオメンタリズムの夫婦は一寸《ちょっと》想像するに難い……。

老境へはいって海軍をやめてからきゅうに彼は若々しくなりだしたのだ。「外人のまねだ」なんぞといいながら、白一色の夏服にほとんど赤に近い海老茶《えびちゃ》紋様のネクタイをつけたりした。しかしどうやら御趣味は永年の海軍生活で固まって、ほめられぬものであった。

「どうしてまあこう急に自分を変えられるものだろう」と友人たちが驚嘆した。不良老年と一緒になっておそまきの青春に船出しかけた直後、氏の清純主義が清純主義のある若い女から打撃をこうむったので、また彼は謹厳な老人にあともどりしてしまったのだ……。

今書斎の障子をあける氏は、それから二三年後の氏である。氏は人から「好い人だ」といわれることにこれつとめている善良な中老人だ。話をすれば面白いので人は氏を利用しようとせず、ただ呑気《のんき》に気楽に招待する。氏はこれを自分への尊敬だと信じている。氏の性格の一部をなすものに困ったものがある。それは、自分を尊敬しているとみてとれば、忽《たちま》ち相手をあなどってか、それともお愛嬌《あいきょう》のつもりか、およそ「善良」と「面白い」の二つにしか形容できない、闊達《かったつ》さをとおりこした親愛のありさまに、自分を置くことであった。ついさっき述べたような「尊敬者」ならそれが思う壺《つぼ》なのだが、稀《まれ》にしてほんものの尊敬者は、この中将閣下のだらしなさ加減をみて、すっかり軽蔑《けいべつ》してしまうのだ。何にまれ尊敬者というものは、いちばん軽侮への転身に、鮮やかであり長じているのである。

この家庭に一つの附属物がふえた。甥の狷之助《けんのすけ》である。禎之助氏が養子にくる前は狷之助の父と朝から晩まで喧嘩《けんか》ばかりしていた。兄が養子に行ったので弟は「せいせいした」と言った。それをどっかからききつけて兄はカンカンになり長い手紙を弟のところへ出した。……今ではそんなことを噯《おくび》にも出さず、二人の共同出資者のようにこの兄弟は相手を利用しよう利用しようとはかっていた。

甥の若さを以《もっ》て禎之助は自分を若くしようと試みた。大抵功を奏しなかった。それでその若さは無遠慮のものとしか目に映らなくなった。氏は甥に対して、月並な、氏の年相当と思われる依固地さを持した。どうやらそれは氏自らの鎮静剤でもあるらしかった。

何はともあれ今の宗方氏は、二流雑誌の訪問をうけて夫人といっしょに盆栽のまえで写真をとらせたり、子供の雑誌に金ピカ服の写真入りで一頁《ページ》たらずの教訓文をかいたりする老退役中将であった。若さに対する無定見さは未《いま》だにそれを残り惜しいものとしていたが生きるの死ぬのどっちかといえば、なにさま死を考える方が手っ取り早いのは致し方なかった。その氏が香水を買った。現に目の前にある。買うときは誘惑に打ち負けたのだが、今になってみればそぐわなすぎて侘《わび》しかった。悲しみというものを喜劇によそおおうとするのは人間の特権だ。宗方氏がそれをやった。「侘しさ」が人の目に映るものなら、俺はそれを喜劇で演じようと考えた。氏にいわせれば、役者観客の一人二役が可能な如《ごと》くである。氏は北叟笑《ほくそえ》んだ。庭向きの障子をあけると畳廊下を隔てて硝子戸《ガラスど》がたててあった。雨をのがれて家守《やもり》が一疋《ぴき》硝子にへばりついていた。けばだって汚れ果てたガーゼの袋を裏がえしたような腹が見えていた。硝子戸をあけると不意に葉をうつ雨の音が高まった。そこにつっ立って氏は瓶《びん》を振った。氏がびんのなかを覗《のぞ》いたとしても液体はだまりこくったまま自分のことを考えているであろう。

石竹色の眠った女の目のような泡が（それはどこか石女《うまずめ》のようでもある）限界を超えようとせずに、自分の世界にとじこもって楽しそうにわき上った。すぐ泡は石になり、そしらぬ顔をした。氏は蓋《ふた》をあけた。泡ののこりが二つ三つその小さな口を押して出た。洋服の胸や腕に宗方氏はめちゃくちゃにふりかけた。ぷーんと揮発瞬前の匂《にお》いがした……。

化石のような性質が彼女のなかにあった。

＊＊＊

高原の村落から自転車で十分ぐらい、花がちらしたセロファンのように咲いている広野へ少女たちは自転車で別荘地からあそびにきた。空色の金属の輝きはじっとしてはいなかった。斜面にすえたスタンドがすぐにたおれてまぶしい弧をえがきながら、そばの別の車の把手《ハンドル》にからみついてにぎやかに花の間に崩れた。

原っぱから一段上った道を猖之助が友達とあるいてきた。ときどき則子《のりこ》は彼を町でみかけた。何故《なぜ》かわからぬけれどもよく見たいので、彼女は罪のない悪口を一つのエピソオドにこじつけてしゃべった。皆がどれどれと首を伸ばしているあいだ「見る」ということの責任が軽くなるので、彼女もまた友達といっしょにきわだって不遠慮な視線を投げた。猖之助はそれを感じて、なかば敵意や反感をそそい出されながらも、すぐ赤くなった。この敵意が彼女の上に反映したものらしかった。最早《もはや》先刻の悪口のなかに彼女は憎悪《ぞうお》だけしか見なかった。少くともそれだけを見ようと努めた。この異常な努力はとかく目的から彼女の目を覆《おお》ってくれた。努力というものの動機はたいていこうした反語的な意味から生れるのである。

〈そこで彼女が化石となった。彼女の心の琥珀《こはく》のなかでその憎悪ばかりが凍結したのだ。

かくして彼女はある種の人間化学者に変貌《へんぼう》するのだった。有益な劇薬としてよりも保《も》ちのよいその原料の毒物のまま貯蔵しておくのだから。愛も憎悪も一つの肩書にすぎぬと思われるのだ。

しかし憎悪として固まった以上、それはそれ以外の何物でもなかった……。

伯父のところへ狷之助は移ってきた。伯父は則子の父の里見氏を知っていた。狷之助は里見氏が則子の親だということを知らなかった。ある昼すぎ、出入りの店の自動車で狷之助は里見氏を迎いにやらされた。客間に一先《ひとま》ずとおされて待っていると、庭のはずれの橅《ぶな》の木あたりに、立っている二人の少女がみえた。その一人はたしかに高原で、一番ふてぶてしく彼を眺めた少女だった。その少女がここの家へあそびにきているといいと思った。そうでもなくては何分こわい気がした。また里見家という自分の自由のゆるされない境涯の人であることはいやだった。気がついたとみえて、少女たちは白格子《ごうし》の薔薇《ばら》のアーチの方へかけさった。敏捷《びんしょう》な植物的な禽《とり》か獣の、白い疾走と体臭がそこに匂った……。

——しばらくして里見夫人から手紙が来た。

このたびテニス・コオトをつくったから、某日に始球式と試合をやろうと思う。それまでの一週間は毎日練習にいらして下さい。用意をしておきます。という文面である。伯父が狷之助の一昔前のテニス狂《きちが》いをしゃべったものとみえる……。

コオトのわきには一本の欅《けやき》が高くそびえて、繊《かぼ》そい影で新しいまっしろなラインを水底《みなそこ》の紙片のようにみせていた。毎日狷之助と則子は口をきかなかった。口をきいたら一番さきに言わねばならぬことは、あの憎悪以外にないような気がした。単純な話題をもてあますひとのように、則子は手の上でコロコロと硬球を弄《もてあそ》んでいた。外《ほか》にはおおぜい学生がいた。こうした場面にあっては「性」は卓子のうえにちらかしたビイズのようなものだった。一しょくたになってはたからは綺麗事《きれいごと》としかみえなかった……。

憎悪だけが二人の絆《きずな》だ。闘争ともいわれるような最も物慣れた人々の間に交わされる型式によって、かれらの愛が出発したのは、とりもなおさずかれらが内気に過ぎたからだった。おそろしげに籬《かき》かげに身をひそませながら、摘《つ》もうと思う向う側の花を、手ものばせずにみているのだった、傍目《はため》には垣に心をへだてられて憎みあっているのだとでも思われるような様子をして。

狷之助がいつでも真先にきた。それが「時間どおり」なのだ。みんなが集まるまでの時刻を彼も則子もてあました。「わざと早く来るのだろう」と邪推して、則子は彼を、図書室にひとりでほったらかしておいたりした。そうした邪推が彼に本当に自分がわざ、、と来たかのように思わせた。それは則子への心の接近以外の何物でもなかった。則子の邪推のなかにもまた、邪推どおりでありたい望みがまじっていた。

始球式の二三日あと迄《まで》、かれらの休暇は続くのである。猖之助は寝坊をした。今日は伯母の歌会の日だ。伯父はなんとか協会の事務所へ行き、かえりに銀座へよると云《い》って家を出た。猖之助は友人のところへゆきそこを出たら里見家に近かった。早すぎたが一旦《いったん》かえるのはめんどくさいからそこへ直行した。

着くや否やふり出した。里見夫妻は留守だった。方々から今日はいかれないという電話がかかってきた。猖之助が傘をかりてかえろうとすると、則子は勇ましい雞が追われるような叫び声を上げた。

「どうぞお帰りにならないで！」

その切実な叫びにびっくりして猖之助は止《や》むまで待とうと考えた。今度は今度で則子は苛々《いらいら》し出した。幾分好愛の気持がひらめくのが可怕《こわ》いのだが、彼女はあくまでもそれを猖之助への憎悪のせいにした。

庭に面した部屋で二人は口もきかずに、ときどき窓の方へ歩み寄ったりするものの、いつか窗硝子にかすかに映っている相手の顔にみいっていた。いくたびか扉をあけて、女中が、何々さまは今日はおいでになりませんそうで、何々さまもおみえにならないそうで、なぞと云いに来た。彼女はその女中に憎しみを感じた。益々《ますます》二人の間の苛立たしい空気を確定しにくる使者として。実のところはこの憎しみは邪魔をいれられることへのそれに過ぎなかった。——何度も狷之助に、もうおかえりにならない、といおうとしてはためらった。

部屋のなかがだんだん暗くなってくるのに電燈ひとつ灯《つ》けなかった。彼女は電気をつけることによって変貌する風景がおそろしいのだった。それはおそらくこの薄闇《うすやみ》のなかでのみ保たれる感情の秘密をば、あばくように思われるのだった。二人が二人ともこのままでありたいとねがっていた。

自分の顔の上を素通りさせて——きかれたら「あなたのうしろの絵をみてるんです」と即刻言訳するような——狷之助の視線に、則子は腹を立てた。その視線こそ自分への気持を明白にしていない証拠だと思われた。それは決して明白にしてくれるなと希《ねが》いながら、一方もっともあやふやな形で明白さを表現してもらいたいとのぞんでいる彼女の真情をあらわしていた。

狷之助は部屋の空気が息苦しいので、窗ぎわの小さな椅子《いす》に席を移した。すぐそばに則子の机があって、死んだ女学校の友達の写真が飾ってあった。彼はそれを見ている自分の様子を、第三者の側《がわ》から考えてみた。するとすぐさま、則子の嫉妬《しっと》の表情がうかんできた。その当惑をまぎらわそうとして彼は則子にはじめて笑顔をむけた。則子は笑顔のむこうに女の写真をみた。嫉妬という、どんな賢明な女にも愚昧《ぐまい》な女にも共通な感情が、狷之助の笑いを、弁解であると曲解させた。が、間もなく彼女の敏感さは、彼の笑いに弁明のみしかみない自分に、はじらいを感じさせた。まぎらわすべく彼女も応《こた》えて笑顔をつくった。おたがいの笑顔がはじめてふたりに、打算のない愛情を喚《よ》び起すのであった。同時に狷之助は、女の写真にすぐ則子の嫉妬を感じようとする自分の先廻りな心を恥じた。

「今日はこれじゃもうテニスが出来ませんわ」

テニスという言葉から狷之助は咄嗟《とっさ》に彼女をとりまく男たちを計算するのだ。彼は黙っていた。突然則子が立上った。そして壁ぎわの細い台においた花瓶のほうへ、すたすたと歩いて行った。

「すっかりしおれちゃったのね、捨てなくちゃ……」

そう言いながら水のはいった花瓶を狷之助に下ろさせた。そこから一本々々彼女は花を抜いて行った。丸く重い瓶を抱いているうちに、狷之助はいつか異常な瓶の感触を感じていた。冷たさの下には幽《かす》かな温《ぬく》みさえ流れていた。ますますそれは則子自身の肉体のように重くなりまさって行った。

憎々しげに猸之助は則子をみつめた。則子は花をかぐような様子をしながら葉越しに彼をみた。だんだん彼は胸苦しくなった。花の間で則子の顔が、虹《にじ》のようにぼやけていた。

花瓶をおとした。

花瓶自身だけがおちたようにふたりとも叫び声ひとつあげなかった。ただ花瓶がなくなったことによってふたりの体がより近くなっているのを感じた。必然性のみをしか、そこに読もうとしないのだった。下をみると花瓶のわれ口のするどい白さが、闇のなかに浮き上っていた。それが、生れはじけようとしていたある衝動を和らげてくれるのだった。

「おふきにならなきゃ」と則子はハンカチをさし出した……。

――則子はどんどん鎧戸《よろいど》をしめた。部屋は殆《ほとん》ど真暗になって、枯れかけた花の色と水の光りだけが、かすかに浮んでいた。二人はその部屋を何事もなかったかのように出て行った。

＊＊

「化粧っていうものは歌には大切でございますけど……あれね、半襟《はんえり》なぞの趣味がいちばん目につくような気がしますわ」とA夫人は才気ばしった口をきいた。A夫人は歌誌「勾玉《まがたま》」主宰で、背の君は衆議院議員であった。瘦形《やせがた》の上半身を斜《はす》かいにまげて、前の硯《すずり》の上に華奢《きやしや》な墨を滑らせていた。すると硯箱のふたの秋草模様が墨の匂いにむせた。

中ほどに宗方夫人は苦吟のていであった。夫人の写真は昔の婦人雑誌に年になん度となくのせられた。その耳かくしの細おもてのかたわらには、当時一流の詩人の抒情《じよじよう》詩《し》が円形や山がたに、こまかい字で印刷してあった。

　さらぬだに　小鳥の歌の　あけくれは
　うすむらさきの　絵羽《えば》羽織
君がもすそのはかなげな
　色はきららな秋の森
行く方《かた》ぞ螺鈿《らでん》の闇はあきらかに

たしかにそれは「小鳥のうた」といった。豊月《ほうげつ》という名のその詩人はほどなくあるオペラ女優と心中した。死人の懐《ふところ》から宗方夫人の写真が出てきて騒ぎになった。「小鳥のうた」のかたわらの耳かくしの夫人はやや上目づかいに机の上の花壺を抱いて、猫のようにそれに顔をすりよせていた……。

「さらぬだに、小鳥の歌の……」その歌詞は方々でうたわれるようになった、いつか写真の夫人の方はわすれられて。新作オペラにその歌がうまく挿入《そうにゅう》され評判だった。夫人は出掛けてみたが、誰も自分の顔に気附《きづ》くものはなかった。そして舞台では小鳥のような軽い装《なり》をしたマリアンヌというサアカスの娘が膝《ひざ》を抱いてその歌をうたっていた……。

この種類のエピソオドを一座の夫人たちは少くとも一つ二つは持っていた。自家製造のものもあった。その価値の多少は吹聴《ふいちょう》術の巧拙によることは勿論《もちろん》だった。

宗方夫人の放心状態はみんなの間でもはや当然のものになっていた。

「あなた」

「え」

「刈谷《かりたに》さんのお歌……あの、ほら、ぬばたまの……」

「ええ、えええええ」

「御存知でしょう」するとびっくりするほどな大声で、

「ええ存じておりますわ」

どこかおっとりした雅《みやび》やかな、九条武子《たけこ》女史をその典型とするあの歌びとの一群に、すでにひとびとは夫人の名をかぞえていた。夫人はそれで満足なわけではなかった。慰安がしかし自分がそう装《よそお》い得ることに一つの慰安を感じているのはたしかだった。よその夫人達といっしょにどれほどのことがあろう？　この考えが彼女を娯《たの》しませた。よその夫人達といっしょになって夫を罵《ののし》り雑言しようにも、そんな熱も出て来なかったし、第一かたくるしい反省や困難が、素直にそれをさせなかった。いかほど夫人がおろかな女であったとて、前《さき》の無鉄砲よりも今の反省の方に、夫へのより大きい愛を見いだそうとはおもわれない。まして夫人は賢明であった……。

運座まえの気安さは、ひとびとをなおのこと饒舌《じょうぜつ》にさせずにはおかなかった。B夫人は前後二十年のアメリカ上流生活経験者である。その彼女が横文字の名の婦人運動を始めたのも、無理からぬ話であった。その運動は大正年間に潰《つぶ》れた。しかし現在の彼女は、姓をいわずとも名に女史をくっつけただけで、ああの女《ひと》かというほど令名高い、婦人運動者の一人である。後《あと》のアメリカ生活はつい近年までつづいていた。

新聞の婦人欄や「世界第一日本最高級」の婦人雑誌の座談会で、彼女の名をみつけるのはむずかしいことではなかった。のみならず「帰朝婦人」という肩書を彼女は長いことつけられていた。

彼女は十年一日の如《ごと》く日本の男性の横暴さを指摘しつづけてきた。「果してこれで日本は紳士国といえるでしょうか」そういう決り文句を随想のあとにかならずつけた。「それだから日本の男は……」二言目にはそれだった。それだから日本の女は……とは先ず先ず言わなかったとみてよい。なぜなら彼女は自分の十八の下女にだけそう叱言《こごと》をいうのだから。

訪問客があって子供がうるさいと、この世にも賢明な母性は、パリパリのヤンキイ英語で叱《しか》りつけた。「あちら生れ」の子供にはその方が効果的だった。食事がおわるとそそこに、子供をひとりで寝室へいれ、外から鍵《かぎ》をかけて了《しま》う。夫人はこれが自慢だった。訪客は三嘆四嘆した……。

——B夫人の男性排撃の饒舌には一座は少々辟易《へきえき》もし退屈もした。すると宗方夫人秋子は、そのおしゃべりのなかに小さなアクセントがあるのに気がついた。そのアクセントは宗方夫人の幼時の追憶をさそい出す空色の鍵だった。鍵をあけた扉のむこうにはややややつれて灰色のオォヴァをきた宗方氏が立っていた。

「どこへいっていらしたの」

「ちょっとそこまで」

「そこまで?」

「里見さんのとこですよ」

里見さんのとこですよ……最後の言葉が、極彩色の印刷からはみだして、ほんものになって了った花束のように空へとび上った。どうしたわけか花束はスケエト場の空気のようなコバルトブルウの靴下留で結《ゆわ》えてあった。

「里見さんのとこですよ」この言葉はものの一二時間まえに狷之助の口からきいたそれである。そう考えると、今灰色オォヴァをきている宗方氏の顔のむこうにはたしかに狷之助の姿があった。鼻には鼻が合わさっていたし大きささもそのままだ。

「どうしてこう同《お》んなじなんですの」

「靴下留が一つだから」

「靴下留の女《ひと》は?」

「そら、ね、あのアクセントですよ」

又しても最後の一行では二人の台詞《せりふ》が重なるのだ。うちのひとと狷ちゃんはどこかにのっぴきならない相似点をもっているらしい。それに空いろの靴下留だ。あのアクセント……おやおや、だれだったかしら、心持おしりを上げぎみの……ええと、ああ、B夫人だ。

——あけがたに夢をはらいのける人のような目《ま》ざ《な》しで秋子はしみじみと夫人をながめてみた。すると空色の靴下留の意味がどうやらわかりかけてくるのだった。

——B夫人と秋子とは子供のころからの遊び友達だった。秋子の前のうちには不思議な一隅があった。三本のどんぐりの木を頂点として三角形がえがかれていた。そこへそのころ日本ではみられなかった外国がえりの叔父の土産のハンモックをしじゅう吊《つる》した。花茣蓙《ござ》をその下に敷いて、このおてんばな二人は飛び降りっこなぞをして遊んだ。おままごとのたんびに子供のB夫人はうるさく口を出した。赤まんまですましておこうと秋子がお献立をきめると、彼女は反対して小さなお鍋《なべ》で本当に御飯をたいた。なんにしろ本当らしくなくては済まないたちなのだったが、事が大袈裟《おおげさ》になると、あちこちかけずりまわらねばならぬ大へんな準備が必要になった。昂奮《こうふん》がそれをたすけはしたがその挙句いよいよ手をつけはじめるとつまらなくなって了った。後片附《あとかたづけ》がいやになるのがおちだった。そのときはそわそわ遊んでも結局B夫人にたきつけられてのことだから秋子は不満だった……。

禎之助はそのころ近所に住まっていた。ときどき遊びにきてうるさくはしゃいだり邪魔をいれたりした。そうして冬の間はしょっちゅう厚ぼったい灰色の外套（オォヴァ）をきていた。遊んでいる間だけぬいだら、というとぬぐと風をひくからいけないって止められてると返事をした。丁度彼が向うから歩いてきて二人が遊んでいる垣の前に立ちどまった。

「なにしてるの」

「おままごとよ」

「なあんだ、ぼくの遊ぶようなことじゃないな」とそんな生意気な口をこの肥《ふと》った男の子は利《き》いた。

「これ上げら」と禎ちゃんはそのボタボタしたオォヴァのポケットからへんなものを花ござの上へ投げた。それをみるとB子はなにかしきりに禎之助に話しかけていた。そのむきになった話っぷりにたじたじになってウンウンと男の子は返事していた。秋子はぼんやりしてその声をきいていた。すると言葉と意味は失《な》くなって了って、やや鼻にかかったアクセントばかり耳に伝わってきた。秋子が禎之助に話しかける子供っぽい声はいつもこのアクセントの連続の伴奏によっていると云《い》ってもよい。なぜなら秋子はいつもB子といっしょにいたし禎之助はいつでもそこへくるのだから。

「これなあに」と秋子はきいた。

それはきれいな空色をしていたが少し土に汚れてクシャクシャに曲っているので、秋子は手をふれずに珍らしい虫をみるような目附でそれをながめていた。

「靴下留……あすこの道でひろったの」B子のアクセントにまじって禎之助のキンキンした声とむこうをゆびさすらしい外套の袖《そで》のばさつく音が、おかっぱを下にむけている秋子の耳にきこえた。「ひろった」ときいたのでこの母性は命令した。

「まあきたない、おすてなさいよ」

禎之助はモジモジしていた。靴下留なんて代物《しろもの》はその当時異人かごく尖端《せんたん》的な娘しか用いないのである。美しい絹の空色は洗ったらキラキラ光るだろうと彼には思われた。秋子も少なからずその空色が気に入った。空色の革で張ってある一部には同色の硝子玉《ガラスだま》が嵌《は》めてあった……。

秋子が禎之助に嫁にいってから、一時のはやりで洋装をしていたことがあった。それはボロみたいなダラダラした布をひっかけて腰骨の下にバンドのついている洋服である。ドレス・メエカーは今靴下留は空色がはやりのようだと云った。すると期せずしてこの夫婦は思い出した。同時に二人は笑いを浮べた。いたずらっぽい目附をして海軍士官の夫は、それにおしよ、と妻に云った……。

——宗方夫人が思い浮べたイリュウジョンは正にこの挿話であった。彼女はごく若いころの夫の面立《おもだち》を考えてみようとした。すると郵便函《ばこ》になげこまれた絵葉書のようにひょいと狷之助の顔がそこへ投《ほう》られてきた。人の顔を思い出そうとして果せないときのじりじりした気分はそこへ現れてはこなかった。彼女は満足し、そうして確信した、禎之助と狷之助の類似点はきっと空色の靴下留で連絡されているのだと。

そう思うそばからもしかしたら狷之助は空色の靴下留をした少女に恋しているのかもしれないという想像が彼女の心のなかで強められてきた。そしてその少女はどうやら若いころの自分と似ているように思われるのだった。この空想は宗方夫人を若やいで見せた。「空色の靴下留」という限界をあたえられて、なおのこと空想は発展して行った。宗方夫人はそれを予感と名付けた……。

――以上のような聯想《れんそう》の飛躍が秋子の放心状態の内容である。

彼女は放心状態に於《お》ける自分を、思い出ばかり喰《た》べて生きている女たちとは、異《ちが》ったものであると信じていた。しかしそう信じることは彼女の詩人の特性に外ならぬのであった。彼女は詩を作るような目付で過去をさぐることを詩人の特徴だと思っていたが、インディアンの本能もおそらくそれをしたであろうと思われる。そうしてその詩人の目付のポオズこそ彼女をつまらぬ女と人に思わせるところからやや高い場所においている重要な一部なのであった。

《この物語の三つの「化」を冠とする同時に起った三場面から次の年の第二の場面に至るまでの空白を作者は三人の主人公の断片的な手記を以《もっ》て埋めようと考える。》

⁂

⁂

『十一月二日。そのはなしをきいてわたしはおどろいて了った。ああいう年頃の男の子をあずかったことも持ったこともないわたしだから、驚きも一しおだったけれども、予感といえば予感がなかったわけではない。もっともそれさえこっちに「年頃だから」という気持があってそのうえであちらさんには同い年ぐらいのお嬢さんがいらっしゃるということを考えれば、予感でも何んでもなしに感じるのがあたりまえの気持だったかもしれない。それにしてもこのごろ猖之助の外出《そとで》がひんぱんになり様子がそわそわしているにつけて咎《とが》め立てなんぞしなかったのはほんとうによかったと思い合わせられる。猖之助は僕はあのひとが好きなのですと、わたしに向って告白してくれたのだ。おそらくたすけが欲しかったにちがいない。わたしはそのときまるで赤んぼから一ト息で大人になって了った人をみるような目付であの子をみつめ、それに、よくやってくれたというような胸のすいた心になった。こんなことでは親の代りはつとまるまい。とめなければ……と思ったけれども、それを云われた以上、にっちもさっちも行かなくなってしまった。

『10日　mon. 試験範囲——K.Jacklin の Essay I から Essay VI まで。秋山と○○座へ。

あした○○座へゆくと彼女が云った。前の方の席だと云った。秋山は好奇心を出してしきりに彼女を見たがった。僕はそのうしろあたりに席をとり、君あっちで見たらと云った。秋山はふくれた。僕は彼女をひとりで見たかった。——ところで彼女はどうしたわけかとうとう来なかった。

『黄鶴亭《おうかくてい》へ、大屋町氏に招かる。午前中は普及会事務所にて書類に目をとおす。紅葉黄葉も等しく朽色に変じ、転《うた》た冬冷の近きを感ぜしめる。

『(紙片への走り書) ときどき羽根は生きている。ある朝僕は古本屋へ行った。朝日のなかに羽根ばたきがおきわすられてあった。光線の加減でそれのなかの一本が虹色《にじいろ》に近い、藍《あい》、茶、みえない黄、鼠《ねずみ》、沈んだ赤……そうした油っぽい色にみえていた。僕が手をふれるとそれは温かくって脈を打った。正に怪談だった。僕はふとそんな羽根は則子に似合いはしまいかと考えた。彼の女は怪談のような少女だ。彼の女をいろんな面からみるたびにあの羽根毛のように色が変った。その色の一つが死に近いときであっても彼女にとってはそれは生の色なのだ。何にまれ生の予感は死のそれよりも美しくかがやかしい。彼女をみるときいつも僕は、彼女の気持の反映で、自分のなかにうごめいている死の幻影を、生の幻影だと自分にみせかけることが出来た。

『二月一日。Aさんのおうちで歌会。いつもの御歴々に加えて「勾玉《まがたま》」の若い同人のかたがたがいらして大へん賑《にぎ》やかだったが、みな良家のお嬢さんらしくそのため却《かえ》って気持よく会の気分が引きたった。最高点で、自分ながらびっくりしてしまった、そう自信のある歌ばかりではないのだけれど。——今日も猖之助は留守。うちのひとがどうしてこう家を明かすのだろうと不審がっていた。年《とし》が年ですし学校の方もよくなるばかりですからいいじゃございませんかと云ったら、それもそうだと笑っていた。知っているよといわぬばかりの顔付である。決して感づいていることなどない筈《はず》だけれど、このごろ妙に猖之助に厳格に——(それもごく月並な、いかにも退役中将という名からひとが想像するようなやり方で)——する様子には、どこか作っているような、自分でそうする他にないので無理にそう装っているようなところがわたしにはどういうものか大へん強く感じられる。一言《ひとこと》に老いとばかりは言えまい。

『かかることを書くのは我ながら心外である。ただ誰にも見せずに書留めておきたい気分に駆《か》られて居《お》る。猖之助の若さは予を少しく依固地にしているが、予の心底としては悉《ことごと》く彼が若さを理解せんと欲した。然《しか》し幾何《いくばく》ならずして予はその心底の告白のなかに予が之《これ》を以て彼の若さを予の身に還《かえ》さんとする願いあるを見た。反り省《み》れば卑《いや》しき所少からざる心情であった。予は敢然として之を捨てた。捨てて以て愛を之に注がんとしたが、いかにせん捨てれば忽《たちま》ち彼は予が敵に外《ほか》ならず、彼も予に反感を持てるが如く観じられた。予は最早《もはや》反省しなかった。いかんとなればかかる敵視の外貌《がいぼう》は、世の頑固親爺《おやじ》輩の所作と頗《すこぶ》る酷似し、然も世の教育者儒学者の寧《むし》ろ讃美《さんび》するところあるを知ったからである。伯父《はくふ》の愛や如何《いかん》。かくて予は、彼が若さの開花まさに頂天に達し恋愛の情も之有るを推測するに至って、彼に徹底的頑固なる様相を以て臨まんと決心した。予の心底には未《いま》だこれが若さ及び恋愛を援助せんと欲し、世これをそしるとも理解すこぶる深きに己れを持せんとする心全く無ではなかったが、遂《つい》にかく実行するの他、予の体面を保つの法なきを知った。

『六月十七日。ことしの夏は義弟《おとうと》（狷之助の父）の別荘へ行くことにした。さぞあのひともシンガポオルでゆだっていることだろうが、とてもいそがしくて今年はかえれない、どうぞ別荘のほうは御自由につかって下さい、という手紙が来た。南軽井沢だから雷も少いだろう。わたくしもよばれて二三度泊りに行ったことがあるけれど大へんすみよくたててある気のきいたうちで、設計も自分でしたとのこと、今更ながらあのひとの頭のよさに感心してしまった。

すぐうしろに白樺《しらかば》の林がある。あの空気の気もちよさはシャンパンのようだと形容してみたいほど。森をぬけると入歯の歯がみのような音をたてて水車がつぶやいていた。もうあれはこわされて了ったかしら。そういえばあのころから水車のちかくに別荘がぼつぼつ立てられはじめていたようだった。

水車のそばへゆくと古煙草《たばこ》のような、たばこのやにのような匂《にお》いがした。あとできけば芹《せり》の一種だそうだ。積木のようなきれいな洋館の垣根に、かずらがおい茂りそのなかで小鳥がしきりにないているのをきくと、まるで自分のなかでその声がしているような気持になる。わたしはその音をとめるゼンマイ捲《ま》きのようなものはないかしらんと自分の体をさがしてみる。たしかに軽井沢の空気はひとに療養所のような機械そっくりな生活をさせ、ひとのからだを機械にかえてしまうふしぎな魔法をこころえている……。

『6月30日――今年の休暇は伯父伯母と別荘に行く予定。素敵なチャンスだ。則子の家がたった五六軒さきとは！

軽井沢は僕たちをロマンティックにしたりパセティックにしたりする。あの空気は格別だ。雲が山のむこうで顔をしかめる。すると遠雷がひびいてくる。

僕は何だか彼女の部屋のカアテンが子供っぽい苺《いちご》か桜桃の模様であるような気がしてならない。僕たち二人のよそゆきなお行儀に、そのカアテンがゆれてきて子供らしい童話的な感情をまきちらしてくれるような気がしてならない。おどけた星のようなそれを。

朝の霧のなかで彼女の帽子がチラチラ近づいてくるのを僕はみつけるだろう。僕は見えないふりをして近よってゆく。牧場では牛たちが霧の牛乳風呂《ぶろ》にひたりながら乳をしぼられているだろう。僕はかまわずぶつかる。彼女はすました僕の顔をみて一瞬へんな気持を味いそしてすぐお芝居を見破る。少しおこって彼女は唇のはしを曲げている。僕は知らぬ顔をして行き過ぎる。

「何よ！　ちょっと」

「え」

「〝え〟じゃなくってよ」彼女は可愛《かわい》い人造宝石のような笑いをころがして僕を呼び止める……。

ぼんやりして道をあるいているとよく僕は木の枝に額をぶつけたものだった。すると栗鼠《りす》がぜんまい仕掛のようなぎごちない走り方で背に尻尾《しっぽ》を縫いつけて逃げてゆく。僕はそこに硝子戸を隔てたような風景を感じた。よく眺めようとすると硝子が額にぶつかるのだ。硝子のむこうがわでは景色はみんな澄ましていた。そうしてどこまで行っても風景と僕との距離は同じであり、それら景色はバランスがとれ手際《てぎわ》よく配置されて、どこを額縁で区切ってもそのまま絵になるような気がした。そんな風に景色から意地悪をされて坂のうえまで上るとすぐ下に僕はみるのだった。クリスマス・カアドそっくりな洋館と煙出しとその小さな庭を。

＊＊

近所から友人が来て毎日宗方氏に謡《うた》いを教えて行った。初めはいやがったが、やりだすとやはり乗気になるので、友人は教え甲斐《がい》があるとよろこんだ。「そのうちに儂《わし》の会へひっぱりこむ魂胆だ」と友人は宗方氏の前でずけずけ云った。宗方氏はこの別荘地の若々しさが自分を反撥《はんぱつ》させず、愉《たの》しくさせることを知った。彼はよく散歩した。そんな日々には夫人の影響の和歌や、時には漢詩のひとつも生れた。柔和さは能面のような老いで、彼を老いさせて行った。一時頑固にみえた彼がきゅうにやさしくなったので、夫人も狷之助も少々気味がわるかった。珍らしく雨が一日じゅうふっていた午後宗方氏が留守で、夫人と甥《おい》とはぼんやりテラスの椅子《いす》にこしかけて氏の柔和さについて話をしていた。と、不意に二人の間に期せずして宗方氏の死の予感がうかんだ。

沈黙《だま》ったまま見合わせた顔は真蒼《まつさお》になって、お互いに相手のなかに自分と同じ心をすぐに読んだ。それをまぎらわせるために夫人は軽井沢の怪談をはなし出した。そしていつか不安の動悸《どうき》を恐怖の動悸のようにみせかけついにはそれに遷《うつ》し変えて了《しま》った。たしかにこの古い怪談は漢方薬のようにアスピリンより利いたのである。

さるにても絹之助の若々しさは無遠慮きわまるものであった。彼は朝から晩まで自転車や馬にのってかけずりまわっていた。則子の以前の深刻さもここではやや軽薄に見えた。それで彼女が変貌した。彼女はセロファンの花のように明るい顔になった。それは絹之助をも喜ばせた。なぜならその色は自転車の金属と薔薇《ばら》の花とにいちばんよく似合ったからだ。あらゆる男と同じく絹之助の愛も、彼女を蒐集《しゅうしゅう》切手のように見る目つきを涵養《かんよう》していた。それはなんら危険なことではなかった、手紙を彼女へ送るたびに彼はその切手に彼女の髪の匂いを感じることが出来るだろうから。

この村には秋子の歌の会の御常連が三分の一ばかり避暑に来ていた。彼女たちはホテルへ食事をしに行ったり、D夫人やF夫人の車でドライヴをしたりした。ときどき車のうえで絹之助と則子とそして幾組かの若者たちが自転車で走ってくるのを秋子は見ることがあった。そういうとき彼女はふしぎな感動を味わった。そしてその甚《はなは》だしい感動に気づいて彼女は「おや」と思うのだ。今自分のまじっているグルウプからそれはややかけはなれすぎた距離にあった。彼女は自分をなぐさめるため、この年の差からくる不思議な自意識はグルウプ全体の目で自分がそれを見たからだ、と強いて思おうとつとめた。が、悲しいことに彼女たちのひとりひとりがそう思っているのであった。

ある夕方はげしい雷雨がきた。運命の予感のように雲がすさまじい色で光った。雷の第一声で謡の友達は帰って了った。彼は自分のうちにいてゆっくり雷雨を娯《たの》しみたいと言うのだ。この奇妙な言訳でひどくあたふたとかえってゆく友達を見送ると再び禎之助氏は自分のへやの障子をあけた。その拍子に蒼《あお》ざめた光りが障子と氏の手を照らした。彼は友人が扇を忘れて行ったのをみとめた。それを手にして氏は押入をあけた。すると押入の奥までマグネシウムのような稲妻が閃《ひらめ》いた。

雷鳴がひびいた。

宗方氏は押入の隅になにか見慣れぬものがあるのに気附《きづ》いた。それは電光のために冷ややかに美しく映えていた。とりあげてみて宗方氏はびっくりした。半分ほどなくなっている昨年の香水壜《びん》である。あの日から氏は戸棚のよこかどこかへほったらかしておいた筈だ。整理を任された女中が気を利《き》かせて、トランクのなかへいれたものらしい。それはやや変色していた。宗方氏はこれをみつけたことによっての思い出にさして深い感慨も催おさずにそれを硝子戸《ガラスど》の方へかざしてみた。と、稲妻が壜のなかの透明な女を射貫《いぬ》いた。

雷鳴がひびいた。

うすぐらくなると香水の透明さは死んでしまった。彼はやがてあのときの自分の姿を思い浮べ、そうして現在手に感じている、反撥に近い冷ややかな感触を思った。彼のなかに噴煙のような怒りが上ってきた。それは爆発した。立ち上り二あし三あし歩いて硝子戸をあけ、一瞬間だまって立っていたが……氏はそれを庭石にぶっつけた。蒼ざめた白濁水の結晶のような石のうえに破片と液体が散った。その音は殆《ほとん》どきこえなかった。ピカリと光ってその破片はするどい目付のようにかがやいた。遠景のここかしこが、大きく光ってそして消えた。宗方氏はその香水壜の本質――香水壜自身の魂のようなものはどこまで追っかけて行っても死なないことを知っていた。

雷鳴がひびいた。

――狷之助ははしゃいでいた。脚光のような稲妻が彼にそれを確信させるもののように。

この雷でも彼女は約束を守るにちがいない、あの小さな店で……彼は身仕度した。彼は若い狼《おおかみ》のように吼《ほ》えまわった……。

禎之助氏は部屋を出てきてその様子をだまってみていた。彼は別に怒っているようにも見えなかった。静かな運河のような青筋が、額の地図のうえにえがかれていた……。

猖之助が家を出ようとした。彼は伯父のところへ行き、一寸《ちよつと》出掛けてきますと云《い》った。伯父はむこうをむいて老人のような姿勢のまま、この雨に……よしたらどうだいと云った。甘やかされて育ったものの通性で猖之助は子供になり、そうして怒りを発した。

「どうしてです」

「いくなというんだ」伯父はまだむこうをむいたままいつになく激しい語調で云った。伯父のなかにはそれを書き記し、実行し、また改めたあの頑《かたく》なな方針が、強くよびだされ白熱して生れていた。伯父はそこに最早別の意味を見るのであった。しかしそれはどうにも仕様のないものだった。

「どうして」云いかけて甥ははっとした。

無言のまま伯父が立ち上り、ばか、とかすれた声で叫びながら追いかけてくるのだ。甥の頭のなかには、古い郵便切手の王女の肖像のようなあの則子の顔がうかんだ。彼はかけだした。傘もささずに雨のなかにとびだして了った。すると伯父も下駄《げた》をひっかけてひどい勢いで追いかけた。雨にまじって禎之助氏の能面に似た顔を照らす稲妻がひらめいた。
夫人は制《と》めることが出来なかった。びっくりしてかけつけた女中に、はやく旦那《だんな》様をといいつけ下男を走らせながら玄関に立って雨がふりしきっている門の外を遠いもののように彼女は眺めた。彼女は今ほど自分を馬鹿《ばか》な女だと思ったことはなかった。そうして彼女ははじめて甥に、憎しみに似たものを感じた。

⁂

明る日は予定通りにこの家《や》で歌会があった。秋子はゆうべのことを思うといても立ってもいられぬ気持だった。足の早い下男と二人の女中がすぐ宗方氏をつかまえた後、興奮のせいか彼はそれほど疲れた様子もみえなかったけれど、ただなんとなく五六日まえの死の予感が思い出されてならなかった。自分もそろそろ夫の死を心配する年頃になったのだろうか、と思う心はさびしかったが、そのさびしさにも多分にエゴイズムが含まれているように夫人には強く感じられた。この清純な犠牲主義はいつどこで彼女が手にいれたものであろう！　世の所謂《いわゆる》「九条型」に彼女の心は、むしろ何もかも肯定して、入れられたく思っていた。そしてこの肯定のなかにこそ、老いに歩み寄ろうとするすべての要素が含まれているのであった……。

また耳元ではB夫人のアクセントの音調がきこえていた。秋子は空色の靴下留を思い出した。するとそこにソオダ水のような明るい光がぶちまけられるような気がした。秋子は今日、今までの結末がすべてつくように思った。なぜなら空色の靴下留をはいた少女が見られるかもしれないのだ。今朝猖之助は則子を紹介してあげるといっていた。伯父の目をさけるためにそれにはお芝居が必要であった。正四時に秋子が門を出、南むきの塀《へい》の方へ歩いてゆく。そのとき向うから走ってくる二つの自転車に出逢《であ》う。という仕組である。

きょうも去年と同じようにB夫人は男性排撃を口にしていた。昨日の新聞に所感を発表した矢先なので熱の上げようはすばらしかった。しかしこの歌会は軽井沢での会員の不文律で三時には了《おわ》るのであった、なぜならほとんど一日おきの雷雨の心配があったから。

三時半には乾燥した、白墨でかいたような高原の道をD夫人の車で一どきに帰って行った。宗方夫人は何かほっとした。

夫は書斎にいる。彼女は何度も時計を見た。そうしてあいびきのようだと思うとおかしかった。その表情はへんに若々しかった。

鳩《はと》時計が四度歌った。

彼女は散歩に行ってくると云い、そわそわした気持でパラソルを出さすと、ゆっくりと明るい道を歩きだした。今度は彼女はあいびきのようだとは思わなかった。息子に逢いにゆく母親——そんなヴィジョンを自分の影にさぐろうとした。だが、相変らず若やいだ表情のままで。

向うから二人の自転車が光って近づいてきた。

「ああおばさん」と日に焼けた顔で狷之助が叫んだ。どちらも花をいっぱい積んでいた。すうっと(かすかな涼しい砂利のきしる音もまじえて)自転車がとまった。

「則子さんとおっしゃるの」と秋子は云った。少女はみなれぬ花のように恥かしそうにしていた。ふと秋子の頭をまるで現実のような姿をして思い出の翼が飛んだ。

則子がかがんで車輪をなおそうとすると、狷之助もそれを手伝いたそうに体をまげたが伯母の言葉をきいてまた身を起した。

「ねえ則子さんは空色の靴下留をしていらっしゃるの?」少女のように顔をあからめておずおずと小声でいう伯母の言葉を、咄嗟《とっさ》に則子にきこえないようにと祈りながら、狷之助は何かはずかしいような不思議な気持で、(また伯母はそんなところまで自分が知っているという関係の深さを試験しているのかしらんと思って)きいた。

「いいえ、どうしてですか」
「なんでもないのよ、なんでもないんですけどね」……いままで確信していたような伯母の顔が、このとき俄《にわ》かに崩れたのを狷之助は感じた。やがて伯母はややさびしそうな目付になって、逃げてしまった鳥を追うときのように遠くの方をみつめた……。

禎之助氏は書斎を歩きまわってふと一つの窓から下に固まっている色紙の切屑《きりくず》のようなものを見た。それをたしかめに、いちばん近い客間の窓を求めて、彼は階下へおりた。その窓は低い生垣につきでていて、硝子は開《あ》け鎧戸《よろいど》だけを下ろしていた。彼は胸をおどらせ乾いた絨氈《じゅうたん》を踏んだ。窓に近よったとき一つの声が聞えた。
「則子さんは空色の靴下留をしていらっしゃるの?」それは妻の声だった。

宗方氏は追憶であふれそうになりようやく自分を支えた。久しく見なかった妻としての秋子を、そこに見ることが出来たのを神に感謝した。二つの音叉《おんさ》のように、彼には妻がそれを言っているときの気持がすっかりわかった。彼はうなずき、牧師のような顔をした。

祈りの日記

むかしゐなかわたらひしけるひとの子ども井の
もとにいでてあそびけるを大人になりにければ
男も女もはぢかはしてありけれど……

序の段

ひとつきもふた月も床に臥《ふ》していてようようおきあがれるようになると季節は裁ちたての着物さながらに鮮《あた》らしくかんじられるのでございました。こういう癒《い》えぎわは丁度なぎささのようなもの、波はそこまで来ることもあればややとおい所でひいてゆくこともあり、そうして一旦《いったん》ぬれました足も、みるみるうちに快くかわいてゆくのでございます。永い病気は年はのゆかぬわたくしの腰をばあの葦舟《あしぶね》にのせられた水蛭子《ひるこ》のようにしてしまいました。うつらうつらしながら足の爪《つめ》をきってもらっておりますときなぞ、そのおとがまるでいくつもの丘や湖をこえてくる鼓《つづみ》のひびきのようにおもわれるばかり。わたくし自身とそのように縁どおくなっていた脚の、また使われるまでになるにはそれゆえ並大抵ではございませんでした。庭の木立いちめんにさえずりがきこえ、部屋といい縁側といいなにか硝子瓶《ガラスびん》のなかのように明るく、まだかたづけてない洗面器のお湯が、天井板にあわい反射をくるくるとうごかしている……そんな朝のこと、縁のはじからあかるい空のみえるもの寂びた櫺子《れんじ》まで看護婦さんの手につかまって歩くけいこをいたさねばなりません。はじめのうちはそれが大そうくるしく檽子までたどりつきますと、わたくし、ちいさなおかっぱ頭をそれにすりつけ両手でしっかりとその格子《こうし》につかまってせいせい息をきらしたものでございます。疲れ出すと蘆《あしのうら》はそれこそあつい砂原をふんでいるよう、ふみ出す足がそのままずるずると沈みこんでしまいそうな、そんな心もとない思いがいたしました。

それがなん日かくりかえされ、むしろ日毎《ひごと》のたのしみの一つにかぞえられ出すうちに、松本さんと申す看護婦は、わたくしを外の散歩につれてゆくようになりました。夕映えまえのさわやかな夕刻に、はじめは家のまわりだけ、その次はどこそこまで。……おしまいにはかぞえきれないほどの鳩《はと》がむらがっている杜《もり》をうしろにひかえたお寺まであるいて行ったものの、日によってはたいそう疲れて、耳のおくでしずかに井戸の枢《くるる》をまわすような音がにぶくひびいておりました。いよいよ我慢がしかねますときには、わたくしいつも、松本さん、やす子くたびれちゃった、と申しまして、その場にたちどまって催促をいたします。またお椅子《いす》？　と松本さんはそこがどこであろうとかまわずに、まっ白な看護服のかるいかさかさした音を立ててしゃがんでくれました。わたくしは、赤い散歩靴を空《くう》にうかせて、そのまっ白な光ったお椅子に、ちょこなんとこしかけました。……

たまたま坐《すわ》るといいだしたのは市場のそばでございましたが、もう夕映の時刻とみえ、むこうの空をゆっくりと彩《いろ》づいた雲が移っております。赤や黄やみどりの市場の旗が音を立ててはためいていました。その時、あちらの角をなにかまっ白なものが曲って逆光のなかに近づいてくるのがみえました。ずっとちかよってきますと、それは小さな男の児《こ》の手をひいている看護婦さんなのでございました。大して興がりもせずわたくしは、あややのあやや、なぞとわけのわからない歌をつぶやきながらそっぽをむいておりましたが、ふいにからだが二本の手にうきあげられ、かなりらんぼうに地面に立たされたのでびっくりしてしまいました。みると松本さんはわたくしをほっぽりだしたまま、あの看護婦さんとはなしこんでいるのでございます。あとでききましたことながら、その女《ひと》はもうずいぶん長いこと逢《あ》う折のなかったお友だちだったらしゅうございます。わたくしはつれなくのこされてにわかに足下《あしもと》の土が退《ひ》いてゆくような心ぼそい気持がいたしましたが、けっして泣かない子どもゆえ、人からふだんそういってほめられますのも手つだって、一生懸命に泪《なみだ》をこらえておりました。ふと見るとむこうの看護婦さんのすそにさっきの男の児が、大きな目をすこしばかり涙ぐませ、いくらかうつむいて目だけ見上げるような、みるからに切ない面持をしてつかまっております。なんということなしに、自分とあまり似かよったものをみるふしぎさや、あるかなきかの同情やを一しょにして、わたくしはその男の児の貌《かお》をはずかしいほどまじまじと見戍《みまも》りだしておりました。と、ふいに水をこぼすような妙な音がわきあがりましたので、おやと存じますと、みるみる男の児の顔がくずれてゆくのでございましたが、おどろかされたあの音は男の児の哭《な》きごえだったのでございます。あまり見つめすぎたすえが男の児に一そう身のやりばをなくさせ泣きださせてしまったわけでございましたろう。看護婦さんの話ごえはたちまちとぎれ、男の児をあやしながらもうあわただしく別れを告げておりました。わたくしはと申せば、なにかうすぼんやりとした悔い、ふたたび自分のなかにたち還《かえ》ったさびしさ、それから水の流れのようにすいすいとわたくしを切って流れるものをおぼえていました。……

おなじ制服をきた看護婦さん、おなじ道すじ、おなじ年ごろのふたりの子ども、そうしておなじ時刻のさんぽ……そういういろいろな似かよいがほんのすこしではありますものわたくしを興がらせまたわくわくいたさせました。むこうの男の児もいくぶんそんな心地でいられるらしいのです。まだいちども口すらきいたことのないふたりのあいだに、そんな事どもが、なにか口に出さない約束、秘密なしきたり、と申すようなこどもにありがちな好奇《ものずき》な気持をよびおこしていたようでございます。もう男の児はわたくしにみつめられても泣いたりなぞいたしませんでした。むこうからもすこしおどけたような顔をしてわたくしをみたりいたすようになり、おたがいに熟れた桃かなぞのようにあやうく笑いをふくんでむかい合っていることができました。男の児は今までしらなかった「お椅子」という重宝なお休み場所をたのしんでいるようでございました。二つの白いお椅子が道ばたにならび、肝心のお客さまどうしはときどきにこにこしあったりするだけで、却《かえ》って二つのお椅子がおしゃべりをしている……そうしたことにすごされます時間が夕がたのさんぽにはめずらしくなくなっておりました。……

ある日のお昼ごろ、松本さんはお母さまにちょっとおひまをいただいて、あのお友だちの看護婦さんのつとめているお家ではきょうお主人がおるすだと申すにつけ、お勝手からお話しをしにゆきました。松本さんがかえってから、どうしたわけか、わたくし、ひどい熱を出してしまいました。松本さんはかわいそうなほどお母さまにおわびをしていましたのに、きょう松本さんのいなかったのがもとで熱が出たようにわたくしにはおもわれ、大そうむずかって氷はいやあお薬はいやあといって泣きました。それゆえ散歩はまたしばらくとおのいてしまいましたが、熱はじきに下り、お床のなかで天井にはりめぐらされた折紙のテエプや薬球《くすだま》をながめながら大きなこえで童謡をうたったりしておりました。熱を出してから二、三日たったおひるすぎ、女中がへやにはいってきてなにか伝えますと、松本さんはあわててお勝手のほうへとんでいきました。ちょっとするとにぎやかな声がお勝手のほうからもれてまいります。例のお友だちのきているらしいことを勘づいたわたくしが、お床をぬけ出して行って松本さんをおどろかして上げようとおもった矢先に、その松本さんがかけてまいり、今いつものお坊ちゃまがお出でになりますよ、といって又むこうへ行ってしまいました。わたくし、たいそうおどろいて思わず声をあげようとしましたけれども、お庭のほうをむいてすこし固くなってじっとしておりました。と、うしろにちいさなざわめきがきこえてまいりました。お嬢さま、あらおかしいこと、おねんねですの？　お坊ちゃまがいらっしゃいましたよ、と申すこえに、わたくしはふしぎなくらいすなおになり、目を、庭から欄間へ欄間から天井へ天井から松本さんへとまあるくすべらせて、首だけそちらへ曲げました。なんと申すことなしに男の児もわたくしもかおをほころばせたのでございます。弓男さんとおっしゃいますのよ、山岸さんのお坊ちゃまですよ。お嬢さまのお名前は何でございましたっけ、と申されてわたくし、はにかみながらちいさなこえで、やす子、とそれだけ申しました。男の児はなんだか大そう立派な金いろの御本をかかえており、それを畳におくとうつぶせにねころんで、ごほんをよんであげるよ、と申しました。……

病気からときはなたれたころおいには、それはもう解放とは申しにくいものになっております。ながい迷い路《じ》をさんざんにさまようたすえ、ひとつの空地へたまたま出られたのとおなじことでございました。ですからそんな空地のむなしさのうちに、あしたやあさってやそれからもっととおい年月をよみだすには、なかなかに程遠いことでございました。

わたくし、弓男ちゃんとお手々をつないで、お家のちかくの小さなお稲荷《いなり》さまへまいりました。剝《は》げてかたむきかかったたくさんの赤い鳥居が、五、六間のあいだにぎっしりと立っておりました。わたくし共のそこへまいりましたのはおまいりいたしたい為《ため》ではありませんでした。この近辺の子どもがみな信じ切っているあるうわさをたしかめに行ったのでございます。鳥居のしたのほそい甃《いしだたみ》を、石けりのようにぴょんぴょんと跳んでゆき、ずいぶんいいかげんなおまいりを済ませますと、まだ鰐口《わにぐち》の仄《ほの》かになっているのを耳にしながら、そっと裏手へまわりました。祠《ほこら》のうしろはいちめんの竹林でございました。弓男ちゃんが草のあいだの小石につまずいたとき、そんなに秋の深まった昼でしたのに、しずかに立っていた蚊柱《かばしら》が、音もなくあわただしく崩れてゆきました。祠のうら側に石を一つとりのけたおおきさの穴があいておりました。

狐《きつね》がいるとうわさされるのはその穴なのでございます。穴のまえにはだれが供えましたものか小さな白い器にいれた油揚がおいてありました。――まず弓男ちゃんが穴のまえに膝《ひざ》をつきましたが、ふたりとも大へん緊張して胸をどきどきさせておりました。弓男ちゃんの頸《くび》がなんどもためらいながらやっとすっぽりその穴のなかへはいったのを見とどけますとおもわず肩に手をかけて、みえて？　みえて？　とおおきなこえできくものですから、弓男ちゃんは、いたいよくるしいよとこもったこわねを立てながらもぞもぞとおしりをうごかして首をぬきました。泣きそうな顔の、つややかな刈上げのあたまには、蜘蛛《くも》のいだの落葉だのがからみつき、二、三本の蜘蛛の糸が額の生えぎわからゆらゆらと垂れなびいておりました。わたくし、それを見ましてもいじわるなくらいまじめな顔をいたしまして、狐いたの？　と熱心にたずねるので、ううん、と否《いな》みながら一そう泣きそうなかおをいたすのでございます。もう下《おろ》したての洋服のよごれることなぞ一切かんがえず、わたくしは弓男ちゃんとおなじように穴のまえの地べたにひざまずいて両手を穴のふちにささえながら、用心しいしい首をつっこんでまいりました。苔《こけ》むした地面のひややかさは膝にしみとおり、ちょうど古い長持をあけたときのような匂《にお》いがただよっておりました。闇《やみ》が目にしみるようでございます。もっとよく見ましょうがため、肩が穴のふちにすれすれになるまで首をつっこんであたりをみまわしますと、むこうの闇の一隅《ひとすみ》を白いものがちらとよぎったような気がいたしました。わたくしは穴のふちにごつごつ頭をぶつけながらおおいそぎで首を出して、それからあっけにとられている弓男ちゃんのまえに立ちふさがりますと、いたわよ狐、とおおきな目をみひらいて申しました。そう言ったのと一緒に、ふたりとも申しあわせたように身ぶるいがし胸がはずんできて、どうしようもない程怖《おそ》ろしくなりました。なぜかしらお互の顔を見まいと力《つと》めながら、わたくしどもはおおいそぎでそのお稲荷さまから逃げ出しました。

ひところわたくし共は一軒の空家を大へん好いておりました。その空家のまわりには石炭殻を敷いたくろい径《みち》がかようておりましたが、そうした径はこのあたりの町にめずらしいものではなく、いくつもの角をまがってついには袋小路になっているような径さえございました。両がわの黒板塀《べい》やくすんだ生垣から、桜の古木がせりだしているひとつの路《みち》を、どこまでもあるいてゆくと、それは高めな生垣で行きづまりになり、右手の板塀のすみになかば朽ちかかったくぐり戸がみられました。——そこへゆきますまでにお琴の師匠のいえがございまして、くらい櫺子をとおしてなかのけいこのようすがほのみえるようになっておりました。ですからわたくしは、いまだに石炭殻の小路をとおりますときにはあの蹠にかすかに手ごたえのある、歩むにつれてものを噛《か》みしめてゆくようなあのおだやかな音と触れぐあい、そんなものをとおしてゆたかにあでやかなお琴の音《ね》をきまっておもいうかべるのでございます。ほがらかな春の風のように、琴のねはあの小路という小路にながれておりました。それがとだえてしまったあとも、やわらかいしこりのように、そのおとは耳のなかにのこっていました。……ある日のこと弓男ちゃんがお家《うち》へあそびに来まして、なにやら他愛《たわい》のないあそびをしているうちにじきにあきてしまい、わたくしのお机のうえをものめずらしそうにながめておりました。そのすえ、これなあに、と申して銀の小筥《こばこ》をわたくしにみせました。おじ様の洋行みやげでございましたその小さな宝石筥の蓋《ふた》には、まるく硝子が嵌《は》められてヴェルサイユ宮殿の藍《あい》いろの写真が貼《は》ってあります。それ宝石ばこよ、その絵フランスのごてんの絵よ、と、わたくし得意で申したのでございます。男の児はしばらくうっとりとながめておりましたが、やがておそるおそる蓋をあけるのでございました。なかにはさまざまな宝石屑《くず》がはいっていました。それらは大方《おおかた》おじさまやおばさまの、指環《ゆびわ》や首飾やネクタイ・ピンの残り屑で、きわめて小粒なたくさんの粗珠《あらたま》でございました。いつぞやまっ白な琺瑯引《ほうろうび》きの洗面器の底にそれらを並べ水をそそいでみたことがありましたが、日の光に透かされて、うつくしい葡萄《ぶどう》いろや紺青《こんじょう》やあざやかな紅いろがさやかにきらめいておりました。

弓男ちゃんがその一粒をつまみ上げてわたくしの方をみましたとき、ふとなにか思いついたようすでみるみる目にかがやきが昇ってまいりました。たいそう赤くなり口ごもりながら、あの空家に……といい出すのをきくや否や、わたくし、きかずにすっかりわかってしまいました。わたくしも目をみひらき心をたかぶらせて、それがいいわ、それがいいわ、と手を拍《たた》きました。

このようにしてふたりの間にできあがった秘密は、大人をさえもじれったくいたさすことができました。ところどころのこと葉をぬいた、「ね、ね」のおおい話しぶりや、目くばせや、きちがいのようなわらい方とで。

——お琴のねをうしろにしてあの黒い径を、わたくし共はひどくあたりに気を配りながら空家のほうへあるいてまいりました。生垣の家のひとつからけたたましく鸚哥《いんこ》がなき、日の光りはさやさやとその生垣に下りていました。きのうの雨にふやけた例のくぐり戸は大そう開けるのに骨が折れました。それをあけますと空はふしぎなほどひろく、赤とんぼがとび苔の匂いがしております。くぐり戸のわきにうえられた茶梅のとき色の花が苔のうえにちらほら落ちちらばっておりました。……わたくし共は一そう心をくばりながら二、三本の橡《とち》の木にかこまれたちいさな苔の凹《へこ》みの方へあゆみよりました。ほとんど人目につくおそれのないその場所は、たまにとんぼ釣りなぞに来る子があっても、灌木《かんぼく》のしげみとつらなった岩のために、気にとめそうもないところでございました。わたくし共はそのそばにしゃがんでそっと厚味のあるしめやかな苔をおこしました。枯枝でもって弓男ちゃんが細いふかい穴をほります。そのずっと奥まで、お家からもってきた底のある竹筒をさしこみますと、いいよと云《い》いながらまじめなかおでわたくしを促すのでございました。わたくしはポケットから赤い折紙に丹念に包んだ十粒ほどの宝石屑を出しまして、もう一度数をかぞえてさらさらと竹筒のなかへおとしました。あやまって苔におちた一粒のルビイがたいそう美しゅうございました。竹筒にふたをして土をかぶせ一旦《いったん》おこした苔を用心ぶかくもとのようにつぎあわせますとなにげない顔をしてその空家から出てまいりましたが、お家までかえってくるとうとうこらえきれずに顔をみあわせておもうぞんぶん笑いましたのを、お母さまはけげんな顔をなさってみていらっしゃいました。

わたくしと弓男ちゃんはそれから大きな画用紙に色鉛筆で地図をかきました。地図のなかほどに金いろのクレヨンでかかれた冠の印は、ふたりの海賊がこっそりとかくした目もまばゆい宝の在処《ありか》でございました。そのひと隅には紫いろの帆をいっぱいにふくらませてきらきら光った夜あけの海へすすんでゆく帆前船の絵を弓男ちゃんが書き足しました。わたくしは一心に、日を透かしている雲のような白い紙の背景と、そのかがやかしい絵のさまをみつめていました。

芝生やブランコやすべり台にわたくし共は目もくれなくなってしまいました。毎日学校から帰ってまいりますと、ふたりでひそひそと相談をしましたり、何枚となく秘密書るいを作りましたり、一日に一度はかならずあの宝石蔵を見に行ったりして日を送っておりました。その内に冬がきました。木枯しが黒い径からこみちへ吹きぬけ、お豆腐屋さんのらっぱが風のなかでひびいておりました。ときおり日があたるとその日だまりでは埃《ほこり》のむれたあの冬らしい匂いがいたしました。そうしてだんだん冬が深まっていったある晩のこと、雪がふりだしました。あくる朝わたくしはなぜか五時ごろから目をさましましたが、一面の雪げしきにびっくりしてよろこんだものでございます。けれどもそのあとからすぐ不安をおぼえましたことに、こんな朝よその子どもはあの空家の庭にきっと雪だるまをつくりたいとおもうにちがいない。薄雪のこととてすぐ足りなくなり、庭のすみずみから雪をかきあつめてくるにそういない、その拍子に苔や泥といっしょにあの竹筒のふたがとれてしまうだろう、めざとい子どもがそれをみつけるだろう、……そんな風におもいめぐらすにつけてわたくしはもうじっとしていられませんでした。学校へゆくまでにはまだまだ時間がありますゆえ、弓男ちゃんのお家へかけていって名をよびますと、目をこすりこすりパジャマをきたままの格好《かっこう》で出てきて、今のうちに掘っておきましょうというわたくしの申出をすぐさま賛成いたしました。「いまきかえてお顔をあらってからすぐ行くから待っててね。」と申しますから、「きっとひとりできてね。」とわたくしは念をおしました。「うん、だからあすこで見張りして待っててね。ぼくすぐ行くから。行くまでほりかえしてはいやだよ、一しょにほるんじゃなくちゃいやだよ。」と言って奥へかけこんで了《しま》いました。そこでわたくし、仕方がございませんからひとりで空家の方へかけてまいりました。そこらの雪景色にまぶしくかがやきだした旭《あさひ》のなかで、雪掻《ゆきか》きの人がちらほらはたらいておりました。例の黒い小路にはひとつ下駄《げた》のあとがあるきりでしたのでいくらか安心をいたしました。しばらく行くとその跡は一つの門に消えていました。目のまえの雪は青みがかるばかりにうつくしく眩《まば》ゆうございました。あの家の鸚哥がまたしきりにないていました。……

半ばずれかかっている綿帽子をかぶった燈籠《とうろう》のそばでわたくしはしゃがんで待っておりました。庭じゅうの雪はチカチカと光り檐端《のきば》からあかるい音をたててひっきりなしに滴《しず》くがおちました。そのうちにわたくしはすっかり待ちくたびれてしまいました。

人のこえがきこえて身をすくめますとそれは大人の声でなにかしきりにわらいながらむこうの道へ曲ってしまったりする。……いらだたしさというものはこのようなやりばのない退屈さとうまくまじりあうものとみえます。ひとつは弓男ちゃんの来るまえによその子がきたらという心配とひとつはまちこがれたすえの退屈から、わたくしはいくたびひとりで宝石をほり出してしまおうかとおもったかしれませんでした。けれどもそれは生れてはじめて弓男ちゃんとの約束をやぶることでございました。そう考えだすたびにわたくしはそれを百ぺんも思いかえしましたが、なにかのはずみは、ふつうにはとびようもない幅をひと息にとびこさしてしまうものでございます。あの宝石はわたくしのだもの、……そうおもうとにわかに気のかるくなったような思いがしてわたくしはもう夢中で土をほりかえしておりました。宝石をすっかりポケットに入れてからまた竹筒はもとどおり土にうめておくつもりだったわたくしは、そのときなんだか自分にもわからない狂暴な気持がしてきて、わざとその竹筒を雪のまんなかの人目につきやすいところへ投《ほう》っておきました。青ぎいろい竹の肌が、雪の反射でつやつやと光っておりました。ふとわたくし、「わるいことをした、」と思いました。それをうずめるために手を出そうといたしました。……その時でした。ざわめきがして急にあのくぐり戸があけられました。先頭に弓男ちゃんが立っており、そのうしろを学校のいたずらっ子が五六人ざわざわととりまいておりました。わたくしの後悔はいっぺんにとんでしまいました。わたくしは弓男ちゃんの目をみつめました。弓男ちゃんは大へんまじめな、ゆるしを乞《こ》うようなおどおどした目つきでわたくしをみておりました。ところがその目が、ほりかえした土のあとと雪のうえの生々《なまなま》しい竹筒のいろをみたときに、さっとかわったのを、子供ごころにもおそろしいほどはっきりおぼえております。わたくしはたえられぬほどさびしくなりながら、弓男ちゃんだって、と思いつつそう思うことで一そう自分をさびしくさせていました。だまってみんなのそばをすりぬけてあのくぐり戸から外へ出たわたくしは、お家までかけだして帰ってゆく間、いっぱい涙をこぼしながらかけておりました。……

今もわたくしはあの方の哀訴のこもった目をわすれることができません。それと一緒にすばやくうつりかわった憎しみの眼差《まなざし》もわすれることができません。たぶんあの方はすこしおくれたのを気にされてだまって空家のほうへかけていらしたのです。雪にはしゃいでいた子どもたちが何か問いかけながらそれでもあの方の御返事のなさにすこしいらだたせられながら、たぶんあの方をおいかけてまいったのです。そうなってはいいわけなぞなさってもとうていお敵《かな》いになれなかったのでしょう。空家に近づくにつれて子どもたちには雪だるまをつくろうという目論《もくろ》みがうかんだのでしょう。してみればあの方のどこがわるかったと、わたくしはお責めするのでしょうか。子供ながら、悔いの日々がそれから喪のようにすぎたのをわたくしはまざまざとおぼえております。

二の段

ほんのつまらぬ動機からも、子供にありがちな移り気と飽きっぽさは、なにかおおきな意味をみつけたがるものでございます。わたくしの方では仲なおりの早くできるようにとそればかりねがっておりましたものを、学校なぞでたまにお会いしてもしらんかおをしてむこうへ行ってしまったりなさいます。そのうちに根負けのしてしまったわたくしは、女の子のお友だちとばかりあそぶようになりましたけれど、あの海賊ごっこなぞをおもいだすと、ときにはおとなしいあそびのかずかずにえたえぬおもいのすることもございました。

弓男ちゃんのお母さまは未亡人でいらっしゃいました。お父さまという方はおひとり子の弓男ちゃんがうまれて三月ほどしておなくなりになったのだとやら。わたくしにはちゃんとお父さまもいらっしゃいましたが、ひとり子のことは同様でございました。そして弓男さんのお母さまもわたくしのお母さまもたいへんお若うございます。わたくしのお父さまは御養子で、えらい博士でいられましたが、子供ながらわたくしは、家《うち》のなかになんとはなしにやすらかすぎるようなさびしさがただようているのを、つねづねおぼえずにはいられませんでした。……

冬も半ばすぎると仏蘭西《フランス》からかえってきたある絵描きさんのところへお母さまは絵をならいにいらっしゃりはじめました。ならいにいかれる日がかさなると、時折お庭の芝生に画架をお立てになって、ひんやりとした風のとおる日だまりのなかで、写生をしていらっしゃることがありました。あたりのすっかり春めいた日、学校からかえったわたくしは、やはりそんな風にお庭で画をかいていられるお母さまのうしろへよって、彩《いろ》づいた筆先のなめらかに刷《は》かれてゆくありさまにわれをわすれておりますと、なにもきづかれないようにカンバスに対《むか》っておられたお母さまは、ねえやあちゃん、とふいにそう仰言《おっしゃ》いました。去年よくおうちへいらした弓男ちゃんのお母さまがね、おかあさまとおんなじ絵の先生のところへいらっしゃるようになったわ。わたくしはそうおと云《い》って、とりわけおどろきもいたしませんでした。

それから二、三日して弓男ちゃんのお母さまがおみえになりましたが、以前は道でおあいになって会釈《えしゃく》をなさるくらいのおつきあいでしたものを、絵のことから大そうお親しくなっていられる御様子です。わたくしをごらんになって、おや康子さん、なんて大きくおなりになったのでしょう、このごろはちっともおみえになりませんね、弓男がおまちしておりますからお遊びにおいであそばせな、とやさしくおっしゃいました。それでもわたくしがすすんであそびにいこうとせぬままに、弓男ちゃんもやはりいらっしゃいませんでしたが、あちらのお母さまが何か仰言ったものか、すげなさのまるきりなくなったわけではないにもせよ、お顔をあわせれば弓男ちゃんのほうから大ていかすかに頬笑《ほほえ》みかけてこられます。でもおおぜいお友だちのいるところでは、あいかわらずふたりともしらない人のようにふるまっておりました。心のなかでは人のいない所でのあの笑みあいを、たったひとつのいいわけとしながら。……

わたくしはすくすくのびてゆきました。わたくしが六年になりますと、弓男さんはかねて志していられた学校へお入りになりましたが、そのころからわたくしも女学校の試験のために、何もかもわすれて呆《うつ》けたように御勉強ばかりしておりました。その女学校にはいれたあとさきの二年間をば、またたくまに費いはたしてしまいました。

そのような二年間は、花野の夜、ふと、秋草をつんでいたこうべを上げて、野の果てをとおってゆく汽車を見送るようなものでございました。汽車はさかんな汽笛で野や谷あいに立ちこめている夜霧をふるわせ、川のなぞえにひとときまっ白な煙を這《は》わせながら、あのつらねられた明るい窗々《まどまど》を櫛《くし》のようにみるみる梳《す》いて山のあちらへかくれてしまったのでございましょう。その汽笛は、虫の音がふるような花野のさなかで、まだおもたく粗い宝石のように、耳の底にのこっているでございましょう。そうやって半ばうつけた気もちで立っているわたくしにも、いったいなにが失なわれていったかを、合点することができないのです。

女学校の三年になりました五月は、いつもと着ごこちのちがう季節でございました。自らを美しく装《よそお》いたい気持のめばえは、それと一緒に浮草のようにふたしかなうれわしさでわたくしを苦しめだしておりました。梅雨が、そんなわたくしの上におもくるしい記憶かなぞのようにおおいかぶさってきたある日のこと、別荘番のじいやから長いたどたどしい手紙がお母様のところへとどきました。うちの別荘の近所の手ごろな家が空《あ》いたからぜひ山岸様の奥様におつたえねがいたい、といった意味の手紙なのでございます。あまりおみよりのない弓男さんのお母さまが今年の夏こそうちのお母様のちかくにと望んでいられたのが、それでやっと叶《かな》えられて早速承諾の返事をお出しになりました。

そのうちに樹《こ》の間《ま》を洩《も》れてくる日の光りは、だんだんと黄いろさをましました。庭のおもてのもえたつように明るい日ざかりには木立の奥でとぎれがちにかすかに蟬《せみ》がないていました。花圃《はなぞの》のまんなかに立っていると、髪はかわいたように暑く、それでも帽子をかぶるのはうっとうしくおもわれるように爽《さわ》やかな風が花々をゆらめかせながらかよっておりました。耳にはもう虫の羽音《はおと》がこがね色にたちこめ、樫《かし》に凭《よ》りかかると背中の衣《きぬ》をとおしてしずかな冷ややかさがしみとおってまいりました。朝がた、まれに下りている一つぶの露のなかにわたくしはみるのでございました、なよやかに勁《つよ》い葉脈だの、かわいらしいみどりの毛だの、そうしてそれらをのせた草の葉（その上にさしかわしているたくさんの草の葉はそれにほんのりした影を与えていました）だの。……そういうものは虫めがねをのぞくように繊《こま》かくふしぎなほど完全にみえておりました。

そんな変りかたはまるで季節そのものをうつし出しているようでおかしかったほど、わたくしはすっかりもとのわたくしのなかに立ちかえっておりました。一度大人になりかかったのが、むしろ子供っぽすぎるまでにあともどりをしてしまいました。夏休みがくると七月の中ほどに、わたくしはお母さまとなにがしの海岸の別荘へ発《た》ちました。お父さまは御研究のおつごうで東京におのこりになりました。

汀《みぎわ》の水をかきわけてすすんでゆくと、幾重にもてりかがやいたお納戸《なんど》いろの波のはらが、氷山のようにたちむかってきました。ややみだれかけた波頭《なみがしら》のしぶきのあちらに夏の雲がまばゆく渦巻いておりました。青いうねりにのって沖の方へおよぎすすむにつれ、よく澄んだ水《み》そこ《な》は目近《まぢか》くみえまして、網目のような波かげが、ふちを光りでかがった絶えやらぬゆらめきをその海底に映していました。こうしたときわたくしは、たびたび沖をとおる汽船のすがたをみました。ひだりの岬《みさき》から出てきた汽船がみぎの岬にかくれきってしまうまで、鷗《かもめ》がむれとび雲のみねの、したたるような色あいに連っている沖の方はひときわ光りかがやくようにおもわれました。汽船がかくれてしまうと、いままで胸に湛《たた》えられていたものがにわかに堰《せ》き落されたような、そんな虚《むな》しさをおぼえながら、それをどう抑えようというのでもなく、わたくしはえたえぬまでの切なさにおそわれるのでございました。

七月もおわりにちかづくと浜は一そう賑《にぎ》わいました。山岸さんのあたらしいおうちへは大分まえから仕事師がはいっていましたが、すっかり修理がととのうと、たくさんのお荷物をのせたトラックを先に立てて、おばさまは自動車にのって東京からおいでになり、そうした調度のおき場所のお指図やなにかで、けっきょくそのお家にはまだお泊りになれずにうちの別荘にお泊りあそばしました。そのあくる日にはすっかり住み支度がととのったものの、おばさまはしじゅううちへあそびにきていらして新らしいお家にはただほんの寝泊りをなさるだけの日が、二、三日もつづいたころのことでした。ほとんどだしぬけに弓男さんが小さな旅行鞄《かばん》をお下げになった、それでもどことなしに子ども子どもしたお姿で、ここY海岸へやっていらっしゃいました。

あくる日からお母さまとおばさまと弓男さんとわたくしは日が昇りつめると松林づたいに毎日浜へと出かけました。わたくしの年上のお友だち方とも弓男さんは間もなくお友だちになられました。

――海ぞいのひろい自動車路がつきるところに、序《つい》でのないままについぞ行ってみたことのないHという避暑地がございましたが、ある日泳ぎつかれたすえ、砂浜でねころんでいるうちに誰がいい出すともなく、あしたH町へ行ってみよう、ということになりましたので、みんなのなかでいちばんに年下の弓男さんとわたくしも、それについてまいりました。その日の朝、わたくしは自転車のうしろに、果物やサンドイッチャやチョコレエトをいっぱい詰めた手提をのせ、あつまり場所の松林へ走ってゆきました。リイダアはいちばん年嵩《としかさ》の佐々木さんという大学生でした。わたくしはと申せば十五という齢《とし》がじれったいような不服な気がして致方ございません。弓男さんはみなのまえでは、なぜかわたくしをさけていられるようにおもわれました。

三十の自転車は水すましのように走りました。空気の水脈《みお》をみえないリボンのようにそのうしろになびかせながら。左手には海がまぶしく赫《かが》やき、バック・ミラアのなかは光った自転車でいっぱいでした。H町までは可成《かなり》とおうございました。ついたときには日がすっかり昇りつめておりました。おなじ海ぞいにありながらまだいちども見たことのない町……とは申せ沖合まで漕《こ》ぎ出した時なぞ、ゆるやかな海岸線にそうた山ふところに、叢《くさむら》ほどな森をしたがえてよこたわってみえるちいさな町――それだけで私どものひそかに思いえがいていた美しい町は、かなしいばかりほんとうのH町とはちがっていました。それゆえわたくし共は石のごろごろした坂路をのぼってH町のはずれの森のほうへはいってまいりましたが、のぼりきるとうつくしい草地が森にかこまれて展《ひら》けておりましたのでそこでわたくし共は憩《やす》みました。杉の根方のやわらかい草の上でおねえさま方とおひるをいただいていますと、あちらでは弓男さんがおおぜいの年嵩な学生さんたちのあいだでなにか大ごえでさわいでいらっしゃいます。そら、僕のほうだってちゃんと仲間がいるぞ、とそう仰言るおつもりなのでございましょう、ときおりこちらをむいてほこりかに笑いかけてこられますものの、年上の学生の方々は、――多分子供っぽさをきらわれるその年ごろにありがちなわがままから「話があわない」という理由をつけて――、弓男さんをなんとはなしに邪魔にしていられるのを、うすうすわかっていたわたくしは、当の弓男さんすらも、うっすらとそれを感じていらっしゃるらしいことに、いくぶん駭《おどろ》きやさびしさをこめた心地で、ふと感づいたような気がいたしました。

――食事がすむとみんなは少しばかり疲れのにじんだ顔をしてぼんやりおしゃべりをしていました。森のなかを散歩がしてみたくなって、ひとりでそのざわめきからはなれてあるきかけてまいりますうちに、わたくしはうしろについてこられる弓男さんに心附《こころづ》きました。二人がならんでだまってあるいてゆくその細道は、奥まった森のなかへみちびかれ、そこかしこの杉の根方に日ざしはレエスのようにおちてその杉の幹だけを高貴な霧のようなあわい日光《ひ》の色にそめておりました。どこかで小鳥がなきしきっております。……

そのとき路がつづら折にのぼってゆこうとする曲り角から、がさがさという音と一緒に背のたかい人が立ちはだかりました。あっとこえを立てそうになりながら、その人が佐々木さんであることがわかったわたくしはしかたなさそうな笑いを口元にうかべました。いまだにおぼえておりますのは、佐々木さんがわたくしの笑いに誘われて――と申そうより、その笑いのためにはじめて目覚《おど》かされたように、それとそっくりな笑いをうかべ出したことでございます。その笑いのまえに――尤《もっと》もおどろきが大そうそれをおもいだしにくくさせているのですが――佐々木さんはかなり嶮《けわ》しい怒ったような顔をしていたのではなかったかしら。……それはともかくあの時にわたくしは、あちらの杉叢《すぎむら》のあいだに白い洋服をちらちらさせている女のひとをみたようにおもいます。――すこし気づまりな思いをしながらわたくしが佐々木さんととうとう一言《ひとこと》も口をきかずにひっかえして歩みはじめたとき、「山岸君」とおよばれになって、いったんわたくしについてこられようとした弓男さんがまたふりむかれたらしいのを覚えましたものの、わたくしは却《かえ》って足をはやめてひとりであるいてきてしまいました。一寸《ちょっと》してからわたくしを追ってかけてこられた弓男さんは、項《うなじ》をたれてそばを歩いてゆかれる間、いくたびとなくわたくしに言いかけようとなさりながらためらわれて一そう御自分をじれさせておいでになる様子の顕証《けそう》さに、なんておっしゃって、とこちらからお問いかけしてもしたらよかろうものを、朧《おぼ》ろげながらそれがなんだかわかっていたわたくしは、頑《かたく》なに口をつぐんでいるのでございました。……

やがて、てんでに別な方向から、佐々木さんも今年女学校を出られた和子さんという方も、みんなのいるところへかえってこられました。和子さんは心なしか青ざめてみえました。同時に花束をもった女学生の方々がみんなの群に加わりましたので、それはいっこう、あっけないほどめだちませんでした。

――かえりみち。日はまだ高うございました。潮風はだいぶ強くなって、そのほどよく焦《こ》げた風は炭酸水のようなにおいがいたしました。どの自転車もたばねた野草や花々をつんでいるのでございましたが、ときどきまえの自転車の花がぱらぱらと散りだしますので、道にこぼれたそれらの葩《はな》を、挽《ひ》くまいとおもいながらつい挽いてしまったりいたしました。タイヤににじんだ花の色の、走らせるにつれてみるみる泥にそまりました。……

佐々木さんの自転車がいつのまにか速さをゆるめてわたくしによってきました。わたくしはそれからのがれようとどんどんスピイドをはやめました。すると又佐々木さんが追いかけてきてふたりはみなの先頭になってしまいました。佐々木さんはわたくしの耳のそばで、大人が子供をからかうような調子でもって、弓男君とずいぶん仲がいいんだなあ、おどろいたよ、と申します。にわかに頭のなかをかきみだされたようないやな心地がしだしたわたくしは、だまったままうしろのほうへ退《すさ》って佐々木さんからはなれてしまいました。もう追ってはまいりませんでした。わたくしは呆けたようにペダルをまわしていました。目のまえの白い花の、気ちがいじみてはらはらとちりつづけるのを、なにかわるい幻のようにみつめながら。

——その日の夕映えはほんとうに美しかったことを覚えております。松林のなかには松影がながくおち、そこかしこの地面がぱあっと炎《も》えあがるようにうつくしく映えておりましたし、みあげれば若い松笠《まつかさ》は、ひとつびとつほんのりとした茜《あかね》いろにそめられて、かぞまえられるばかりにけざやかな影絵を、松葉は空にえがいていました。その松林でわかれてから、わたくしは何ということもなしに近みちの細いみちを、そこは乗ってはとおれませんので、重い自転車を曳《ひ》きずっておうちのほうへとあるいてゆきました。さきほどのことでわたくしの頭はいっぱいでした。小川のほとりのそのみちを、蟹《かに》が二、三疋《びき》すばやくよこぎりました。……

ふと気附きますと、おなじ路を弓男さんも、さっき森へはいったときのようにだまったまま自転車を曳いてついてこられます。そうした似通いがなぜかしらわたくしを一層苛立《いらだ》たしくさせました。気附いたことを知られた弓男さんは少し吃《ども》って、

「佐々木さんがあのことをみんなに言わないでくれといったよ。」と仰言《おっしゃ》いました。

「そうお」と云《い》いながら、あまりふりむくと自転車のよろめくため、強《きつ》いくらいに前

をむいていたわたくしが、そのおこと葉ににわかにものの融《と》けたような思いがして、ふりかえりざま、

「なぜわたくしに何もおっしゃらなかったのかしら」そうつけつけと申しました。ちょっとの間弓男さんはだまっていらっしゃいましたが、ふとおもい出されたように、

「そうかい、君にはなにもいわなかったかい」

とぽつんと云われてから、またたまりこくってわたくしについてこられました。それにはどこか大そう子供っぽい様子がみえました。……

お父さまが待っていられるので、お母さまとわたくしは、はやく東京へかえりました。この夏休みの思い出は堰を切ったようにたぎりおちてくるのでございました。それは毎年《まいとし》とそっくりのようでもあり、どこかちがった、みなれぬ歩みをはこんできたようでもありました。何が気にかかるともなしに、なにかが気にかかっていました。そうして又、そんな理由のない気がかりが、却ってじぶんのはげみにでもなりそうな気がしておりました。……

九月もなかばすぎた午《ひる》さがりに、学校からかえってきたわたくしは、お父さまもお

母さまもお留守の家のなかの、ものさびしくうつろな思いのするままに、ついぞ行ったことのない裏庭のほうへ出てみました。そこはひと曲り庭からまがっていて、丈たかい生垣が庭のほうをすっかりみえなくしておりました。

二年ほどまえ南の邦《くに》のおみやげにいただいた舶来種《だね》の植物の、奥の垣ぞいにうえてあったのが、大そうおおきな花をつけているのをめずらしく思って、足の甲に幼ない蟋蟀《こおろぎ》がいくつとなく上るのにまかせながら、わたくしはあゆみにくい柔土《やわつち》をぎしぎしと踏みしめてあの花のほうへ近づきました。

それはどこか紅蜀葵《もみじあおい》ににていました。あれくらい大輪の花が、袱紗《ふくさ》のようにおもくるしくかさなりあって咲きほこっておりました。わたくしはその緋色《ひいろ》の花をぼんやりとみつめていました。するとふと頭のなかで、時計の針がぱたりととまったような、機械の文字盤が一桁《けた》ずれたような、そんな唐突なごくちいさな陥没がおこったような気がいたします。——

それといっしょに、今まで何でもなしに見入っていたその花が、——すべてはもとのままなのに——どこがどうと云うのではなく、まるで別なものにかわった、と存じました。今までどおりにそれを見つづけているうちに、砂地からふいに水がわきでてひろがってゆくような、そういった不安が胸ぐるしいまでに高まるようにおもわれました。はやめまいにおそわれながら、そこから遁《のが》れることもならず、むしろそちらへ引っぱってゆかれるような、――たとえば病気のねざめにみるおそろしい夢にも似た――さしひきならぬ心持がしはじめるのを自分でもどうすることもなりません。――そういう膠《にかわ》のように固まった幾秒かがすぎたとき、立ちすくんでいるわたくしの耳に、はじめて小鳥のこえがきこえました。それにつづいておちこちの叢にすだいている虫の音がきこえてまいりました。……

――あの花をみた日からこの方、わたくしは以前の自分とどこかちがいはせぬか、という疑いのおこるのを、しいておしかくそうといたすあまりに、夏のさかりのほがらかさをすこしずつ失いだしてまいりました。尤もつゆの時分のそれとは別のたぐいのうれわしさだと申すことは、底しれずひきいれてゆくようではありますものの、なにかのあたらしい芽生えに似た匂《にお》いのいたすのでもわかりました。

秋も更《ふ》けたころ、お父さまの旧《ふる》いお友だちが外国からかえっておいでになります。お父さまとは御縁のない植物のほうで、博士におなりになった方ですけれど、高等学校からのこの上もなくお親しいお友だちでいられます。それゆえ、久しくみない日本の植物の採集にゆこうとて、そんなことにつゆ興味をおもちにならぬ、まして外出《そとで》のおきらいなお父さまに、むりやりにピクニックのお約束をさせてお了《しま》いになりました。なるたけ人数のおおい方がよいと云われるので、お母さまはわたくしに、「山岸さんのおばさまと弓男さんもおよびしましょう」そう仰言るのでございました。そのおことばをきいたわたくしは、みずからそれにおどろかされたほど、なぜともなしにはっといたしました。その為《ため》にしばらく御返事ができなかったのを、そのようなおそろしい放心を別なものに装《よそお》おうと申す心がおきて、え、と今まで気づかなかったようにお母さまにおききしました。お母さまはこころもち苛立たしそうな表情をなさったけれど、すぐなんでもなげに同じことをお繰り返しになりました。その二度目のおことばをわたくしはもう大人のような平静さできいていることができるのでございました。……

しばらくするとわたくしに別な悔いがうまれました。お母さまにむかってお隠し立てをした、お母さまをおいつわり申し上げた……些細《ささい》なことがらにすぎないのに、そんなちいさな偽りが、身も世もないほどにわたくしを悔いさせるのはいったいまあどうしたこと。

お友だちと共々に高等学校の寮歌なぞをおうたいになりながら先に立ってあるいて

ゆかれるお父さまはついぞないすこやかな御歩調でございました。お母さまとおばさまはなにか愉《たの》しそうにお話しをしてあるかれ、わたくしはそのおそばに、そして重いリュックサックを背負った弓男さんはあの植物の博士のかたわらで名もしれぬ草花について熱心におたずねしていられました。みちのほとりに楓《かえで》がいろづいて、いちめん麦いろに光った武蔵野《むさしの》のはてに山々のたたずまいは雲のよう。……お父さまのお友だちの胴乱《どうらん》は、色とりどりの草でいっぱいになりました。竹林をぬけてのぼり坂になった赤土の小路《こみち》は、いつしか小高《おだか》い丘のうえの、古びたお社《やしろ》をめざしていました。

お社におまいりをしましてからいくらか下りになった道すがら、わたくしはちいさな切株につまずいてころんでしまいました。ねばついた赤土は、沓下《くつした》から裾《すそ》にかけてべったりと汚しました。たまたまお母さま方はさきに行っていらしたものですから、泣きだしたいような気持でございました。泉のおとがふとそんなわたくしにきこえてまいったのでございます。ゆるやかな傾斜《なぞえ》のなかほどの、平らに土の露《あら》われているところに、ちいさな泉が壺《つぼ》の恰好《かっこう》にあふれているのがみえました。そのときリュックサックを背負った弓男さんがおおくれになっていそぎ足にあるいてこられたので、お母さまにお言伝《ことづ》てをおたのみしたわたくしは、弓男さんのお後姿が道を曲ったのをみとどけますと、泉のそばのしめった岩の上に、靴と沓下をぬいでならべてから、しずかに泉に足を漬けました。身にしみわたる清水のひややかさは、わたくしからすばやくなにかをうばいとってゆくようにおもわれました。栗《くり》の木の間から泉のうえへわたくしのうえへ陽がふりかかってはこぼれてまいりました。そんな光りが、心もとないおだやかな空気を、うつくしく揺がせているようにおもわれました。ほんの足もとだけの深さにせせらぎのような風がながれているらしく、落葉の一ひら二ひらがわたくしの足にかわいた音を立てるかとみるまに、水におちてはみるみるながされてゆきますのが夢のようにくりかえされました。栗の梢《こずえ》で、色鳥がささなきました。ふと落葉をふみしめてくる跫音《あしおと》をきいてふりかえりますと、そこには呆《あき》れたような面持のお母さまが立っておいででした。そのうしろにややはにかんでそれでも心配そうにこちらを覗《のぞ》いていられる弓男さんのお姿がみえました。ころんだとおききになったお母さまは、お手に傷薬をもっていらっしゃって「どれみせてごらんなさい」とおっしゃりながら、かがんで足のかすり傷にお薬をつけて下さいました。そちらへばかり気をとられていたわたくしがじっとわたくしの足をみつめていられる弓男さんに心づいたのは暫《しばら》くたってからでございました。お母さまは何もご存知なく、片足を泉につけ片足を岩の上にのせたその足にしっかりと繃帯《ほうたい》をして下さるのでございましたが、わたくしはふいに足がふるえだすのをどういたすこともできませんでした。……弓男さんから目をそらせば却《かえ》ってその御眼差《まなざし》は足に重たく感ぜられ、わたくしはお母さまのお衿《えり》もと、落葉におおわれた地面、そして弓男さんのお顔へとおちつきなく目を走らせておりました。そのため、お母さまが繃帯を巻きおえられ、こころもちそりぎみにお立ちになって、「さあもう大丈夫よ」とおっしゃった時、わたくしはほっとしておもわずほほえんだほどでございました。が、泥を払って沓下をはいておりますと、お母さまはなにげなしに仰言いました。「康子、すこし顔いろがわるいことね、まるで大怪我《おおけが》をした人のようだ。」そうお笑いになりますのを、今度はわたくしがいいようのない苦しい心持できく番になっておりました。夏の森から出てこられた和子さんのお顔いろをわたくしはおもい出さずにはいられませんでした。霧のようなものがわたくしにもおいつけない速さでわたくしの内に立ちこめてゆくのを覚えながら、自分の荷物を手にさげると秋のいろさまざまな坂みちをお母さまのあとからだまって下りてゆきました。

その日家にかえってから刈菰《かりごも》のようにおもいみだれているわが身を、わたくしはもてあましておりました。お母さまのおことばにはじめてうまれた心ぐるしさが、言い訳ともおもわれてなりません。なぜそんな苦しさは、弓男さんにみつめられているさなかに来なかったものか。そうした悔いのはてには、弓男さんがみていられた間というもの、さながらわたくしが喜びにわれをわすれていたかのように自らを責めるのでございましたが、責めることによりまるで本当にそうであったように思い込んでしまう、……わたくしは自分を怖《おそ》ろしい女とおもい、そのやるせなさに身も世もあらぬ思いにかられるのでございます。けれどもそんなやるせなさは一心になにかの救いをもとめ出すようにおもわれます。わたくしはその救いのほうへもかたくなに頭《こうべ》をむけまいといたします。するとおろかしいほどせっかちに、(それは今の今までわが身にあらわれなかったものですのに)あらたなわたくしが、ああして弓男さんからみつめられたこと、そのことがもはや不徳なのだといいきかすのでございます。そうして又、そんなついぞない気持があらわれてくるのと一緒に、さきほどみつめられていた間の、むしろほがらかな、苦しみのない気持こそ、ほんとうのけがれのなさではないかと思われてくるのでございました。……

わたくしはその比《ころ》から弓男さんとお逢《あ》いすまいおあいすまいとそればかり力《つと》めるようになってまいりました。そうしていることは却ってわたくしの苦しみをば、柔らげているようにおもわれました。けれどもそういう心の働きはさだかに根を下ろしたわけではなかったものか次第にうすれてゆきました。一週間も十日も、わたくしはそんな考えをわすれさっているようなことがございました。こんなあやふやな、いくぶん稚《おさ》なさのまじった気持がすぎてゆくと、もうわたくしはぐらつき出しておりました。あの苦しみは苦しみではなかったようにおもわれ、あの胸の高まる覚えばかりが、幼ない思い出のかずかずとおなじように、ひとしお晴れやかに煌《きら》めきをますかとおもわれました。わたくしは弓男さんにおあいしたいともおもわず、おあいすまいともおもいませんでした。そのくせわたくしのすることなすことが凡《すべ》てなにかに叶《かな》っている、……というような迷信じみた気持がしじゅうしておりました。

三の段

きわまりつくした秋から冬がうまれてまいりました。弓男さんはちかごろ弓をおならいだということでした。婢《はしため》は「弓」男さんが弓をおならいになると可笑《おか》しがっておりましたが、もともと弓男というお名前は亡《な》くなられたお父さまの並はずれて弓をお好きだったところからおつけになったお名であることをおもえば、その血がふたたび弓男さんにめぐり還《かえ》ってこられたこよないしるしのようにおもわれるのでございました。冬はますますきびしさを加えてまいりました。弓男さんはつとめてから寒稽古《げいこ》におかよいになります。もう穉《おさ》ないときのように雪がふったといってさわぐ気持もおこりません。こもりがちにすごしておりました。

ゆめうつつの間に春がめぐってまいりました。庭いちめんの芝生の芽ばえは、そのうっすらとしたあえかなもえぎの色を、地面からにじませてまいるようにおもわれました。そのころわたくしはお花のおけいこにかよいはじめました。あれやこれやしているうちに葉桜のみどりがいきいきと燿《かが》やきだしてまいりました。

毎年母かたのおじさまにおまねきをいただきながらいつも上らなかった信州のある山ぞいの別墅《べっしょ》へ、わたくしは夏の来るのをまってめずらしくもお泊りにゆきました。お母さまはその気まぐれをおわらいになり、またおじさまも突然うかがう気のおきたわたくしにおあきれなさりながらも、めずらしいお客だとて大そうおもてなし下さいました。その別墅のあるAという村は、隣りあわせの名だかい避暑地からバスでゆくようになっておりましたが、半ばさびれた古めかしい気分が村じゅうにただようて、またそれを取柄に建てたおじさまのような方の別荘が、ちらほらと閑《しず》かな家並をみせておりました。おじさまにはわたくしと同い年の消えいりそうにおとなしい女の子がおありになります。いとことは申せ他人のようにとおどおしくおもわれるその方は、けれどもにくまれる処《とこ》のつゆほどもない、ゆうにやさしい女《ひと》でございました。しじゅう鄙《ひな》びたもようの着物をきていられるのも、妻をおなくしになったおじさまのお家をしのばせるのでございます。お母さまのおられぬことが、のぶ子さんと仰言《おつしや》るその女《ひと》を、一そう内気に女々《めめ》しくしていました。どこかひよわそうなみかけに似合ってひくいこえではなすそのお話は、ごく内輪なおさない語草《かたりぐさ》にかぎられておりました。亡くなられたお母さまのご親戚《しんせき》の、わたくしなぞ存じあげていよう由《よし》もない、おばさまやおじいさまのおはなしを——そのようなあるかなきかの思い出すら、それにふさわしくないようなかがやかしい眼差《まなざし》で、あきもせずにはなして下さるのでした。わたくし自らのおもいと申せば、まるで春のかげろうかなんぞのように、そうしたとりとめのない噺《はなし》にまとわって流れました。あるときは噺から途方もないとおくにのがれ、あるときはふしぎな親しさをもってしじゅうおなじ調子でかたられている話のなかに融《と》けこみました。そのときには、とるにたらないこと葉ですら風の日の樹立《こだち》のようにさやかにわが身をゆさぶってすぎるのでございました。青い山々のあいだにひらけた夏野のひとつを、そんな話を耳にしつつあるいてゆくわたくしは、常ないものおもいにせめられずにはいられません。うつつとゆめとのさかいのようなはかないおもいでもあり、ときにはそれらの隙《ひま》からもれるうつくしい光線《ひすじ》のようでもございました。いったいわたくしはどうしたと申すことでございましょう。——山にかかっていた雲のゆきのけわしくなりますにつけ、夏とはおもえぬようなさむざむと鬱陶《うつとう》しい日が、こうしたわたくしのうえにながれてゆきました。

　お家は高台にありますゆえ、むかいの山腹や村のけしきは、居ながらに縁の硝子戸《ガラスど》からながめられるのでございました。夜はあちらの丘のふもとの灯が雨のなかでたくさんちかちかとまたたいているのがみえました。わたくしのみつめる各々《おのおの》の灯は、いきいきとこちらをみつめだすようにおもわれました。そんな風に考えはじめると、この窓から洩《も》れているうつくしい灯は、あのいくつかの灯のうちの一つと、絶ちえぬえにしのようなものをもっているのではあるまいか、――こちらの灯とあちらの灯があんまり切なくみつめ合っているうちに、この灯がてらしているのとそっくりな場面を、あちらの灯も映し出しはじめるのではなかろうか、なぞとさえ思われてなりませんでした。のみかけていられたお茶を卓においておじさまが不意に眼鏡をおはずしになる、そうして黄いろい布でいっしんに眼鏡をお拭《ふ》きになる、そのいそがしく揺れている眼鏡の玉にも、鏤《ちりば》められたような工合に電燈《でんとう》が映っている、……傍《はた》からそういう情景を見やりながらわたくしは、もしやあちらの丘ぞいの一つの灯のもとにも、これと寸分ちがわない場面があるのかもしれない、という考えをあきもせずに追っておりました。そしてそこでもこうしてめがねをふいていられるおじさまを、今のぶ子さんがしているとそっくりに、髪をお下げにしたものしずかな少女が、袂《たもと》のはじの方を何だか夢のなかの仕草のようにいじくりながら、ぼんやりとみつめているにちがいない、などと。

山の中のこのような閑かすぎる明暮《あけくれ》は、わたくしを一そううつけさせました。そうしてわたくしをばわざわざこの山へとつれてきた、自分にもわからないようなものはかなげな理由、――それはおおかたわたくしの心のなかに住いだした何かの仕わざなのですが――そのようなものすら忘れ果てさせてしまうようでございました。それが忘れ去られた今では、こんな山中に惹《ひ》かされる心のありかたも失なわれた筈《はず》であろうものを、都こいしさがおこるのと共に「ここをはなれてはならぬ、決してはなれてはならぬ」とおしえるこえを、わたくしはきくのでございました。

そのうちにけれどもこの寂しい暮しは、いよいよわが身にたえがたいものになっておりました。おいとまごいをしてわたくしは、お母さまのいられる例の海岸をさして発《た》ちました。隣村の駅まで見送って下さいました。向日葵《ひまわり》や名もしれぬ野の草花をうえたそのちいさな駅からわたくしは汽車にのりました。とおざかるにつれてのぶ子さんの古風な洋日傘《パラソル》の茜《あかね》いろが、うっすらとめくるめくように小さくなってゆきました。わたくしの瞼《まぶた》のうらに、それはいつまでも独楽《こま》のようにまわっておりました。するとむかし見たさまざまの色の記憶——たとえば雪のうえに投げだされた青い竹筒だの——目のまえにいつまでも散りつづけている白い花だの、そうしたつながりもなさそうな情景が、虹《にじ》のように切なくあざやかにわたくしの内をめぐりだすのでございました。折から不吉なひびきをあげて汽車は鉄橋をよこぎりました。なんだかわたくしは、めまいのいたすような物はかない気持がして致方ございません。凹《へこ》みのようなもののさなかへ、ひた走ってゆくのにも似たこの汽車の姿勢が、大そう危うげな不安なものにおもわれてなりませんでした。

お母さまは婢をつれて駅までむかえに来ていて下さいました。そのお母さまのお顔のうえにわたくしはいつにない新鮮なものをみるのでございました。幼ないころ、お国に不幸があって二、三日おうちを留守になさったとき、日もすがらさびしくてなりませぬ。ところが朝おきてみますと明日お帰りのはずだったお母さまはかえっておられます。悦《よろこ》びとも駭《おどろ》きともつかぬような自ら堰《せ》かれないおそろしいいきおいでわたくしはお母さまにとびついてゆきました。そのときはじめてお貌《かお》をみたのでございます。ほんの二、三日ぶりのお貌はふしぎにお若くよそのお母さまのようにおもわれます。つねにましておやさしいのが、いまにも消え入ってしまうようなはかないものをみつめるように、おずおずとしたさびしくうれしくまた哀《かな》しいものに時にはおそろしいものにおもわれて仕様がありませぬ。と、わたくしにそのおそろしさが克《か》ってまいります。おお、今のお母さまはいつものお母さまじゃいらっしゃらない。もしや、今のお母さまは狐《きつね》の化けた女《ひと》ではないだろうか。そうかもしれない。まえのお母さまはお歿《な》くなりになったか啖《く》われてお了《しま》いなすったのだろう。それに今のお母さまは、あしたの朝にはもう藻《も》ぬけの殼になってしまう女《ひと》かもしれぬ。――このような空想は、わたくしにとってたとしえなくうつくしく、痛ましいまでに快《よ》いものでございました。でもそのおそろしさはだれかに助けをもとめる類《たぐ》いのものではございませんでした。却《かえ》ってそのたすけをば、おそろしさの源であるはずの「ふしぎな」お母さまにもとめて甘えました。御自分を狐なぞとおもわれているとはつゆ御存知ないお母さまは、いつものあまえのおつもりで小さい娘のなすままにまかせておおきになるのでした。あくる朝になるとわたくしはお母さまのなかにすっかりもとのお母さまをしか見ませんでした。――

穉《ちい》さい時分のそのようなおもい出にあわせて、「お母さまとわたくしとの間にはなにか硝子でもはさまっているようだ」という考えが、外見《そとみ》からは一そうわたくしをば、お母さまに甘えさせるのでございましたが、その度をすぎた愛の、いっぺんにあんな硝子を融かしてくれることを、祈るともなく祈っておりますわたくしでございました。駅からうちまでのみちすがら、あの山ぞいの村のお話、――おじさまやのぶ子さんのお話を、お母さまにお口をおつぐませせずにはおかぬばかりに立てつづけに私はお話ししながら歩いておりました。そうしたわたくしの横顔に時たまちらちらとほほえみを含んだ眼差をお投げになりつつ歩いてゆかれるお母さまの、何度となくなさるやさしみのこもった御うなずきは、だんだんとそのようなお母さまをば、全くもとのお母さまにお消せしてゆくようにおもわれました。……

替えたてのすがしい畳のにおいに、かすかに潮風のにおいがうち薫《くん》じておりました。波音のする海の空はエナメルのようにかなたにかがやいております。お母さまはぼんやりとしているわたくしを、すこしさびしくおもっていられるらしゅうございました。なにかでそれを紛らわしたいとわたくしは考えておりました。お母さまとの間にもはやなにもお話のたねののこっていないのが一しおそんな空気のきびしさを増しました。庭のほうへむいてうしろにお母さまの団扇《うちわ》の音をきいておりますとき、わたくしはある折をつくりだすようなちいさな目論《もくろ》みをおこしました。団扇の音がやみそれがしずかに畳におかれたのをさとってわたくしは俄《にわ》かにふりむきました。その団扇を握りながらお母さまに二言三言おはなししかけるつもりでございました。ところが手に握ると一しょに咽《のど》にもののつまったような思いがして何も申せません。今お母さまが畳へおかれたばかりのうちわをば、ものもいわずにとったわたくしの様子は、どんなににくにくしいおそろしいものでございましたことか。このこころぐるしい失策がわたくしに妙にあらかな気持を与えたのでございましょう、あまつさえわたくしはまた庭のほうへふりむいてその手にしたうちわでいくぶん荒々しくあおぎだすのでございましたが、そのときわが身の左にさきほどからさしだされてあったらしいうちわをみたときは、まあどのように胸つぶれる思いのいたしましたこと。――しばらくしてお母さまはお立ちになってお部屋を出てゆかれました。わが身のいらいらした心持のあらけなさは、わたくしにとってはやえたえぬほどにかなしくさびしいものでございました。大事にかけて育ててまいったやさしい心の、この二月三月というもののいかばかり無造作にくるおしくよごされてきましたことか。こんなおろかしい、なにかから一心に目をおおうような有様に、わたくしを駆《か》ったのはいったいなんであろう、……そういった風にひとつ考えをおいつめていたわたくしが、云《い》おうようのない壁にゆきあったとおぼえたのはそれからまもないことでございました。泪《なみだ》のあふれようとする心地はその壁のせいでありながら、しかもその壁がわずかにそれをば耐えさせていると でも云ったらよろしゅうございましょうか、わが身を池面《いけも》のおち葉のようにする、この気のとおくなるようなけはいは。——

こぞとはふしぎなほどちがった日々が展《ひら》かれました。天気もたいそう不順でございました。ひりつくような暑い日と蒸した雨の日とがかわるがわるめぐりました。空が自分自身とたたかっているいたましい戦さを、目《ま》のあたり映し出してでもいるように。……

浜へ出る日はすくなく家にとじこもって本ばかりよんでおりましたり、ありたけの小筥《こばこ》に千代紙を貼《は》ってみましたり、仏蘭西《フランス》人形の材料を次々とくみたててみたり、そんな埒《らち》もないことをして日をおくっておりました。そういう細工物がわたくしのお部屋いっぱいにちらかってしまいましたので、海岸へわざわざ内職をしに来たようだ、とお母さまはお笑いになりました。またそれほどに雨のおおい夏でございました。ある朝お母さまは、部屋じゅうちらかした細工物に囲まれて所在なさそうな笑いをうかべてすわっているわたくしを写真にお撮りになりました。こんど東京へかえるときお父さまにお見せしにもってゆくと仰言いました。少しうしろめたいような気持がされたもののそれは理由になるほどつよいものではありませんでしたので、わたくしはそんな写真がほんの冗談として云われるであろうままに任せておきました。——山岸さんのおばさまはわたくしの様子をおききとみえ、いつぞやお逢《あ》いしたとき御加減はいかがですのと言われました。家へおいでになっても、もとはわたくしの部屋なぞへも遊びにいらしたのがついぞいらっしゃらなくなりました。気持を擾《みだ》すまいとなさる御心遣《こころやり》なのでございます。まして弓男さんの御消息なぞをおつたえ下さることとてはございません。それにわたくしのこうやってひきこもっている理由というのも外へ出て弓男さんにお逢いでもしたら、と考える懼《おそ》れからきているのかもしれませんでした。

ながいやるせなく重くるしいこうした日々、それは自《みずか》ら気づかぬうちに身のまわりにはりめぐらされてゆく繭《まゆ》のように、もうわたくし自身にも手のつけようのない空気をわたくしのまわりにひろげきっておりました。その空気ですら、あたかも繭が、ふたたび毀《こぼ》たれることへといそいでゆくように、なにかのなかへ一途《いちず》にあゆみよってゆくのが覚えられました。あの山から発った汽車の旅をそれはふいにおもいおこさすのでございました。もしやわたくしはあのころから今を予感しておりましたのかもしれません。その心のいそぎようといったら、冬になって池という池につぎつぎと氷が張ってゆくのに似ておりました。わたくしの氷もまた、割られる時を心待ちにしているのでございましょう。冷えきった気持の迫りはますますつよめられてまいりました。

それのほとんど湛《たた》えきれなくなったある日のこと、お母さまは例の絵の先生の個展をごらんになりがてらおばさまをおさそいになって東京へ御買物にゆかれました。

こよみのうえでは秋のおとずれをつげているきょうこのごろは夜にはいると波の音がおどろしく高まりました。お母さまのいらっしゃらぬ家の中は身のひきしまるほどさびしゅうございました。夕ごはんのあとでわたくしは二階へあがり縁の籐椅子《とういす》にこしかけました。そのかたわらのほのかなスタンドのあかりがよいので部屋の中はひともさずにおきました。まあるいぼんやりとしたスタンドの光りは、魔のちいさい圏《わ》のようにおもわれましたし、庭の闇《やみ》はまるで藍壺《あいつぼ》のなかのように深うございました。

くらい木立のむこうのはげしい潮さいをききながらわたくしは更級《さらしな》日記をひもときました。日記《にき》のなかの一すじのうつくしい糸をたぐって生きたようなあの少女にひきくらべて、このほどの苛《いら》だたしくなんの目標《めじるし》もないわが身をはじらいながら、わたくしは今までのうっとうしさをどこかへ置きわすれてきたように夢ごこちすらおぼえてそれに引きこまれてゆくのでございました。……

——ふと門から玄関への甃《いしだたみ》に跫音《あしおと》がきこえたのでわたくしは耳をすましました。そんなわたくしをあざけるようにゆるやかに柱時計がなりはじめ、つづいて玄関の格《こう》子《し》があきました。なにかおそろしい予感のようなものに搏《う》たれるままに、わたくしは胸さわぎを抑えようとて何にも気をとられていないようにもとの姿勢で日記をよみつづけておりましたが、やがて階段をにぶいきしめきの上ってくる気配がいたしました。おもわず身をすくめましたけれどそれは婢《はしため》でございました。

「どなた?」そうわたくしはせっかちにききました。「山岸さまのお坊ちゃまでございます。」「そう、ここへお通しして頂戴《ちょうだい》。」うかうかとわたくしは申してしまいました。田舎から出てきたばかりの婢はおなじ表情のままゆっくり下へおりてゆきました。と、ふいに泉のように今のことばのおろかさは身に滲《にじ》みだすのでございました。わたくしは婢をよびとめようといたしました。けれども夢のなかであげようとする叫びのように、こえはあえなく散ってしまうのでございました。そのようなわが身は、ともすれば一ひらの吸取紙のようにおもわれました。なぜと申せ、わたくしに思いをめばえさせてくれるものはもはや外《よそ》の思いだけでございましたし、感ぜられることが今ではすべてだからでございました。

――二度目のあしおとがのぼってまいりました。おなじ姿勢のまま書物にむかっているわたくしは、なんだかこのまま永久にうごかない彫像になってしまいそうな気がいたします。すっと顔を上げますと目のまえに弓男さんは立っていらっしゃって「こんばんは」と仰言《おっしゃ》いました。そう云われて卓《テエブル》をへだてた籐椅子におかけになる弓男さんへ、わたくしもこごえで「こんばんは」と申しながらまた書物に目をうつしてしまいました。そんなこと葉が世界じゅうでいちばんおろかなこと葉のようにおもわれました。

「A村へ行ってたんだって？」

「ええ」

「寂しくなかったかい」――それをわたくしは別の意味にとってむきになりながら、「寂しくなぞなくってよ」と申しましたのですこしおどろかれたようでした。

「お母さん子だもの君は。――」そう弓男さんはおっしゃいました。「更級日記をよんでいるの。」「ええ」「君は本をたくさんもっているなあ、うちにいると僕は退屈でたまらないのさ。」「貸してさしあげましょうか。」そうふいにわたくしは目をかがやかせてもうしました。本をお貸しすればきっとすぐお帰りになる、退屈のあまりにいらしたのに相違ないのだから、と思い込んでおりました。そのわたくしがただ弓男さんをお帰しすることにこうまでふかい喜びをおぼえるあやしさに思いいたりませんでした。それはむしろ本をお貸しする喜びであったかもしれますまいものを。

本箱は濃い闇の一隅《ひとすみ》にございましたのでわたくしはお部屋の電燈《でんとう》をつけようといたしました。さきほどゆるめて消したはずの電球《たま》が今度はどのようにしてもつきません。

わたくしはいらいらしてスイッチをひねったり、うごかぬ電球《たま》をどうかして捩《ねじ》ってみようとしたり、いっしんにむだな骨折をしておりました。そんな骨折がこの危険なしずけさと夜とから、わずかにわたくしを衛《まも》ってくれる気がいたしましたから。けれどもあせればあせるほど電燈はともろうとはいたしませんでした。今までやわらかくおぼえていたあたりの闇はしだいに重たく息ぐるしいものを加えておりましたし、すずしいほどの沈黙のなかを赤や青や銀いろのこまかいものがすいすいとながれだすのでございました。うしろにけはいをおぼえてふりむきますと弓男さんはすぐまうしろに立っていられるではございませんか。そのときのわたくしの手のふるえようと申したら。……

「つかないのかい」というおこえが耳もとでいたしました。「ええ」――弓男さんはわたくしの右手をまわってこられて電球へ手をおのばしになりました。(ほんのりとうかんでいたその白絣《しろがすり》の白さは今もわたくしの目交《まなかい》にちらつくような気がいたします。)まるで電気をぴりっと感じでもしたようにわたくしはすぐさま手をひっこめるのでございました。弓男さんは難なく電球をぬいてわたくしに手渡されつつ、「切れてるんじゃないか」と笑っておっしゃいました。それから弓男さんはスタンドの暗い電球を外《はず》してこられてお代えになると、うつむいたまま熱心に本箱に目を走らせておいででした。そんな御起居《たちい》をしばらくわたくしは呆《うつ》けたようにみつめておりました。そのとき、憑《つ》いていたものがはげしくおちたような気持がわたくしにいたしました。危うい瞬間がすぎてしまってからはじめてその意識がわたくしにやってくるのでございました。苦しさがわたくしをば失神しそうに蒼《あお》ざめさせました。その場にいたたまれないようなけわしい息ぐるしさでございました。わたくしはしいて目をすえてこの場を外すよすがをさがしておりました。棚の上のほうの厚い全集本をとろうとなさったときそのお袖《そで》がなんだかへんにひろがった恰好《かっこう》になっているのにわたくしははじめて気附《きづ》きました。「それどうなすったの」とすわったままわたくしは、おちつこうとつとめながらへんに上ずったこえでお問いかけしておりました。「これ？——ああ」と今までわすれていられたようなこだわりのない笑いをうかべながら、「あすこの枳殻《からたち》の垣根でひっかけたんだ」「おおきなかぎ裂きだこと」おかしいほどおちついてわたくしはやっとのことでそれだけもうすのでございました。「縫ってあげるわ、一寸《ちょっと》待っていらしてね」といいざまわたくしは走りぎみに階下《した》へおりてゆきました。

それにしても人の気持というものはなんというおぼつかないものでございましょう。今しがたまでなるたけ長く下へいられるような口実をさがしていたわたくしが、いざそれがみつかってみると、針のめどへ糸をとおすのさえじれったく思われて仕様がございませんでした。たった今まで階下へゆくことがただひとつの目当であったものを、今ではあの方の袖をおつくろいすることがまことの目当になっておりました。そんなにまで失われてしまった自分に、それというのにわたくしはなかなか気づこうともいたしませんでした。

糸をつけた針を片手に持つとわたくしはかるく手をやりながら梯子段《はしごだん》をのぼってゆきました。部屋のおくに弓男さんのお背《せな》がみえ部屋のあかりは目のまえの粗壁にまでかすかな光りをよせておりました。さきほどこしかけていた椅子のあたりを夜明けのようなほのぐらい鈍《うと》い闇がひたしていました。ほんの短かい間にわたくしは燈心のもえつきてゆくようなしずけさをおぼえました。木立のはずれにかずかずの星を鏤《ちりば》めた庭のほうで、かそけく虫のこえがいたしました。梯子段をのぼりきるとわたくしはなにともなしにそこに立っておりました。……

――この時、ずっとまえ庭の花をみていて起ったような陥没――それはあまりそれに似ていたので突嗟《とっさ》にあの時をおもいださせたような陥没がわたくしに起ったらしゅうございました。なぜかしらわたくしははっとしました。わたくしの襟《えり》もとにさきほど身近く熱くふれた弓男さんの御息《いき》が、いまふたたび潮さいのようにとどろきだすかとおもわれました。あの危うい熱ばんだ闇が千倍も胸ぐるしく身にうずまいてまいります。わたくしはいきなり又階段をかけおりました。……

針箱のまえにきちんとすわって、ただ気をおちつかせるために、針からそろそろと糸をぬいているわたくしは、また胸がはげしくさわいで動悸《どうき》をうつのを夢のようにきいておりました。

しばらくして階段を下りる跫音がきこえ弓男さんは婢に見送られて帰ってゆかれた御様子でございました。そういう思い切ったお扱いをしてしまったわたくし自身に、いつかいとおしいまでのたよりをおぼえながら、そんなわたくしがみしらぬ毅《つよ》い女のようにながめられもするのでございました。

夜更《ふ》けてお母さまは帰っていらっしゃいました。お母さまのおかえりをそのことを申しあげたいばかりにまちわびていたわたくしは帯をといていられるおそばにすわってお顔をみあげつつすぐさまこう申上げました。

「弓男さんがいらっしゃったわ、七時ごろ」

「おや、そう」

お母さまのご返事はなんだか上《うわ》のそらでいらっしゃいました。そのご返事をよりどころに心をしずめてしまおうとおもっていたわたくしは、張りつめていた気持のみるみるくずれるのをおぼえずにはいられませんでした。なにげなさそうな問い方も悔やまれましたし、もう一度くりかえすことの不自然さもわかりきっておりました。……

切《きり》の段

二、三日ほどして弓男さんからいただいたお手紙――

「口でたずねるのはおかしいので手紙を上げます。この間君が下へ行ってしまったきりとうとう上ってこなかったのが気になっていたのです。何か気にさわることでもいってしまったような気がします。こんなことを神経に病んでいる僕をどうかわらってください。ただ僕が何か云《い》ったせいかそれともほかのことかそれだけわかればよい。御返事を下さい。」

――この間のことなぞはこのお手紙のために春の薄氷《うすらひ》のようにとけてゆくかとおもわれてすぐおへんじを出そうとてわたくしは晴れやかなまでの気持で机にむかいましたものの筆をとろうとするとまた気おくれがきざしてまいるのでございました。葉書をかきはじめようとおもいつつ、おばさまがごらんになるだろうという懸念《けねん》からこのたびは切手や封筒を出してみてはその封をするおそろしさが書かぬさきからせまってくるのでございました。そういったためらいが先刻のはれやかさをばまたたくまに曇らしてしまいました。そのままじっとしているとますます滅入《めい》りこんできて仕様がありませんでした。たったいままで莫迦《ばか》々々しいとおもった気持のなかへ、わたくしはまたすらすらとはいってゆきました。わたくしはお手紙をもって階下《した》へおりました。お庭にカンバスを立ててお母さまは写生をしていらっしゃいました。

「弓男さんからお手紙が来たわ」

「そうお」なんでもなさそうなおこたえでした。この間のようになるのを恐れたわたくしはしいて気を引き立てて、

「およみになる?」とうかがいますと、

「あなたに?」

「ええ、こんな近いところなのに」そこへお心を惹《ひ》こうとしてもうしました。

「どうれ?」とおっしゃってところどころ絵具のついたお指先で、一枚きりの便箋《びんせん》のはじをあぶなっかしくおうけとりになってからお母さまは、お口もとにこころもち笑いをうかべられて目で行を追っておいでになりました。そうしてそれをだまってわたくしにおわたしになると「どういうわけなんですか」とおっしゃいました。「だって

わたくしひとりのところへ……そんな夜になってからいらっしゃるなんて」

「それで下へ来てしまったの」

「ええ」

「いやだこと、康子さんは……」そう仰言《おっしゃ》るなりお母さまはこえを立てておわらいになりました。その時のお母さまのお貌はつねになく若やいでいられるようにおもわれました。でもわたくしは子供のように扱われる不服さや、お母さまの御軽率をおせめしたい気持でいっぱいになっておりました。「ご返事は出したの」とおたずねになりました。それに対して「いいえ」とおこたえしていたわたくしはもうなにかしら茫漠《ぼうばく》としたそれでいてへんにさしせまった心地を味わずにはいられませんでした。片手にお手紙をもったまままきついほどお母さまの方へ背をむけておりますと、まむかいの松林の高みから西日が気のとおくなるような光りをわたくしの顔になげかけてまいりました。わたくしはいかにも気毅《きづよ》そうにそのはげしい日の直射にたえておりました。そうやっているうちに、はげしい薬にさらされて乾板のおもてに絵があらわれてゆくように、わたくしの心のうえに今まで考えてみもしなかったあたらしいものが像《かたち》を結んでゆきかけるのでございました。そうしてお母さまがふと示されたふしぎなお若々しさをそれはっきりときわ立たせてくるのでございました。あのお母さまの若やいだ御微笑は、今までお母さまにとってわたくしであったものがほかのあるものになったことを直感なさった微妙なお力のさせた御表情でなくてなんでございましょう。そうした痛々しいうつくしい瞬間を経たお母さまを、わたくしはあらたなわたくしへのお誘いの力として再びやさしく見まいらすために、カンバスに向っていられるそのお背《せな》にいつかふりかえっているのでございました。

慈善

……かくてまた、三度三度の食事がはじまるのだった。露西亜《ロシア》の或《あ》る詩人が書いているように、「僕の前に無限につづく食事の連鎖を見るのは」たまらない。しかし戦争からかえってみると、この無限の食事の連鎖のために働らくことが、今更らしく彼の冒険心を刺戟《しげき》した。そこで復員匆々《そうそう》、水野康雄は、大学には籍だけ置いて、或る火災保険会社に外交員として雇われた。ひとつにはどんな危険にも馴《な》れっこになってしまった彼だったので、彼を新鮮な刺戟でくすぐるものとては、彼がまだ馴れていない「絶対安全」とか「安全確実」とか「安全第一」とかいう類《たぐ》いの安全に関するモットーの他にはないように思われたからだった。尤《もっと》も夜は昔からのギター仲間の学友で組織しているジャズ・バンドに加わってそこかしこの舞踏場を稼《かせ》ぎまわる生活が別に在ったから、夜の彼には、昔ながらの彼が生きているわけだった。それは中学時代に女遊びの味を覚えた、軽薄であるがために辛うじて純情な、あの気の利《き》いた官能的な冗談をつぎつぎと女の前で繰り出すことのできる戦前の坊っちゃん気質《かたぎ》の彼なのである。その社会では同類の青年たちから、康雄は十分兄貴分として立てられていた。康雄の昼間の生活、そんな似つかわしからぬ外交員の生活も、彼の物好きと気まぐれ以外の何物をも意味することなく見られていた。由来彼等は、行為の動機に本質的なものを見出《みいだ》すことなんかてんから出来ない質《たち》だった。

戦後の亜米利加《アメリカ》風な流行のさまざま、派手な花もようのネクタイや格子縞《こうしじま》のダブルや異様な髪形や図太い指輪や、日本人のひねこびた顔に似合う筈《はず》のないそうした流行を無理なく着こなす容貌《ようぼう》と体軀《たいく》は持ちながら、彼にはどこかにそれとの微《かす》かな不調和を感じさせる特質があった。多分その特質とは、彼の羅馬《ローマ》風の鼻と心もち青みがかった非情な瞳《ひとみ》から来るものだった。また彼は浅黒い皮膚と、官能的な厚みと重量を帯びた頸筋《くびすじ》とを持っていた。作者は何もとりたてて彼の血統の詮議《せんぎ》立てをはじめようという心算《つもり》はない。問題はただ、彼の容貌から窺《うかが》われる流行との微かな不調和だ。そして流行という現象がいつも流行それ自身からのがれ出ようとする要求の上に成立っているものとすれば、彼が持つこの微妙な不調和こそ、実は流行それ自身に他ならぬかもしれないのである。

富有な家に生れて彼は両親の顔をほとんど見ずに育った。公職を追放されるまでの父には別宅が二つあり、母には恋人が二人おり、未婚時代の姉は毎週男の友達に鞄《かばん》を持たせて旅行に出掛けていた。食事の時に顔が揃《そろ》うと、父母も姉も実に屈託のない・うしろめたさの翳《かげ》さえもない・理想的な明朗さで喋《しゃべ》り合った。こういう明るいいかにも家庭的な雰囲気《ふんいき》に調子を合わせるためには、彼はまた、せめて一つぐらい背徳行為を持ち合わせていなければならなかった。女の子にはじめて接吻《せっぷん》をしたのが十六の年だった。それをひそかに姉に打明けると、姉は誰にも言わないと真顔で約束しておきながら、食事の時に家中に披露するのだった。すると父はでかしたと言い、母は笑いころげた。小さい妹と弟は、兄がめずらしく代数で百点でも採ったのかと思い、目を丸くして箸《はし》を休めるのだった。

しかし康雄の中には青年時代のはじめに人を襲うあの精神的な欲求も夙《はや》く目ざめた。その結果、行為をジャスティファイすることが思想の実用的価値だという生意気な諦《てい》観《かん》も人に先んじて得られたわけだが、さて戦争がはじまってみると、青年が進んで戦争へとび込むためにこの若々しく無軌道な諦観ほどお誂《あつら》え向きなものは一寸《ちょっと》見当らなかった。なぜならこの種の諦観のみが、放蕩《ほうとう》と戦争を同一線上に置きうるからだ。彼は学徒出陣で海軍へ入り、勇敢であった。

——戦争が終った。大きな耀《かがや》かしい失望だ。それが彼に彼自身の行動をどうにもジャスティファイしてくれぬような新らしい思考の必要をはじめて切実に感じさせた。その前提として彼はどうにもジャスティファイされないだろうような行動をさがす必要があった。つまりそんな行動から逆にそういう思考への探《さぐ》りを入れようとして。

——たとえばその叔父さんが本当に怒りん坊であるかどうかを試すために、叔父さんの鞄から大事な中味を盗み出しておく子供のようにして。

彼の生活には、こうして何か事務的な多忙さが溢《あふ》れていた。女が生活に介入してくることによって、人は煩瑣《はんさ》を愛するようになる。男女関係は或る意味では極めて事務的なたのしみだ。

毎朝八時に康雄は目をさました。八時という俗悪な時間に目をさますと、世間が平板に事もなげに見えて愉快である。朝一応出社してそれから外を廻る定めになっているので、混《こ》んだ都電でS駅まで行った。右側の窓際《まどぎわ》に必ず彼はよりかかって立っていた。電車がY橋という小さな橋をわたると、窓から体を乗り出して向うの高台の上方に目を注ぐのだった。そこ一帯は焼けのこった高台の住宅地であった。青葉が小さな家々をとりまいて喚声をあげていた。そんな聚落《しゅうらく》のなかにさして見ばえのしない二階家があったが、その二階の雨戸が一枚だけ、しまい残してあるのが見られた。一枚の雨戸は庭木の繁《しげ》みに半ば隠れながらもくっきりと標的のように泛《うか》んでいた。出勤時の忙しげな電車は忽《たち》ち高台を走りすぎ、一瞥《いちべつ》ののちにはもはやその雨戸は見られなかった。

――それより十日前の午《ひる》さがりに、彼は保険契約の更新の用件を持って、その雨戸の家を訪れたのであった。出て来た夫人が偶然にも彼の十八の年の女友達だった。彼の一家と彼女の一家が毎夏来合わせていた海水浴場で、ある晩二人きりの散歩のついでに海岸へ出てブランコの相乗りをした。足を互いちがいにふみしめて向い合せになって一つブランコに乗るのである。彼があまりふりまわすので、まだ十七の彼女の浴衣《ゆかた》の裾《すそ》がすっかりはだけてしまった。彼はズボンを彼女の腿《もも》へぶつけて痛さに顔をしかめた。すると彼女はブランコから落っこちかかったふりをして、いきなり両手で彼の首にしがみついた。――尤もその頃彼が本当に好きだったのは年上の高慢な女だったので、ダフニスとクロエのような十七の女の子との恋はその夏かぎりで忘れてしまった。

若夫人はしばらくこの若々しさをも服飾品の一種と心得ているお洒落《しやれ》で傲慢《ごうまん》な青年を胡散《うさん》くさげにじろじろ眺めた。男を事務的な眼附《めつき》で眺めることができるのは既婚の女の特権である。公私混用には持ってこいの特権だ。

それから奥さま然とした倦《だる》そうな、自堕落にさえきこえる口調で、久闊《きゆうかつ》を叙《の》べた。小肥《こぶと》りした体のせいもあるが、着物の着方もどこかだらしがなかった。こういうだらしなさは、たとえば芸妓《げいぎ》がきりりとした着方をしているのと逆な意味で、良人《おつと》への貞淑の証《あか》しをなすものだとは彼も承知だ。そのだらしなさもつくろわぬ身装《みなり》も年からゆくと不釣合な筈なので、そういえば彼女にはどこか老成《ませ》た少女のようないたいたしい美しさが蘇《よみがえ》っているのだった。しかし部屋がとりちらかしてある言訳をしながら座敷へ彼を招じ入れた上、お茶を入れに立って行った彼女の姿を見送ると、彼には突然それらの倦そうな挙止が、彼によって再び矜《ほこ》りを傷つけられはすまいかという不安がしらずしらずのうちにさせている自衛手段ではないかとも思われだした。

その座敷の端近からサンルーム風の広縁にかけて、夏物の虫干がひろげてあった。それは明石《あかし》・平絽《ひらろ》・薄大島・ジョーゼットなどの衣類であって、樟脳《しょうのう》や黴《かび》の匂《にお》いが、却《かえ》って新鮮で烈《はげ》しい夏の光りと夏の香気とを心によみがえらす。が、見ればわずかな男物は隅っこの方へ虐待《ぎゃくたい》されて、虫干の効果を恵まれているのは、彼女自身の衣類と思《おぼ》しい派手な女物ばかりだった。女が自分の中にわれしらず引きこもりだす瞬間は危険な筈だ。彼女の良人はこの虫干の些細《ささい》な表象から何事かを予知しないでいるのだろうか。十七の年にも彼女にはそんなところがあった、と康雄は思いかえした。生きることにばかり熱中しすぎてその当然の前提である知るべき不幸をも知らないでいる歯がゆさが。

果してお茶を運んで来て卓のむこうに坐《すわ》って話す彼女の話題は、自分の結婚生活はいかに幸福であるかという一点から離れなかった。しかも彼女自身の幸福の分析法は奇体に小意地のわるい感じを聞く人に与えた。

日がかげって来て虫干の衣類が暗くなった。

「さあ、そろそろ片附けなくては」

彼女は年寄じみて大儀そうにこう言った。幸福の話題は罪のように人を疲らせる。彼女には自分の軽い持続的な不機嫌の原因がわからないらしかった。そこで虫干を片附ける機会をそれとなく狙《ねら》っていたのだった。今の翳りは雲のつかのまの通過のためだと知れているのに。

康雄が鞄を持って立上った。彼女は冗《くだくだし》くは引止めなかった。玄関のほうへ歩き出しながら、庭の一隅の木蔭《こかげ》に守られて子供用の小さなブランコが微風に揺れているのを二人は見た。

「ブランコがあるね」

「この家の以前の持主が立てたのよ。あたくしたちもいずれ子供が出来るからと思ってそのままにしておいたのだけれど……」

「子供用のブランコだね」

康雄の殊更雑駁《ことさらざっぱく》な笑い方を彼女は皮肉ととった。答の代りに、軽い努力のみえる微笑をうかべた。このほんの些細な俺そうな努力の感じだが、殆ど無意識にしているに相違ないこの女らしい片意地が、康雄になぜか無性につっかかって行きたい気持をおこさせる或る種の抵抗を与えた。彼は廊下の途中でふりかえった。放心状態に近い無意味な動作にすぎなかった。とはいうものの図体《ずうたい》が大きいので、彼が立ちふさがったら誰も通れない。

「忘れものをなすったの」——この一ト言を言い終るまで彼女の声は落着いていた。それからふいに肩のあたりから無器用に体が硬《こわ》ばって来て、頸筋まで固くして、伏目のまま両手で彼の体をぐいぐいと玄関の方へ向けながら、

「だめ……、だめ……、ね……、帰って、さあ、帰って、……おねがいだから、あたくし苦しくなるから」

朗読でもしているような滑稽《こっけい》な一本調子であった。このお先走りな告白を、康雄は快とも不快ともつかない何か頑《かたく》なな感情で聞いていた。彼女の大袈裟《おおげさ》な身振は、とてつもない遠くの方で行われていることが不当に拡大されて目に映っているように思われた。

彼は目をそむけた。そして彼女の手の強制が命ずるままに、玄関のほうへ歩き出した。羞恥《しゅうち》がその足を速めたが、一方では、この羞恥は俺のものではないぞとしきりに

主張していた。彼女の羞恥が迷惑にも俺に乗りうつって来るのだと。

しかし欲情が二人に強いる行動の暗黙な符合が自《おの》ずとあらわれて、康雄は玄関まで来ると、その三畳の壁際に置かれた長椅子《いす》に、女と同時に腰を下ろした自分を見出した。彼はさっさと敷台へ下りて靴をはけばよいのではなかったか。——長椅子に腰かけると、はじめて自分の手が鞄を持っていたことを思い出した。鞄の重みが指にかえってきた。この場合彼の自負を傷つけるには、そんな些細な忘却で事足りた。

彼は不機嫌な顔をして、椅子に横たえた鞄から手も離さずに、まっすぐに戸口の方をみつめていた。『莫迦《ばか》なことではないか。ふりむいたのに何の意味もありはしない。こんな女に何も俺は手を出そうとしたおぼえはありはしない。女が勝手に誤解したのだ。誤解して勝手に告白したのだ。——俺はというと、俺は保険会社の注文取りだ。それが自分の手に鞄をもっていたことまで忘れるとは何という情ないことだろう』

——目には玄関の白い磨硝子《すりガラス》の引戸が映っていた。そのむこう側にせまい前庭がある筈だった。木蔭がうごかない繊細な影を落していた。するともつれたような囀《さえず》りを辷《すべ》らせて、一羽の小鳥の影が硝子に落ちた。

秀子は突然快楽の刹那《せつな》にしか自然でないような不謹慎な高声で、

「危なかったわ。すんでのところで、あたくしたち、莫迦な真似《まね》をするところだったのね」彼女の目はこの高声の好い気な満足感に潤《うる》んでいた。それが康雄を殆んど笑わせそうにした。そういうときの女の顔は満腹した猫に似ていた。彼は今度は長椅子によりそって彼の肩にもたれている秀子の肩の肉を正確な量感で感じとることができた。彼はその肩へ手をまわした。

「何をなさるの」

秀子は顔を反《そ》らして遠くから彼をじっと見つめた。その目は少しも驚いてはいなかった。

——彼女の良人は四角四面な男だった。生活上の規則正しさを信条として、朝二階の寝室を出ると二度と二階へは上らないのだった。階下の茶の間でそそくさと朝食をたべて、康雄より少し早い時間に勤めへ出てしまう。この慣例を利用して、秀子は毎朝坂下を電車でとおる康雄に通信する方法を思いついた。良人が階下で新聞をよんでいる間に秀子は二階の雨戸をあけ良人の出勤後に二階の掃除をするのが常であったが、あける雨戸を一枚残して今日の都合を告げしらせることができはすまいか。その一枚を中央に開け残してある場合、それは「お待ちしています」と解かれるのだ。戸袋に接して一枚開け残してある場合は、「一寸の間なら」という意味になり、雨戸がきれいに片附けられているときは、「今日は来てはいけない」というしるしなのだった。

しめったきらびやかな毛織物のような感覚を皮膚に与える五月の明るすぎる日光が、その朝、康雄には何故《なぜ》か重たく感じられた。S駅で下りて保険会社の建物へと歩く道すがら街路を明快に区切っている日ざしからも、彼は的確さが与える不安に似たものを感じた。それは何だろうかと彼は考えた。そして保険会社の痩《や》せたコリント式円柱のそばをとおって二三段の石段に足をかけたとき、それが紛《まご》う方もない『今日もまたあの雨戸の信号どおりに彼女の家へ行けば、そこには間違いなく例の行為が待っている』という事実の確実さ、その確実さが今朝から心に与えていた鬱陶《うっとう》しさであることを彼は理解した。本当の喜びは最初の一日にしか味われなかった。この戦争時代の子は、日曜日以外は外出禁止という生活に馴れて、日常生活を失《な》くしてしまった。されぱこそ戦後の日常生活が彼の冒険心を誘ったわけだったが、悪徳にさえ日常生活のあることを発見しては今更ながら興褪《きょうざ》める思いだった。ゆめジャスティファイされないような行動への決心も、どうやらこの発見のおかげで鈍った。毎朝勤めへ出ると同じ殺風景な机が彼を待っているように、あの信号に応じてゆくと同じ御馳走《ごちそう》が彼を待ちかまえているのではたまらない。行けば必ずそこにそれが在る、こういう定理のやりきれなさに彼は弱いのだった。

その日の逢瀬《おうせ》をはじめて彼はすっぽかした。三軒まわると家へかえって昼寝をして、六時にいつものダンスホールへ出掛けた。スチールギターの黒いケースをかかえて昇降機に乗った。康雄たちのバンドがはじまる約束の時間にはまだ三十分ちかくあったので、バンドの仲間は一人も来ていなかった。ギター、トロムボーン、トラムペット、テナーサクス、ドラム、ベース、ピアノ、歌手も含めて十人編成のバンドである。壁一つ隔てて演奏中のタンゴバンドの音楽が控室の中にもうす汚なく漂っていた。椅子の数はいつも一人が坐りはぐれるようになっているので、その一人は円テエブルに腰かけるのが習わしだ。こうして交替時間の三十分を楽士たちは無駄話をしながら過すのだった。

康雄は煙草《たばこ》の灰で汚れている円テエブルに腰かけて、去年のクリスマスの銀紙の鐘とモールが埃《ほこり》だらけになってまだぶらさがっている壁際や、薄暮の焼ビルの景観を窓ごしに映している鏡などに視線をさまよわせながら、生真面目《きまじめ》な表情で楽器をしらべていた。壁のむこうではルムバがはじまり、マラカスを振る音が際立ってひびいた。

そのとき歌手がこの部屋へ入って来た。彼女は洋服を着こなすのが大そう巧《うま》かったが、胸をつとめて張って歩くので、勢い水禽《みずどり》のような足取になった。ワンピースの上へ空色のチンチラのケープを羽織り、心もち二重顋《あご》になった、誰しも触れてみたい気のする顋をもっていた。その顋の肉の白さ、微かなくびれと弾力を帯びて引締った具合、内にこもった光沢の冷たさ、すべてが彼女の体の特長をそこに集めているように思われるのだった。

「あらめずらしく早いのね」「あいびきにふられたのでね」「柄にもないことをいうと却って気障《きざ》だわよ」――二人はそんな会話を交わした。と思う間もなく彼女は更衣室へ姿を隠し、今しがたの活潑《かっぱつ》な声や体の動きは、彼女が灰皿に残して行った煙草の煙のようなものになって、しばらく室内に澱《よど》んだり漂ったりした。――マネジャアの紹介でL・バンドから康雄たちのバンドへ朝子が移って来てもう三月《みつき》になるが、バンドの女にありがちな事件を一向彼女は起さなかった。前のバンドでは関係のない楽士がなかったという噂《うわさ》を康雄は聞いたが、楽士と歌手との関係はない方が不思議なのである。地方へ出ることが屢々《しばしば》なので機会も自然に与えられ、女が一日も早く誰かの所有に帰さないことには、演奏のイキが合わなくて困る場合があった。普通の楽団では妻子もある楽士のこの職業特有の女好きからしてそうなのであり、康雄たちの楽団では育ちのよい楽士たちの若さからしてそうなのだった。以前はそんな風聞もある朝子なのに、この楽団へ来て以来の用心堅固は、どういう魂胆なのか誰もふしぎに思った。お坊ちゃん揃《ぞろ》いと思って舐《な》めてかかっているのか、神妙に見せて婿《むこ》えらびをはじめるつもりなのか、そのどちらかだと考えられた。それにしても朝子はわざとのように、楽士のいちばん若い学生の前でスカートをまくって靴下留を直してみたり、毎晩交代で楽士に家まで送らせたりしていた。しかも誰一人朝子にうんと言わせた者はなかった。うんと言わせた者が本当になかったか、それは誰にも分らぬ事のようであるが、起居を共にして来た小人数の青年たちは、お互の情事の数まで知りつくしていて、お互の目の色からも生活のあらましが読みとれるようになっているので、出来てしまった事は隠し了《おお》せられるものではなかった。

悲鳴がきこえて物の倒れる音がした。天にもひびけというような悲鳴ではなくどこか反響をためす意識を伴っていそうな悲鳴だとは、突嗟《とっさ》に康雄にも直感されたが、行動のほうは勇ましく躍動して、ギターを放り出して更衣室へとびこんだ。いわば上官の怒声をきくと、それが自分に向けられたものかどうかも見極めぬさきに、固くなって直立不動の姿勢をとるあの軍隊時代の反射作用に似たものだった。更衣室とはいいながら、そこは午後八時からのショウに出演する五人の踊り子が化粧と更衣に使えるだけの設備をもち、二つ並んでいる鏡台の一方を、朝子も使ってよいことになっていた。見れば椅子が倒れ、朝子はシュミーズ一枚で壁に身をよせて鏡台の上を遠くからおずおずとみつめているのだった。

「何だい一体」

「蜘蛛《くも》よ……蜘蛛なのよ」

悲鳴がまんざら狂言でない証拠に、彼女はほんとうに蒼《あお》い顔をしていた。「そこよ。その白粉《おしろい》入れの中へ落ちて来たの」

備えつけの白粉入れの中で大きな毛むくじゃらの蜘蛛がじっとしていた。康雄が手をふれると、蜘蛛はあわてふためいて白粉を蹴《け》ちらかした。ありあわせの紙を二つに折ったその折目に彼は蜘蛛をつかまえた。意外にしこりのある感触が伝わった。そのとき彼の指をありたけの力でのがれ出ようと試みた蜘蛛のあがきが白粉を飛び散らせ、注意深く白粉入れに顔を近づけていた康雄はむせそうになった。

「捨てるかい。それともとっといて明日のおかずにするのかい」

「いや……あらいやよ。いじわる」

戯《たわむ》れに蜘蛛を押しつけられるものと子供らしい早合点をして、露《あら》わな肩をそば立てて逃げ腰になった朝子の、滑稽なほど真剣な面持が、康雄に突然あの廊下の途中で彼を押し返して、「だめ……だめ」と叫んだ秀子の表情を思い出させた。彼はふと残酷な気持になった。

ほんの一、二秒のあいだ、二人は睨《にら》み合って立っていた。われわれの遊戯の間にちらと顔を出し又そのために遊戯の興趣を増しもするあの原始的な憎悪《ぞうお》が、二人の目の前を眩《まば》ゆい速度でよぎった。

「莫迦だなあ」と康雄は笑い出して、「嚙《か》みつきそうな目つきをしやがる」

「悪趣味ね。あなたも」

——朝子に背を向けて、蜘蛛を包んだ小さな紙包を窓から投げると、康雄はこのビルディングの裏に達する人通りのすくない焼趾の鋪道《ほどう》を、楽器のケースをぶらさげた三人連れが歩いてくるのに目をとめた。バンドの仲間のうちで都電を利用している三人には、そこを来るのが近道だった。彼はいそいで窓から離れた。しかし姿を見られてしまったことは疑いがない。

——他のことはさておき、色恋については嗅覚《きゆうかく》のするどい青年が揃っているので、康雄がちらりと紙包を投げた六階の窓の位置が、控室のそれでなかったことを見のがしはすまい。彼らが来てみると先客は康雄と朝子だけだ。その康雄が更衣室の窓に立っていた。……成程、と康雄は思いかえした。これで俺はいやでも朝子を口説かぬわけにはゆかず、口説いて成功しないわけにはゆかなくなった。誰にもうんと言わなかった実例は数々あっても、口説いている現場を見られるようなヘマをした奴《やつ》は俺を除いて一人もいない。こうなったら俺が最初の成功者になる他はなくなった。……

よしこのような粗暴な決心が、朝子への思いがけない感情の傾斜度に、あとからつけた照れ隠しの理窟《りくつ》であったにせよ、彼はこうして行為を簡単明瞭《めいりよう》にジャスティファイしてくれるような思考の世界へ、再びはまりこんでいたと云《い》うべきである。青年らしい虚栄心は、しばしばこうした浮薄な動機から悪に近い行為へ導きもするが、決して悪そのもの、どうにも正当視されぬような行為へは導いてくれないのだ。悪徳の虚栄心が悪徳そのものの邪魔立てをする。「魂の純潔」なるものを保たせようとするならば、少くとも青年には、美徳の虚栄心よりも悪徳の虚栄心の方が有効なのである。

――彼は数えていた。あの三人が表玄関に達し昇降機を待ち六階についてこのドアを叩《たた》くまでの微細な時間を。

彼は倒れた椅子を立ててお坐《すわ》りと言った。鏡に向って朝子は素直に腰を下ろした。鏡の中から見られたら男の負けだ。

「あなた何を考えているかわかってよ。あたしに何か話があるんでしょう」

「うん」

「今晩送って来てくれる」

「うん」

朝子は鏡からふりむいて康雄の顔を真向いに見上げた。自分の歌を満足だと感じ自分の歌のなかに酔いかけるとき、彼女がうかべる子供のような気難しい表情を今もうかべて、彼女の眉《まゆ》はかすかに寄せられ、口もとにはどこか意地のわるい緊張が漂っていた。ふしぎなほど純潔な敵意を帯びた眼が、このとき伏せられそうになるのを康雄は見た。その目が伏せられてしまったら万事がおしまいだと、どんな男も感ぜざるをえない風《ふう》に。

「本当か」

息苦しそうに彼が言うのだった。

「本当よ」

と朝子がこたえた。

――その康雄が数十分後には、ステージの小さな椅子に掛けてスチールギターの絃《げん》をはじきながら、譜面台ごしに、歌っている彼女のしなやかな暗い裸の背中を眺めまわしているのだった。この女は体じゅうに笑窪《えくぼ》をもっていそうだ、と彼は考えた。えてしてそういう女が顔にだけは笑窪がないものだ。

こうして彼の冒険が至るところであの確実さという壁に彼を突き当らせた。それは矛盾ではなかったか。彼はまず確実さの中に冒険を求めたのではなかったか。是認されがたい行為への欲求も、この一風変った、しかし困難な冒険心だけがみたしうるものではなかったか。

ともすると彼は方法を間違えているのかもしれなかった。どうにもジャスティファイされぬ行為というものを悪徳の中にだけ探し求めている彼は、誤っているのかもしれなかった。それを悪徳以外の場所に探しさえすれば、この確実さの壁も破れ、確実さへの冒険も可能になるのではなかろうか。

こうした日々も秀子は毎朝むなしくあの雨戸の操作をくりかえしているのだと思うと、悪徳そのもののなかに在る味気なさが康雄を搏《う》った。事実悪徳のよろこびは朝子との交情のほうに色濃くあるのだった。第三者の嫉妬《しっと》の目も世間の非難の声もはるかに稀薄《きはく》なこの関係が、却《かえ》って背徳のよろこびに充《み》ちているのは、道徳感もまた、快楽の深浅できまるのであろうか。そうではなさそうだった。朝子との関係がもたらす快楽は、秀子を裏切っているという意識から来るもののようであった。してみると、と康雄は考えた。俺はこうした奇妙な迂路《うろ》をとおってまだ秀子を愛しているのかもしれないぞ。

――康雄の留守に或《あ》る日秀子が訪ねて来たということを康雄は母からきいた。この辺へ用事があって来てみたところ焼残った水野家を見出《みいだ》した懐《なつか》しさに、一寸《ちょっと》お邪魔したという挨拶《あいさつ》の由《よし》だった。彼女はこうして康雄が別に病気でもなく日課を踏んだ生活をつづけていることをつきとめたのである。四五日して男名前を装《よそお》った手紙が来た。今度の木曜に上野のNという旗亭で会いたい、良人《おっと》の留守にひやひやしながら会うような屈辱も免かれる。今度一度でよい、別れるというならその別れを告げに来てもらいたい。――図《はか》らずもあの奥様然とした倦《だる》そうな口調を思い出させる註釈《ちゅうしゃく》沢山のこの手紙には、そんな風に書かれていた。

木曜の朝、いつものように康雄は都内電車に揺られて会社へ向った。電車はY橋をよぎり高台を見上げるところへさしかかった。その日は梅雨の先触れのような沈鬱な空合がつづいているここ数日によく似た日だった。曇った空を見ていると、人間の習慣とか因襲とか規則とかいうものはあそこから落ちて来たのではないかと思われるのである。曇った日は曇った他の日と寸分ちがわない。何が似ていると云って、人間の世界にはこれほど似ているものはない。人はこんな残酷な相似に耐えられたものではない。

高台のところへ来ると毎朝そこを見上げるのが康雄のいとうべき習慣――いちばん高貴で美しい「忘却」という作用がいちばん醜くて愚劣な「習慣」という作用といつも結びついていること以上の不合理はないが――になっていた。雨戸は日によって

「お待ちしています」になったり、「一寸の間なら」になったりした。それを見ると、彼女の生活に占めている自分の位置が康雄にはまざまざと感じられた。康雄はたしかに彼女の空間を充たしはしたが、こうして眺めれば、その空間は充たされなければ充たされないで結構その日を送ってゆけるものだった。朝毎《あさごと》の雨戸の変化を、彼はとある子供に冗談半分に教えこんだ悪い遊びを一ト月ぶりで来てみるとまだやっているのを見たときのような自己嫌悪でながめやるのだった。雨戸だから問題は大きくなり、こうまで心が傷つけられもするのである。それが一枚のトランプだとしたらどうだろうか。良人の留守を守る若夫人の一人遊びを咎《とが》め立てする人も覗《のぞ》き込む男もないだろう。彼女もまた、テーブルの上におまじないのように立ててみた一枚のハートの1を見て、男が駈《か》けつけてくるなどと思いはすまい。ハートの1を見ているのは彼女一人であり、彼女の他に誰一人見ている筈《はず》もなかった。もし誰かが見ていてそのしるしに応じ、つかのまの逢瀬《おうせ》のために駈けつけてきてくれるものと、彼女が信じているとしたらそれは迷信だ。してみれば朝毎に立てる一枚の雨戸も迷信でないと誰が言えよう。

尤《もっと》もそういうつっぱね方をせざるをえないのは、康雄が酷薄な気持になりきれていないせいかもしれなかった。再び秀子のあの無理にしているような片意地な軽い努力のみえる微笑を、康雄はその雨戸から窺《うかが》い見る思いがするのだった。すこし自だらくに着物をきたまだ極く若い女の一人遊びと、彼女の永い一人の昼間と、時には永い一人の夜とを見る思いがした。そのあからさまな孤独の生活は、康雄を求めながらその実康雄を拒否していた。その生活へすっぽり康雄をあてはめて考えることは、康雄自身のためというより、秀子のためにも耐えがたいことではなかったろうか。こうして朝毎にその雨戸に注意しながら、彼は「今日こそ行こう」と思って目ざめた朝の決心を壊されるのだった。そして夜は多く朝子とすごした。朝子の体は夜になるともえはじめるふしぎな憂《うれ》わしい森の火事のようであった。

——ところが木曜日の朝康雄が電車の窓から眺めやった家の二階は、折からの曇り空で巨細《こさい》に見えはしなかったが、一枚のこらずきれいに雨戸を片附《かたづ》けて爽《さわ》やかだった。こんなことは一度もなかった。信号から言うと、「今日は来てはいけない」というしるしになるのであろうが、しかしそれはもはや信号だとは思えなかった。彼女に何らかの転機が来たのである。そこの二階は葬式の行われる部屋のように清らかにがらんとしていることであろう。彼女は留守だ。——

　すると時折康雄を訪れる霊感めいた突発的な決心が又しても訪れて、今の今まで行く気のなかった上野のN亭での昼の約束を彼に守らせるのだった。

Nという名は周知の名ではなかったが、その近辺の名高い料亭が戦災を受け、片手間にやっていい鋤焼《すきやき》の店のほうへ本拠を移したのである。料理店の休業が命ぜられて、Nも貸席という名目で開けていた。懇意の客には酒食も出し、ごく懇意の客には内輪の客として泊らせもするので、次第にあやしげな空気が店に漂いだした。恋人同志の部屋には偶然のように戸棚に夜のものが入っていた。今は嫁に行っているここの娘と女学校が一緒であった秀子は、いつも来るように誘われていたのを利用したのだった。

康雄は何の気なしに秀子のいる部屋へ案内された。女と出会うとき、別れるとき、気取ったりこだわったりしないのが彼の身上《しんじょう》だった。そんな時には事務的な態度を持することが粋《いき》だと知っていた。こうも自分の感情を楽々と手玉にとれる人間が、恋をする資格を一番そなえているところに、現代のままならぬ面白さがあるのである。尤もそれは一面、押し流されている自分を、泳いでいる自分だと計量する、その正確な紋切型の誤算ばかりで組立てられている一種明快で誤差一つない世界の面白さでもあるのである。そこでは無自覚な人間も凡《すべ》てを意識しているという錯覚の中で暮すことができる。この錯覚に対しても彼は永遠に無自覚だから、彼が自ら「意識している」と信じている意識は一種純粋な架空な形をとるに至る。それが又しても彼を泳ぐかのように押し流す。……

秀子は入ってくる康雄の方へ体を廻して忙《せわ》しげに座蒲団《ざぶとん》をすすめた。あの倦るそうな物憂《ものう》そうな・いわば何事かによりかかって暮している安堵《あんど》がさせる自堕落な様子は彼女から失われて、膝《ひざ》も崩さぬ凜々《りり》しさに似たものが着物の着方にさえあらわれていた。不貞がわずかの間に彼女を精悍《せいかん》な女に変えたのであった。黙っているときの彼女はどこかいかめしかった。

「別れるつもりでいらしたのでしょう。目を見ればわかるわ」弱気になった女に限って先手を打とうとするものだ。いきなりこう浴せかけられても康雄は一向驚かなかった。ふしぎなことにこの瞬間、『俺はまだ秀子を愛しているのかもしれないぞ』と今朝ほどつぶやいた心の独白が、無感動な確信のようなものになって彼の驚きを遮《さまた》げたのだった。遮げられた驚きは、この硬化した愛の確信が、実は彼の怯惰《きょうだ》の鎧《よろい》に他ならなかったことを、彼に気附かせるゆとりを与えた。彼はひるんだ。彼は何か言訳を言おうとした。

「仰言《おっしゃ》らないで。わたし莫迦《ばか》な女のようにあなたをお困らせしはしないわ。説明なさったり、納得させようとしたりなさらないでね」

声がよろめいた。泣くまいとしても下唇がぴくぴく震えて来るのだが、手巾《ハンカチ》を出したら泣いてしまいそうな気がして出せないし、手巾をとり出すという些細《ささい》な事がひどく億劫《おっくう》に思われて、秀子は優等生のように行儀よく卓のはじに十本の指を揃《そろ》えて掛けたままだった。泣くのをこらえているので、彼女の表情は、彼女自身それと気附かずに、取りつく島もないような頑《かたく》なものになった。

この仮面のような顔の女を前にして、康雄は運ばれて来た酒に口をつけながら、朝毎に雨戸のあけたてに苦慮しているときの彼女のおそろしく一心不乱な顔を想像していた。それはあさましく思いえがかれた。尤もそのあさましさを彼自身のあさましさとして反芻《はんすう》せずにはいられぬような男では康雄はなかった。曇って白け切った鋪装道路のかなたに灰色におぼめいているS池のひろがりを時々悲しそうな眼つきで眺めやりながら、秀子は明日から当分良人と別居して里へかえる心算《つもり》であると話した。康雄を知ってから自分が良人を愛していないことがはっきりわかった、これ以上自分をいつわって一緒にいれば自分も滅び良人も滅びる他はない。そこで思い切って別居の決心をした由だった。しかしこうまで固い決心を行動に移して悔いない女が、自分から「別れ」を言い出すとは何ごとだろう。今さら矜《ほこ》りを傷つけられるのを怖《おそ》れて先手に出る必要があったかしら。——康雄は訝《いぶか》りながら、虫干のなかに見られた派手な袷《あわせ》の一枚を着ている秀子の、折から梅雨時の湿った熱っぽい大気に熟れづいた体を不覚にも空想した。その肌には暗鬱《あんうつ》な・しつこく募って来る甘い香りがありそうだった。理由もなく、彼はまた、あの虫干の衣類が放っていた樟脳《しょうのう》や黴《かび》の匂《にお》いを、それが心によみがえらせた烈《はげ》しい夏の光りを、つぎつぎと思いうかべた。そのあいだに秀子は喋《しゃべ》りながら少しずつ体をずらせて来て、卓のむこうにいたのがいつの間《ま》にか康雄の膝に膝がふれるところへまで来てしまっていた。

突然康雄は膝頭を膝で押される鮮やかな力を感じた。押した秀子はそしらぬ顔をしてうつむいたまま、お別れに一度だけ接吻《せっぷん》して下さってもよいでしょうと言った。それはきわめてさりげなく言われたつもりが、康雄にはこの言葉に彼女の賭《か》けているものが残らず読みとれた。さっきからの別れのジェスチュアも、これを導いて来るためのものだった。彼女はこの接吻に望みをかけて、凡てを取戻せると思っているのだ。彼女はまるで二人で海へとび込む時のようにその白い指に康雄の指をからめとった。指は引き合って、長い接吻がはじまった。事実それは骨身にしみるような接吻であった。少年と少女のように、二人は自分たちが、罪を犯したことはなかったと感じた。そういう実感は疑いようもないものである。

ところが康雄をいいしれず不快にさせたのはこの無垢《むく》の感覚だ。唇を酒で洗うような具合に、すぐさま彼は盃《さかずき》を口へもって行った。それを見ると秀子が蒼《あお》ざめた。

「なぜすぐお酒を飲むの。お気に召さなかったの」

「君が悪いわけではないよ」――と康雄はこんな場合の常套句《じょうとうく》で逃げを打ちながら、本当のことを云いたいだけは云うぞという何か残酷な愛情の表示ともとれる熱意にめざめて来るのだった。

「ただ俺はね、お互いに良心の責苦がまるきりないことに愛想をつかしたんだ。今だって口では何かと言いながら、あんなにきれいな子供同志のような接吻ができたじゃないか。それが俺にはふしぎなほど腹立たしい。良人を裏切っている女にあんな接吻ができるわけはない筈なんだ」

「だって女は本当に愛している人にはいつでも純な気持になれるのだわ」

「それとは別問題だよ。お互いに不道徳を働らいていながら少しも良心の苛責《かしやく》がない。これはどういうことかしら。俺たちは不道徳をやってるつもりで何一つ不道徳をしなかったのではないか。俺たちは君の良人を裏切っていたとはっきり言えるかどうか」

「つまらないことにこだわっていらっしゃるのね。あなたは結局三角関係の火花が散らないので退屈なさっただけのことなんでしょう。良心の苛責なんて要りはしないのよ。不貞ということは、良人以外の人と寝るだけのことだわ。誰にでも出来ることだわ」

「そんな易《やさ》しい事なのか」——康雄は自分で自分の言草に笑い出した。しかしふと秀子の言葉が響きを返して来て、彼の中に一つの啓示を閃《ひら》めかした。……

戦争が道徳を失わせたというのは嘘《うそ》だ。道徳はいつどこにでもころがっている。しかし運動をするものに運動神経が必要とされるように、道徳的な神経がなくては道徳はつかまらない。戦争が失わせたのは道徳的神経だ。この神経なしには人は道徳的な行為をすることができぬ。従ってまた真の意味の不徳に到達することもできぬ筈だった。

しかし秀子が不用意に言った言葉によれば、康雄と秀子とは道徳的な神経をこれっぽちも持たずに、やすやすと不貞に到達することができたらしい。無道徳がやすやすと不徳に到達したらしい。それならば、と康雄は考えるのだった。どうしてそれがやすやすと道徳へも到達しない筈があろう。

絶対に無道徳な貞節というものが可能ではあるまいか。絶対に道徳を知らないで道徳に奉仕することができはすまいか。無道徳という無限定が、その無限定のために、やすやすと不徳乃至《ないし》道徳という限定に包まれうるものならば。象が大きすぎるというだけの理由で鼠《ねずみ》に負けるならば。

——絶対に動機のない、絶対に道徳的基準のない善行がここにあるのだ。善行の善という属性は外から与えられたもので、最後まで内部とは無関係だ。すると彼は動機において決してジャスティファイされない行為をもつわけだ。なぜならもともと正当な行為をどうしてジャスティファイすることができよう。

——彼は今日以後確乎《かっこ》として崩れない慈善家の眼差《まなざし》を持とうと決心するのだった。さしあたっての善行は、この世にもノンセンスな貞節を成就《じょうじゅ》させること、秀子と別れることなのである。

「別れようか」とふいに康雄が目を輝かせて言ったのだった。秀子は自分の挫折《ざせつ》と屈辱とを康雄にさとられまいということの他に何も考えなかった。彼女自ら「お別れの接吻」と云《い》ったではないか。

別離に特有ななまぐさい時間の感覚を二人はもてあました。別離の感情はひどくこわれやすいものにも思われ、ひどく頑固で梃《てこ》でも崩れないものにも思われた。S池のおもてに一せいに鳥がとび立ち、曇った水の反映がそこらの空気にきわめて肌理《きめ》のこまかいねっとりした湿度と光沢を与えていた。彼は煙草《たばこ》を吸い出した。火が煙草をしずかに息づきながら移って行った。突然秀子が、激情にかられるときにいつもそうなる痴呆《ちほう》的なほど明るい声でこう言うのが聞かれた。

「煙草をやめて頂戴《ちょうだい》。火がだんだん移ってゆくので時間がたつのがはっきりみえてたまらないの」

——上野駅まであるく道ばたで、とある乞食《こじき》が康雄を立止らせた。母子《おやこ》の乞食で、せい一杯汚ならしく装いながら、そのくせ健康そうで抜目のなさそうなところが彼の気に入った。説明のつかない奇体な上機嫌にかられて、康雄は十円札を投げ与えた。十円札のつもりが、百円札だった。乞食の母親は偽盲《にせめくら》の手で素速くそれを押えて懐《ふところ》へ丸め込むと、果てしのしれないお辞儀を繰り返した。秀子はびっくりして康雄を見上げた。しかしこの偶然の慈善行為が彼の口もとにうかべさせた道徳的な微笑の美しさを、彼女の目は探り当てたかどうか。

やがて二人は、雲をとおしてにじんで来る日差のために脆《もろ》い稀《き》薄《はく》な輪廓《りんかく》を帯びた街並を横切って上野駅へ着き、そこで別れた。

晩夏のある日に、康雄は保険会社の用件があって秀子の家を訪ねた。こうしてぬけぬけと訪ねてゆけるところが彼の身上だ。すると秀子より明らかに若い、もしかしたら二十以下かと思える小柄な女が出て来て用を取り次いだ。中から、やあ水野さんですか、お上りなさい、取り散らかしていますがどうぞこちらへと言ういやに馴《な》れ馴《な》れしい声がした。主人は勤めを休んでいるのであろうか。しかし会って話しているうちに、以前の精励恪勤《かっきん》も眉唾《まゆつば》ものだと思われてくるのだった。

通された部屋は茶の間で、そこで秀子の良人は見知らぬ女と差向いで午前十一時の朝食をとっているところだった。思ったより若いずんぐりした男で、秀子がいつも嫌いだと言っていた篦《へら》のような指をもっていた。初対面の康雄を初対面らしくなく扱うのは何か下心があるのかと康雄は考えたが、それは女との朝寝とおそい朝食の現場を彼に見られたかったための方便にすぎなかったろうと思われた。

――その晩も康雄は通っているダンスホールの演奏に出かけた。踊りの群の中に秀子を見出《みい》だした。彼女は女学生が着そうな派手な太縞《ふとじま》のタフタのワンピースを着て、まだ学生らしい背広の身につかない青年と踊っていた。男の肩で猫のようにときどき目をあけたりとじたりしていた。男はひっきりなしに何か喋っていたが、歯の浮くようなお世辞をならべているとみえて、秀子はくすぐられた時のような痙攣《けいれん》的な微笑をちらちらうかべた。スロウ・フォックストロットで電気が薄暗くなると、二人はそれこそしっかりと抱き合ってあっちへよろよろこっちへよろよろしながら踊った。男の腕は秀子の腋《わき》の下からあまり深く背中へ廻されているので、彼女は左肩をもち上げた無理な姿勢で踊っていた。そのために肩の布地がまくれて白い肩の肉がとおくからも見えた。きっと秀子は康雄に気がついていたが、うっかり会釈《えしやく》の微笑をして報いられない場合を考えてか、そしらぬ顔をとおした。

その日康雄のかつての善行が結んだ果《み》に彼自身が出会《でく》わした偶然はこの二つにとどまらなかった。ホールがひけて朝子と二人で彼女のアパートへ行く道で、朝子は廃墟《はいきよ》の空いっぱいにかがやく星を見上げながら彼によりかかって歩いていたが、おこらない？　何を言ってもおこらない？　と十遍以上もくりかえした。朝子は少し酔っていたので、彼はまともに相手にしなかった。そのうちにとうとう彼女は立止って彼の白麻の背広の袖《そで》をつかまえながら、本当にあなた怒らない？　と言った。うるさいね、と彼は応じた。朝子は、あなたの子供ができるのよ、こんなことぐらいでうるさいと言っていられなくなるわよ、と言った。冗談を言うな、と彼は真蒼《まつさお》になって答えた。彼はそれから彼女の家へつくまで、「嘘をつけ」と「冗談を言うな」という二言以外は口に出すまいと決心しながら歩き出したが、嘘だと言っているとますます本当になるような気がするので、黙ってしまった。

子供のことではいつも父が結着をつけてくれたので、今まで後ぐされのあるようなところは一つもなかった。今度ばかりはのがれられない予感がした。子供、これこそ確実な冒険なのである。彼は手をひろげた。生温かい星空がまわりに在った。家という家は灯をともしていた。

全く無動機の善行がこうも確実な善をいくつとなく地上にばらまいてゆくのでは、人間は救われない気持がした。善は彼の手を離れて、星のような恒久不変《こうきゆう》なものになって、金輪際彼の行為をジャスティファイしてくれる由《よし》もないのだった。今では彼の行動をどうにもジャスティファイしてくれぬ思考の正体がわかりかけた気がするのだった。それは人が「宗教」と呼ぶところのものである。彼はこのままの気持では子供を待つことができないと感じ、子供を始末するような行動から自分を救うために、何らかの宗教に帰依《きえ》しなければと決心した。ところが読者もすでに見られるとおり、彼にはその重要な条件が欠如しているのだった。——それは「悔恨」である。

訃ふ

音いん

ものの三四十分にわたるパイプの手入れがすんだ。愛用の象牙《ぞうげ》のパイプである。白麻の手巾《ハンカチ》で丹念に磨かれて、象牙は冬の日向《ひなた》のような温雅な色を内から放った。それにきびきびした指先が煙草《たばこ》をさした。

旅行鞄《かばん》から書物が選《よ》り出される。茂吉の歌集は既に目をとおした。旅というと忘れたことのない本である。袖珍本《しゅうちんぼん》の謡曲全集は先刻繙読《はんどく》した。高等学校時代の友人から贈られた飜訳本《ほんやくぼん》が残っているきりである。仏文学者で東京大学の講師をしている友人の訳書である。興味のある本ではない。十九世紀の二流詩人の随想録が、飜訳権がやかましくなって新らしいものが出せなくなった関係で、掘り出されて上梓《じょうし》されたのである。

足を組んで、煙草に火をつけて、それを読み出した。

『……些事《さじ》にまして、この世でわれわれを苦しめるものはない。怖《おそ》ろしいのはむしろ嵐《あらし》ではなくて、水平線上にあらわれた一点の雲である。彫刻家は時として細部のために悩み、詩人はたった一つの詩語のために思い悩む。世界を圧倒するほどの苦悩と謂《い》ったものは、哲学的な天才の専有物ではなくて、たとえば歯痛という形で万人に与えられているものである。歯痛のなかにも世界苦の表白があるのであり、苦悩の等質性《オモジエネイテ》が精神の問題に先行することを人々は忘れている。……』

予期したとおり、断じて興味のある本ではない。局長は仮綴《かりとじ》の飜訳書を鞄にしまうと、

「もう二三十分だね」

と言った。

「駅があと二つでございます。五時十二分着でございますから、あと三十分たらずでございます」

「ああ、そうかね」

局長はまた鞄を探った。何となく飜訳書を鞄のなかであけてみて先刻のつづきにぶつかった。

『……することを人々は忘れている。しかし時としてこの等質性《オモジエネイテ》が、人間を一種の戦慄《せんりつ》すべき物質的存在に変貌《へんぼう》させる瞬間がある。この瞬間こそ他ならぬ詩《ポエジイ》の実体なのである。』――先を読んだのは、予備的な照れ隠しのためにすぎない。探っていた手が手鏡をとりだした。

局内で誰知らぬもののない手鏡である。田中事務官はこれを見ても表情を動かさな

い。目を外《そ》らして車窓を移ってゆく梅雨時《つゆどき》の田園を見るでもない。謙譲な無関心が何十年にわたって凝り固まり、たまに笑うときには「笑い」というゴム印を書類に押すように笑った。

檜垣《ひがき》金融局長は三十七歳である。財務省の局長で彼ほど出世の早い男は異例とされている。局長はまた、容貌に大いに自信があった。無髯《ぶぜん》で、鼻梁《びりょう》が秀《ひい》でており、いやらしいほど若い。しじゅう磨き立てているので、顔の皮膚がてかてかしていた。出張旅行の際、出迎えの多い目的地へ着く前に、念入りな顔の吟味のために手鏡が要《い》った。英国羅紗《ラシャ》の渋い仕立のよい服を着ている。高等学校時代ボートの選手をしていたので恰幅《かっぷく》がよい。鰐革《わにがわ》で裏打した女持らしい方形の手鏡に目を映したり鼻を映したりした。何を発見したのか、小指の爪先《つまさき》で小鼻のわきを永いこと掻《か》いた。頰の肉を引張って弾力を試した。胸のポケットから取出した櫛《くし》で髪を調えた。若々しい饒多《じょうた》な漆黒の髪である。

田中事務官はこのごろ掛けだした老眼鏡のうしろから無関心にこの光景に相対した。むこうへ着いても誰も田中事務官の顔を見てくれる者はなく、見るのは局長の顔ばかりである。上に立つ人間には手鏡が必需品であるのかもしれない。まかりまちがって田中が局長になれば、矢張手鏡を愛用するようになるかと思われる。あたり憚《はばか》らぬ男のお化粧は滑稽《こっけい》だと思うが、権威の楽屋裏を何十年見ているのでおどろかない。戦争中の局長で演説の前に気をおちつかせるために、演壇に立つなり自分のお尻《しり》をいやというほど自分で抓《つね》る癖の人がいたが、あれなどは随分滑稽なやり方である。田中事務官は観世撚《かんぜより》を撚ることが巧《うま》かった。書類は自分の撚った観世撚で綴《と》じた。歴代の局長の私生活や逸話は、のこらず彼の記憶の書類に記入されて、彼の記憶の観世撚で綴じられて、年代順に記憶の書類戸棚に重ねてあった。先代の局長の父親が脳梅毒で精神病院で死んだことも知っていた。銀座へ買物に行くと言って出て、塗箸《ぬりばし》を五千本リュック・サックに背負ってかえって来、そのあくる日また買物に行くと出て、山田五十《いす》鈴《ず》のブロマイドを八百枚買って来たので、病院へ入れられたのである。また檜垣局長には子供がなく、局長が養子であること、奥さんは肺結核で永らく湘南《しょうなん》のサナトリウムへ行っていることも知っていた。局長の亡《な》くなった養父は非常な財産家で、財産税の処理を綺麗《きれい》に済まして、最小限度の損害ですました上で死んでくれた有難い父親だということも知っていた。

　面皰《にきび》に心を悩ましている中学生のように、少しかがみこんで手鏡に影像を落しながら、局長は薬指で軽く小鼻を押えるような仕草をした。彼の顔の欠点といえば、小鼻が怒り気味なこと位いだと思われたからであろう。それから腕時計を見ると、退庁前にいそいで片付《かたづ》ける書類のように、手鏡を邪慳《じゃけん》に旅行鞄へ放り込んだ。五分もすれば目的地の駅であった。

県の御用旅館の大広間で、歓迎の宴がその晩ひらかれる。檜垣局長は床柱を背にして傲慢《ごうまん》にわたらぬ程度の磊落《らいらく》な容子で坐《すわ》っていた。

歓迎の宴と称してこちらが肴《さかな》にされていることは檜垣も知っている。大っぴらに交際費を叩《たた》き出せる宴会の主賓として、本省の局長はよい鴨《かも》なのである。しかし利用されているという妙味は、なまじ実直な尊敬の押売よりも、酒の味をよくするものであった。

県庁所在地のこの小都会は、養父の出身地で未《いま》だに養父の名は売れている。檜垣が将来立候補するとすれば、ここを地盤にせねばならない。役人一本で行けば今後は次官がとまりであるから、適当な汐時《しおどき》に政界へ乗り出すことを考えておいてよい。そのためには養父のつくった地盤に加えて、自分の役目柄を利用した地盤をも開拓しておくべきである。檜垣はこのM市への出張の機会をのがすことがなかった。

M市は保守党の勢力範囲である。進歩も反動も知ったことではないが、将来を考えて、彼は財務省の進歩的分子にはつとめて近づかないようにした。彼が製糸業のために有利な金融上の特例を得るように尽力したことは、M市の有力者の大半を占める製糸業者の気受けをよくした。或《あ》る地方新聞の伝えるところによると、日本経済新聞に載った彼の写真を神棚に飾った業者があるとのことである。

俗悪な大広間であった。頭山満《とうやまみつる》の扁額《へんがく》が掛っていた。戦争中は軍部の宴会で賑《にぎ》わって、床の間の花活《はないけ》に小便をした大佐がいた。コの字形に三十人が居流れていた。檜垣は十分人間的魅力を発散している自信のある微笑を口辺に湛《たた》えて盃《さかずき》の上から一座を眺めわたした。

大抵のものを軽蔑《けいべつ》している結果、檜垣は愛想のよい人物と見られていた。酒の席では豪傑を装《よそお》ったが、すこし人を見る目のある人間なら、彼の性格に豪傑風なところが微塵《みじん》もないことを見破ったであろう。自然さが人間を大ならしめる要素であることをよく承知していて、あまり不自然な謙遜《けんそん》は差控えるほどに傲慢であった。彼はすこし中和した己れを世間へ示した。世間というものは、女と似ていて案外母性的なところを持っているのである。それは自分にむけられる外々《よそよそ》しい謙譲よりも、自分を傷つけない程度に中和された無邪気な腕白のほうを好むものである。

しじゅう冷たい満足、冷肉のような満足が彼の胃に溜《たま》っていた。満足が永つづきするためには、冷えていなければならない。或る人々にとっては野心がその身を灼《や》くのであるが、彼の野心はものを冷やす作用をした。これは野心が高級で本物の証拠である。檜垣は「本物」という言葉を愛して、よく使った。

「いつもいつもお世話になっとります。あー……、失礼ですが、あー、お受け下さいませ」

地方銀行の頭取が畳の上をいざって献盃《けんぱい》にやって来た。脱いでいた背広の上着を、わざわざそのために着たのである。急いで着たので背広の襟《えり》の片側がねじれている。五十男の酒を飲まなくても真赤な猪首《いくび》を、これが際立《きわだ》たせた。

「これはどうも」

檜垣は実直に居住いを正した。県庁の総務部長と大銀行の支店長が興味ありげに二人の応酬《おうしゅう》を眺めている。局長が何かヘマをやれば、むこう一週間は茶話の種に不自由しないのである。

地方銀行の頭取は、「御尊父にえらく御世話になった」話をしだした。養父の地盤で立候補しようという肚《はら》が読めている相手だから、養父を持ち上げておく分には当りさわりがないのであった。

「御尊父には、わしが子供のとき、三輪車ちゅうものにのせていただいたのが御恩のはじまりでございます。あー、当時貧乏人の小倅《こせがれ》は三輪車などというものに、あー、お目にかかったことがなかったのでありまして」

巌《いわお》のような顔が愛くるしい笑い方をした。強慾《ごうよく》な人間は、よくこんな愛くるしい笑い方をするものである。強慾というものは童心の一種だからであろうか。

広間は梅雨湿りの夜気と共に煙草の煙が鬱陶《うっとう》しく漂いだした。丹前姿の檜垣は、いつにないことだが、愛用のパイプを部屋の背広に忘れて来ている。あのパイプで喫《の》まないことには煙草の味が格段に落ちた。しかし取りにゆくのも事々しくて、そのままにした。

下座のほうでは若い地方官吏が、酌をしてまわる宿の女中にからかっている。同じ女中が上座へ来ると神妙に畏《かしこ》まり、下座へゆくといたずら娘を丸出しにするのである。檜垣は年輩の局長とちがって花柳界趣味がない。こういう場所にいて新橋や赤坂が恋しくなるのではなかった。永らくサナトリウムにいる重患の妻の代りに、妻の親友で満洲《まんしゅう》から身一つで引揚げて来た若い未亡人に生活費の補助を与えていた。英語が堪能《たんのう》なので進駐軍に勤めている。美しくて教養があって戦争中手なぐさみにサマセット・モオムの飜訳を出したほどの女である。根が田舎出の檜垣はその教養が好きなのであった。芸妓《げいぎ》は教養がないから嫌いだというのは一九三〇年代の青年の口癖であるが、今は流行《はや》らないこうした口癖を、墨守しているような律義《りちぎ》さが彼にはあった。誘惑の多い境遇にある女ではあるけれど、檜垣の安心は小揺ぎもしない。自分が愛してやっているということは大へんな恩恵であって、これは愛しているという事実の客観的方面である。愛情の問題であれ、金銭の問題であれ、社会が結局は正鵠《せいこく》を射た客観的判断の歯車で動いてゆくという健全な信仰が、檜垣の侮蔑の支えになっていて、感情を停滞させやすい侮蔑の趣味にもかかわらず彼に活々とした力を供給しているのである。手鏡の必要もここから来るように思われる。

田中事務官はもう彼の横でうつらうつらしていた。本省の格で上座に奉《たてまつ》られているのに、いつもながらのこの癖は愛嬌《あいきょう》にもならない。老眼鏡が辷《すべ》りのよい鼻を辷って来て、ものほしそうに鼻の真央《まんなか》で止っていた。格別に大きい耳が顔の両側へ掌のようにひらいている。その中からおぞましく黒い毛が生えていた。長寿のしるしとかいうのである。

『ふん、こいつが長生きして何になるんだ』

檜垣は肩に手をかけてゆすり起そうとしたが、偶々《たまたま》県庁の総務部長から盃をさされたので、この企ては挫折《ざせつ》した。

退屈な宴会である。よくもこう木念仁《ぼくねんじん》ばかり顔をそろえたものである。機智《きち》というものがまるきりないので、やたら無性に莫迦《ばか》笑いをして気勢をあげているのである。檜垣のまわりをいつのまにか主立った四五人が取巻いていた。

「局長！　ひとつこの県のために御尽力下さい。東京近県で納税成績はわが県が一番ではないですか。この完納の蔭《かげ》には並々ならぬ……」

「お察ししますな」――局長はうるさがっていることをさとられまいとして故《こと》ら《さ》熱意をこめて言った。「私自身のことを考えても、正直のところ、税金を減らしてもらえるものなら、共産党へ入ってもいいと思ったくらいですからな」

「局長はいいな！　実にざっくばらんでいいですな」

「いい答弁ですな」――頭取が言った。「あー、こういう大臣が出てくれたらええですな。あー、赤を怒らしてもはじまりませんでございます。あー、いいですな」

「局長はいいな」――県庁のロイド眼鏡の課長がうるさくりかえした。頤《あご》がしゃくれていて、刻薄そうな顔つきの男である。「お目にかかれて実に愉快ですな。さあ、どうぞ一杯」

檜垣は汐時を心得ている。そろそろ満遍なくこの連中を好《い》い気持にさせてやる時期である。本省でも、若いくせに新聞記者を手なずけるのがいちばん巧いと言われている彼である。新聞記者を敵に廻してはいかんよ、というのが岳父の生前の訓誡《くんかい》であった。そのための資金なら岳父は喜んで出した。岳父は自分の親友が帝人事件で損の罫《け》を引いたのは新聞記者の扱いが悪かったからだと単純に信じていた。

檜垣は偶々女中が運んで来た銚子を手に持って立上った。上座から順々に注いで廻った。頭取がまた愛くるしい笑いで盃を押し戴《いただ》いた。下座へ移ると、酌をうける人々の態度は一種おごそかなものになった。心からの敬意でないことはわかっているが、それほどまでにせずとものことである。一人の老銀行員はうやうやしくお辞儀をした拍子に、ごくりと唾《つば》を呑《の》み込むような音をさせて背中の骨が鳴った。垢光《あかびか》りのした時代がかったサージの背広の背が鳴ったのである。

「まあ、干したまえ」

「これはこれは恐縮でございます」

檜垣は複雑な憐憫《れんびん》を感じた。相手の卑屈さを見ることが、憐憫と残酷な満足との二重の意識で還《かえ》って来るのである。相手の卑屈さは檜垣のせいではなく、檜垣の占めている椅子《いす》のせいにすぎない。俺の知ったことでないという無責任な感じが当然檜垣にもある。これに、一旦《いったん》椅子を離れたら頭一つ下げてはくれまいと考える役人固有の未来への不安が加わって、あの二重の意識を形作るのであった。

広間の最も下座の、片附けかけた空の銚子などが並べてある傍《かたわ》らに、一人の青年が坐っていた。

採用したての雇を手伝い代りに出したのであろう。女中の手がまだ揃《そろ》わないときに、この青年が酌をしに来たのを覚えている。真赤な顔をしていて童顔である。見すぼらしいカーキ色のワイシャツを着て端座していた。誰にも相手にされないでぽつねんと黙っている。

丁度その青年の隣りにいる幇間《ほうかん》めいた小役人に檜垣は酌をしてやっていた。駅へ着いたとき奪うようにしてすぐ鞄をもってくれた男である。薄手な骨相の、唇の薄い、人相見ならずとも出世を予想しかねる顔の男である。男は両手の先に盃を捧《ささ》げ持った。そうして一ト注ぎ毎《ごと》にうなずきながら檜垣がそそぐ酒をうけた。折目のなくなったズボンの膝《ひざ》が畏った表情をうかべ馴《な》れている。

酌をしながらふと檜垣は隣りの青年に目をとめた。向うもこちらを見ていて目が合った。実に清純な美しい目をしている。今時の青年にはついぞ見かけたことのない目である。

何か檜垣はうしろめたい感じを持った。

「どうだい、君」

こう言って銚子の口を青年の胸へ向けた。

青年は膳《ぜん》から朴訥《ぼくとつ》な手つきで盃をとりあげた。にこりともしない。盃をさし出して酒が注がれると、まことに手軽な会釈《えしやく》をした。もうよろしいという合図なのか、本当の会釈なのか、見わけのつかない程度に頭が下った。はっきり横柄《おうへい》な態度というのではない。しかしこの会釈の角度の不足が檜垣をぎくりとさせた。怒りに似ているが、怒りより前の、無意味な戦慄に似た反応であった。

『この男、共産党かもしれない。権力と見ればしゃにむに反抗する、左翼小児病という奴《やつ》だろう』

この刹那《せつな》の臆測《おくそく》は臆測にすぎなかった、のみならず、怒りを制肘《せいちゅう》する反省がある。一人一人のあまりに卑屈な叩頭《こうとう》に、そうまでせずともという憐憫を感じたものが、会釈が軽かったからと怒り出すのは矛盾にちがいない。しかし無意識の反抗が檜垣の目つきをとげとげしいものにした。青年は目を伏せたまま酒に馴れない口つきで盃を干した。

この場の気配を隣の小役人は察したものらしかった。

「ええ、只今《ただいま》……」――揉手《もみで》をしながら立上った。「光栄にも局長手ずからの御酌をいただきました御礼に、余興の先陣を承るといたします。皆さん御異存はないでありますか」

宴会の度毎にこういう役目をつとめることに馴れていて、この男は一座の喝采《かっさい》に漫才師の身振で答えた。

檜垣が彼の立ったあとの座蒲団《ざぶとん》を占めたので、おい姐《ねえ》さん、座蒲団、座蒲団、と注文した。それを新婚の床に見立てて歌う猥褻《わいせつ》な身振まじりの歌がはじまった。

笑いながら檜垣は見ているが、隣りの笑わない青年が気になった。

『もしかすると地方新聞の新米記者がまぎれ込んだのかもしれない。社会の木鐸《ぼくたく》を気取っているところなんだろう』

一寸《ちょっと》話しかければ氷解する筈《はず》の疑問である。それをさせないものが二つあった。一つは傷つけられた自尊心である。一つはこの赤い頬をした単なる小僧っ子の無言から来る威圧である。檜垣に一瞬うしろめたい思いをさせた清純な目の威圧だと言ってもよい。それは別に背《そむ》けられるでもなく小役人の卑猥な踊りへ向けられている。

檜垣はこだわった。屈辱を与えた相手を無理矢理に恕《ゆる》そうとする紳士的なこだわりであった。この紳士的なこだわりは、往々相手に対する一種の媚態《びたい》にまで高《こう》じることがある。

小役人が歌い終って席にかえる。席を譲って立上った局長は二三歩よろめいて進み出た。よろめいたのは芝居であったが、立上ってみると思いのほかに酔いがまわっている。口をひらかぬさきから喚声が起り、それに拍手が混った。床柱のわきに今しも居睡《いねむ》りからさめた田中事務官の顔が目にとまった。薄目をあけてこちらを見ている。

局長は小さい舌打ちをした。

「えー、東京土産の東京音頭であります」――一日局長が口を切ると、事大主義の聴衆は粛然《しゅくぜん》と傾聴した。「えー、私が音頭をとりますから、東京に嘗《かつ》て在任されたN総務部長・Y支店長もお立ち下さい」それから突慳貪《つっけんどん》につけくわえた。「田中事務官も立って下さい」

一座は大喜びである。総務部長と支店長が無理矢理に立たされた。田中事務官はたびたびのお供で自信があるので、いやにしっかりした足取で一人で立って来た。突然地方銀行の頭取が志願して、踊り手は五人になる。皆が手拍子をとった。この音頭をきっかけに座が乱れた。踊りがおわって檜垣は大ぜいに囲まれた。次々と盃を受けるが、永年の習慣で体は崩さない。ただ同じ言葉の連鎖だけが、騒音の中から耳についた。

「局長はいいね。局長は話せるなあ」

「話せるなあ」

「いいね。局長はいい人だ」

こういう言葉が少しずつ変化して誰の口にも囁《ささや》かれているのである。ときどき声が重なって、節がついて、合唱のようになる。部屋の一隅で、群を離れた二人の酔漢が肩を組んで、際限もなくこう繰り返している。

「いい局長、話せるね。いい局長、話せるね」

なにかこんな生真面目《きまじめ》な嘆声が洩《も》れる。

「檜垣さんは実に出来ていますなあ」

ぶっつけの、押しつけがましい田舎風の愛情が窺《うかが》われる。阿諛《あゆ》というよりは素朴な嘆声と考えてよい。檜垣が厠《かわや》へ立とうとすると皆は目の色を変えた。やっと納得させて厠へ立つ。先刻の席に青年の姿が見えない。先に帰ったのか乱酔の群にまぎれているのか確かめる気力がなかった。宴会は十一時に終った。

床に就くと目が冴《さ》え出した。次の間から田中の寝息がきこえるが、いびきを立てる元気もなくて、気息奄々《えんえん》と謂《い》った調子の気味のわるい寝息は昔ながらである。課長時代にはじめて田中を連れて出張旅行をしたとき、彼は夜中に目をさまして驚いて電燈《でんとう》を点《つ》けてみたことがあった。

遠い部屋の柱時計が十二時を鳴らした。

闇《やみ》のなかで、ふと檜垣の唇に憐憫の微笑が泛《うか》んだ。これは時折、誰もいない折に発作のように泛んでくる微笑である。ありふれた微笑ではない。強いて譬《たと》えれば美しい女が、誰も見ていない場所で一糸まとわぬ姿になって寛《くつ》ろぐときに、ふと洩らす微笑の他には類例のないものである。

酒が心地よく体にゆきわたって、この一種慈悲のようなもの、自分以外の一切の価値に対する憐憫、というよりは人類愛みたいなもの、(檜垣にはこうしたものがみんな同じ種類の酩酊《めいてい》のように思われる)、こういう感情をなぞってゆくのに好適な音楽的な気分が醸《かも》し出される。すると彼は、汽車のなかでのように、鏡を前にしている精神状態に近くなって、心の中でこんな風な独白をはじめるのである。この独白は日に一度は演ぜられるので、折にふれての追加を除いては、隈《くま》なく暗誦《あんしょう》されて言いまちがえる惧《おそ》れのない台詞《せりふ》のようであった。

『まずよし、まずよし。

俺は財務省の金融局長である。俺の年でこれだけ世間態のよい肩書はちょっと見つからない。

俺は国会の政府委員である。大臣は俺がいなくては答弁一つ出来ない始末だ。

俺は融資規制諮問《しもん》委員会を掌中に収めているし、経済再建会議を牛耳っているし、全国経営者連盟の生殺与奪の権を握っているし、俺自ら金融制度改革委員会の委員長である。俺は旧套墨守《きゅうとう》と革新を両手でやってのけられるのだ。

俺は養父の財産を五百万円相続したが、その七割は不動産と有価証券だ。重工業株の値上りで財産は膨脹《ぼうちょう》する一方だ。深情《ふかなさけ》のお多福面《づら》の女房は柄にもなく肺病にかかってサナトリウムへ入ってくれている。親爺《おやじ》の遺志を継いで、俺一人に財産を使わせないために金のかかる病気になったものだろう。子供がないのは彼女のせいで俺のせいではないがこれも今となっては好都合である。

俺にはぞっこん参っている草間英子という情婦があるし、この引揚げ未亡人はそこらにころがっている代物《しろもの》とは種がちがう。第一教養がちがう。彼女の情の濃まやかさは女房のような深情とは根本的にちがったものだ。彼女は俺を一個の芸術作品を愛するように愛するのだし、俺もそうだ。俺はベルヴェデエレのアポロに似ているそうだし、彼女はメディチのヴィーナスのようだ。こんな言草を第三者がきいたらさぞかし雑巾《ぞうきん》で顔を撫《な》でられたような感じがすることだろう。しかしそういう感じも、分析すれば彼らの嫉妬《しっと》に起因するものだろうと思われる。

今の大臣はもう老人だし将来性はあるまい。尤《もっと》も俺は大臣官邸附の属官をみんな手なずけてあるし、その中の一人は内密で生活を扶《たす》けてやっている。おかげで官邸からの情報は局長の中で俺が一人占めにしている観がある。省内の工作ではこの間の人事異動で、渉外課長を秘書課長に推挙するのに成功した。あいつは俺には恩義があるので、俺の省内の地位はますます有利になる。俺自身にとっていつも重要なのは、閣議決定よりも、決定までの経過なのだ。

省内ではあいかわらず派閥の角突き合いがやかましいが、俺が松原次官系の人間だと思われ次官自身もそう思っていることは一種の保身術として有利なだけである。俺の本当の肚《はら》がどうかは誰もわかるまい……。』

あくびが出て来た。こうした反省は、睡眠に有利である。眠ろうとする間際《まぎわ》に、ふと檜垣は例の得体のしれない青年の顔を思いうかべた。あの澄明《ちようめい》な美しい目を見たとき、故《ゆえ》しれぬうしろめたさを背筋に感じたことを思い返した。児女の情である。彼の目の純真さを何らかの人間的な価値に還元しようとした見方などは甘いことである。そういう甘さは趣味としては許せるが、感情としては許すことができない。人間的な共感というものに触れるためには手袋をはめることを忘れてはならない。さもないと手が汚れるのである。

どんなに遅く寝《やす》んでも、檜垣は六時半に目をさました。それから十五分ほど謡《うたい》を唸《うな》るのだが、これは旅先でも欠かしたことのない習慣である。旅先では声を低めるが、多少とも叩《たた》き込んだ声は容赦なく隣室の目をさました。

顔を洗う。雨戸を自分であける。十五分間謡う。そのあとで朝の一服を十分たのしむためのおあずけのようなものである。

雨戸をあけると、あいまいな天気であった。朝空は灰でもふりそうな色をしている。手入れのわるい中庭のむこうに裏向きの商店の看板と物干台がみえ、夜干の枕掛《まくらかけ》が干してある。そのむこうが街路である。時計台を持った古風な銀行と、薬屋の巨《おお》きな看板がみえた。錆《さ》びた憂鬱《ゆううつ》な金いろの額縁に囲まれて、何とか堂という潰《つぶ》れた篆刻《てんこく》の名が見える。町外れの山は雲のために見えない。

謡曲全集の「加茂」のところをひらいて膝の前へ置いた。初夏の季節にふさわしいからである。

「御手洗《みたらし》の声も涼しき夏蔭《なつかげ》や、声も涼しき夏蔭や、糺《ただす》の森の梢《こずゑ》より、初音ふり行く杜鵑《ほととぎす》なほ過ぎがてに行きやらで……」

次の間で目のさめかけた田中が唸っている。あっというような声がしたのは、局長より遅れて目がさめた悔悟の叫びに相違ない。ばたばたとうるさく着換えたり床を片附けたりしている音がした。謡の合間に檜垣が「しっ」と制すると急にひっそりした。謡がすむ、田中が挨拶《あいさつ》に来る。茶袱台《ちゃぶだい》の上の巻煙草《たばこ》をとって、局長は背広のポケットからパイプを出しに立った。パイプがない。

「おかしいな。ないわけはない」

局長があたりを見まわした顔が随分怖《おそ》ろしい形相なので、田中は自分が盗みをでもしたような気になって狼狽《ろうばい》した。一度上げた床を引っくり返して振ってみた。重ねてある座蒲団も点検した。ない。

別室に泊っていた案内役の県庁の小役人が、局長の謡をきいて朝の挨拶に出たのが、部屋中を掻《か》きまわしている局長と田中事務官の真剣な顔つきにびっくりして閾《しきい》際に凝立した。

「おはようございます。何か書類でもなくなりましたのですか」

責任問題が自分にからまって来る危惧《きぐ》にぶつかった場合の、小役人特有の逃げ腰になった真剣さが、彼の表情に容易に人を寄せつけないと言った警戒心を露骨に出しているので、親切ごかしの心配そうな言葉はうらはらに聞かれる。「書類」という推測が、局長のとるべき態度を規定してしまった。

「いやなに、つまらん失《な》くし物でね」

「盗難でございましょうか」

「いや、いや」

「御時計でも」

「なに、つまらないものだ。田中君もういいですよ。きっと落したんだ。安物のパイプなんだが、使い馴れた物は惜しいものでね」

小役人は正直にほっとしたような顔をした。

「宴会場のほうを探してまいりましょう」

「いや、あっちにないことは確かです。落したとすれば汽車の中だ」

「それでは早速鉄道のほうへ連絡をとりまして」

「いやそんな御心配は要《い》らん物だ」

「でも念のために駅長のほうへ」

「いや、本当に結構です。たかがパイプ一つに滑稽《こっけい》なことです」

「どういう品物でございましょう」

「どういう品物というほどのものではない。この問題は打切りましょう」

体面ばかりが問題打切に役立ったのではない。役立ったのはむしろ羞恥《しゅうち》である。何かつまらないものを真剣に愛していることを感づかれるのは、恥部を見られるよりも彼にとって耐《こら》えにくいことである。

檜垣は軛《くびき》を掛けられたように感じた。この出張旅行のあいだ、パイプを失くしたことは決定的に口に出せなくなったわけであった。

小役人が引退《ひきさが》ると田中が心得顔に寄って来て耳もとで低い声でいう。

「何とかして鉄道へ手をまわして、表立たないようにして探しますから」

魂胆が見え透いている。局長は怒鳴りつけた。

「私がほっておけと言ったらほっておきたまえ。何を君がちょっかいを出す権利があるんだ。要らんものは要らんのだ。余計な容喙《ようかい》は止《や》めてくれたまえ」――それから少し冷静になって、「第一、君、つまらんことで地方庁へ迷惑をかけてみたまえ。あとで散々悪口を言われて笑われるのがおちじゃないか」

その日は県庁の会議室で午前十時から現下金融状勢について局長を囲む協議会がある。局長の貯蓄奨励に関する演説も次第の中に織り込まれている。各市町村から代表者が集まって待っていた。県庁の出迎えの自動車が宿に差し向けられた。

田中事務官が書類を一杯詰め込んだハトロン紙の大型状袋を抱えて局長と同乗する。案内役は運転台に乗り、気楽な土地の言葉にかえって運転手と冗談を言った。

梅雨曇りの町がどんよりと続いている。英国で言えばマンチェスターと謂った由緒《ゆいしょ》のある紡績業の都会であるが、明治初期の日本流の産業革命の匂《にお》いが郷愁のように纏《てん》綿《めん》していて、町全体が古風な燐寸箱《マッチばこ》のレッテルめいた憂色を帯びている。殆《ほとん》ど戦災を免れたので、余計古色が目立つのであった。御高祖《おこそ》頭巾をかぶって歩いている女がいたが、これは季節ちがいである。顔の火傷《やけど》をかくして病院通いをしているのであろう。

檜垣はこんな沈滞した風景には興味がない。ましてこの土地は自分の生れ故郷でも何でもない。ただ失くしたパイプのことばかり考えた。あの手の象牙《ぞうげ》のパイプは、代りを探すのが難儀なものではあるまい。大して高価な品でもない。格別の由緒、格別の思い出のまつわった品でもない。どこで買ったのかさえはっきり思い出せない位である。人からの贈物であるかもしれない。いつからともなく彼の掌に馴《な》れ、彼の指先に馴れ、象牙特有の哲学的な色艶《いろつや》を得、彼の生活に欠くべからざるものとなったのである。残り惜しさの理由は、使い馴れたという点にしかない。しかしかけがえのない感じは、これだけの理由で十分であった。おそらくこれ以上の理由は見つかるまい。

檜垣の目は空《むな》しくパイプを夢み、その目には他の何物も映らなかった。理性が何度もこうした感情を笑殺しようと試みるが果さない。檜垣のような男が協議会へ赴く車中で参考書類に目をとおしもせず、失くしたパイプに心を奪われていようなどとは、有りうべからざることである。にもかかわらず、些細《ささい》な失せ物は彼を思い悩ました。

戦時中の灰色の塗料をまだ落さない陰鬱な県庁の建物が近づいた。馬車廻しの蝦夷《えぞ》松《まつ》が気むずかしげに聳《そび》え立っている。自動車のフロントグラスをとおして、蝦夷松の枝の間に見える梅雨空が、反応のない皮膚のような白い色をしている。局長は車を下りた。職員たちが出迎えた。会釈《えしやく》をしながらその人たちの間をとおる。檜垣はふと会釈が鄭重《ていちょう》にすぎたのを感じた。

敬意ではない。機械的に返した会釈にすぎない。その角度が深すぎたのである。敬意ではないとすると、過失であるかもしれない。或《ある》いはもっと悪い無意識の謙遜《けんそん》のようなものであるかもしれない。しかし考えてみるのに、常日頃意識的な謙遜以外の謙遜を自分に許したおぼえはない。檜垣はまた失くしたパイプのことを思った。この過失をそれに理由づけた。

会議室は二階にあった。「経済再建協議会々場」という景気のよい墨迹《ぼくせき》が扉にある。その名は県庁でつけたのである。協の偏が立心偏《りっしんべん》になっている。誤字というものは役所の唯一《ゆいいつ》の愛嬌《あいきょう》である。

五十に近い会場の椅子《いす》は、そっくりかえった田舎紳士たちによって占められていた。国民服がいまだに三分の一ほどいるが、これは意地でなければ趣味で着ているとしか思えない。彼らはわやわやと議論をしたり、新聞紙《がみ》で洟《はな》をかんだりしていた。

檜垣は物見高い多数の目をわけて自席に就くと、今度は十分意識した丁寧なお辞儀をした。そしてこう言った。

「お待たせいたしました。わたくし、財務省の金融局長をいたしております檜垣でございます」

見まわすと、煙草をのみつづけている人がちらほらある。マドロスパイプがある。話の枕として、真鍮《しんちゅう》の煙管《きせる》がある。水牛か何か得体のしれない獣の骨のパイプがある。咄嗟《とっさ》にこう言おうかという考えが泛んだ。

『実はわたくしも非常な愛煙家でありますが、生憎《あいにく》秘蔵のパイプを往《い》きの汽車で失いまして……』

これを言ったらどんなに心機一転することであろう。どんなに気分が晴れることであろう。そうは思うものの、結局思い止まる他はなかった。田舎の有力者ほどひがみやすい人種はないのである。すぐこれを、挨拶がはじまっても平気で煙草をのみつづけていた人たちへの皮肉か厭《いや》がらせと取るであろう。神経質な皮肉家だという評判が明日になれば県内隈なく流布《るふ》することであろう。仕方なしにこう言いかえた。

「本省の仕事も近ごろ頓《とみ》に多忙を極めておりまして、地方の各種の講演、座談会、協議会などは大抵お断りしている始末なのでありますが、本県ばかりは親爺が生前一方ならぬ御世話になり、名代の頑固親爺の我儘《わがまま》をとおさせていただいた並々ならぬ御恩のある地方でありますので、この度も早速馳《は》せ参じた次第でございます。今後とも、何か私の話がお役に立ちますような場合には、いつでも万難を排して馳せ参ずる覚悟でおります」――選挙の準備工策である。

これが受けて拍手喝采《かっさい》であった。

しかしどういうものか、これからあとがいつものように滑らかに運ばない。彼は白麻の手巾《ハンカチ》で何度か額の冷汗を拭《ぬぐ》った。話の内容が計数に触れ、生産指数の書類が入用になる。田中事務官がハトロン紙の状袋から書類を出して、次々と局長の手もとへ送ってやるのである。

「ええ本年昭和二十三年三月から、基礎資材の生産並びに輸入増加、配炭量の増大によりまして生産実績は大いに向上いたしました。五月の生産指数はまだ概算の数字でありますから、四月のを申し上げますと……」

読み上げた数字を一頁《ページ》に四カ所も読みまちがえた。こんなことはたえてないことである。

協議会と言っても、質問に名を借りた憂国の大演説をいくつか我慢してきけばよいのである。檜垣は殺風景な会議室の壁面を眺めた。一方の壁に歴代の県知事の肖像写真が掛け並べてある。明治時代の地方官の蛮的な風貌《ふうぼう》が見ものである。一隅には硝子《ガラス》の箱に入った極楽鳥の剝製《はくせい》があった。窓から薄日がさして来てもう一つの壁面を照らし出した。嘗《かつ》て日本に於《お》ける最初の未来派といわれた画家の大作が掛っていた。この画家の大作は病院や喫茶店でもよく見かけるので珍らしくないが、県庁の会議室にあ

ると は随分奇抜である。今出張中の知事の趣味にちがいない。彼は着任匆々《そうそう》職員組合のダンスパーティーでワルツのデモンストレイションをやって人々を唖然《あぜん》とさせたのである。アメリカの大学卒業の経歴が人気のもとになった知事であった。

それは重複したアルルカンと一人の女の画像であった。アルルカンは笛を吹き、女は胸に菫《すみれ》の花束を抱いて男の顔を見上げている。女の上衣《うわぎ》とアルルカンのマントとの堺目《さかいめ》がなくなり、女の銀灰色のストッキングの片足がアルルカンのタイツの片足に融《と》け込んでいる。この画家はこうした構成を好んでとるのである。偶々《たまたま》窓からの薄日が、男を見上げている女の咽喉元《のどもと》に射《さ》してそこを明るませた。顔はなお暗いのでふしぎな立体感が出来上る。それが草間英子にそっくりだったのである。

以前からこの画描きの描く女に似ていると思ったが、これほど瓜《うり》二つに見えたことはない。こう思った瞬間に檜垣は胸が締めつけられるように感じた。英子のところで従弟《いとこ》だという学生に会ったことを思い出したのである。この記憶は何等特別の色合を持たぬものであり、檜垣は凡《およ》そ英子を疑って見ようともしたことがない。しかし記憶が突然意味ありげな色彩を帯びて再生した。そうして檜垣を動顚《どうてん》させた。

『女を疑うには及ばない。世界中の従兄《いとこ》を疑えば足りる』

こんな箴言《しんげん》を檜垣は読んだことがある。それも思い出した。

い。

「局長におたずねいたしますが」

——下士官のような三角形の目をした国民服の質問者が立上った。檜垣の返事はな
田中事務官が気をかねて檜垣の横腹をつついた。

「局長におたずねいたしますが」

「あ、御質問ですか？」

『御質問ですか』もないものだという気持を、国民服の男は、もう一度同じ言葉を、ゆっくりと糞真面目《くそまじめ》にくりかえすことで表現した。

「ええ、局長におたずねいたしますが、供出代金振替制廃止の件につきまして……」

檜垣は柄にもなく顔に血が昇って紅潮するのを感じた。しかし苦痛との相殺《そうさい》はつかない。異様な不安がある。参会者の顔をまともに見ることができない。彼は立上ってこう言いたかったのである。

『私がぼんやりして憂《うれ》い顔をしているのは頭が鈍ったからではありません。ただ些細な原因です。安物の象牙のパイプを汽車の中で落したからです』

もしこの声明が実行されたら、人々は彼のまわりに群がって彼の手を捕えるであろう。そしておそらくは氷で彼の額を冷やすか、精神病医に引渡すかするであろう。こ

うした予測は檜垣を戦慄《せんりつ》させる。人間の本音というものがこんなに危険なものだとは考えもしなかったのである。

それから二日の日程のあいだ、局長の滅入《めい》った様子が側近の目につきだした。講演も生彩がない。毎夜の酒宴も空元気を出しているとしか思われない。最初の晩の潑剌《はつらつ》とした精力旺盛《おうせい》な印象はどこへ行ったかと疑われる。

出張旅行の時は私生活にまで大勢の他人が立入るので、中心人物の心理状態は敏感に読みとられるものであった。気遣われたのは局長の健康である。東京での激務と旅疲れとで過労に陥ったのであろう。さもなければあれだけ名立たる秀才が、頻繁《ひんぱん》に読みちがえをしたり度忘れをしたりするわけはない。誰もが同じ推測を辿《たど》って同じ結論に導かれた。

田中事務官もこれについてうるさく意見を徴される。彼は老眼鏡を不器用にずり上げて例の恭倹な無関心さでこう答えるのである。

「別段御病気ではないようですよ。何か御心労があるのとちがいますか」

本省にいれば、同じことでも同僚との間ではこんな風に言うであろう。

『別に病気でもなさそうだがな。何か思うように行かないことがあるんだろう。あの青二才が局長の椅子に坐《すわ》っているのがどだい無理なのさ』

最後の日程は午後から近郊の有名な温泉地へ行ってそこでまた酒宴がひらかれて一泊するだけの予定である。M市での最後の朝食がすむと檜垣は散歩に出ると言い置いて、一人で宿を出た。田中事務官を置いてき堀にしたのである。

パイプを売る店をたずねて、少しは勝手を知ったこの町を歩きまわった。朝の散歩者としか見えまいし、自分もそう思いたい。本通りへ出て宿から見える薬屋の前を通った。

一人になっても、彼の口もとに憐憫《れんびん》の微笑はうかばなかった。あくびの出るほど円満具足の反省もなく、昨夜はおまけに十分の睡眠がとれない。よく眠る人間には不眠をこぼす人間はいつでも多少芝居がかった滑稽なものに映るのだが、檜垣の場合はこれが同一人なのである。自分を笑うこともできない。昨夜の不眠の原因が、あてどもない疑惑と嫉妬《しっと》に在るにしても、笑うことはできない。

彼は煙草《たばこ》屋や服飾品店と見ると、一つ一つ立寄って象牙のパイプのあるなしをたずねた。三軒目の店で漸《ようや》く象牙のパイプに行き当る。しかし形がよくないし、手ざわりが本物でない。重さも適当なのがない。何よりもまず、あの失《な》くしたパイプのもっていた一種の感じ、殆ど肉感的と謂《い》ってよいあの実在、磨きつくされた光沢、冬の日向《ひなた》のような内からにじみ出たあの暖色、在ってもなくても大してかわりのなかったあの親密な重量が全くない。諦《あきら》めて店を出た。

俺は誰とも頒《わか》てない秘密を持った、と檜垣は考えながら歩いた。因果なことだ。俺がパイプを惜しがって、しかも惜しがっていることを口に出せないで悩んでいるという秘密は、層一層打ち明けがたい秘密になるだろう。何故《なぜ》なら、はじめのうちこそ田中を怒鳴りつけてパイプを探させても自然であった。今では、パイプを惜しがっていることは、田中にさえ感づかれてはならない。何か原因不明の憂愁と思わせておかなければならない。さもないと、好い一つ話にされてしまう。檜垣の頭はこうした妄念《もうねん》を詰め込まれて他のものを入れる余地がないのである。

パイプを探しているところを人に見られはしなかったかという不安も出て来る。周囲を気にしながら、まるで悪所からかえった男のような風情《ふぜい》で、宿にかえった。田中は背を丸くして観世撚《かんぜより》で書類を綴《と》じていた。

I温泉は市から私鉄で二つ目の駅で降り、そこから日に四回往復する乗合自動車の便がある。斜面の山躑躅《つつじ》の花が美しいが、戦前鬱蒼《うっそう》と茂って目をたのしませた唐松林は、不様に開墾されて見るかげもない。それでも沿道の風景は、目的地のＩ温泉のつまらない風光よりはましなのである。もっと奥の湖までゆけばよいのだが、この度は時間の余裕がなかった。

金融局長の一行は、石段状の温泉町の頂きに宿をとった。田中事務官を除いて随行は五人である。夜になると例のごとく野暮ったい酒宴がひらかれる。猥褻《わいせつ》な歌や踊りが披露される。これは永遠の繰り返しであるが、この社会では独創ということは予算の濫用《らんよう》にまさる悪なのだから仕方がない。彼らは道徳を遵奉《じゅんぽう》しているのだし、道徳は事実快楽よりも永持ちがする。はじめから退屈なので、倦《あ》きさせるということがないからである。

乗合自動車の始発は朝六時半に私鉄の駅を出て、Ｉ温泉へ七時に着いた。十分間客待ちをして折返す。局長はこの七時十分発のバスに乗って帰京の途に就くのである。谷間の橋の袂《たもと》の停留所で一行はバスを待った。皆が口々に局長の帰京を惜しがる。そのくせこの浮かぬ顔の貴賓のとりもちに、内心閉口していたのである。

「いや皆さんには大へんお世話になりました」

と檜垣がぽつりと言った。

「どういたしまして」

「局長こそお疲れでございましたろう」

「われわれもおかげで好い保養をさせていただきました」

などと正直なことを言う者がある。

そのうちにバスが来た。川ぞいにあるかなきかの朝の埃《ほこり》を舞い立たせて来るのが、音ばかりは段丘に谺《こだま》して凄《すさ》まじい。三四人しか乗っていなかった。一日たっぷりの商売を心がける行商人や、町から村の小学校へ通っている二人の先生ぐらいが常連である。

その空《す》いたバスのトラップに立っている男がある。降車をあせっているにしても、余程の変り者である。そのうちに一行の中から、

「森田じゃないか」と名を呼ぶ者があって、県庁の職員であることが分った。

森田は血色ばかりよくて頭の禿《は》げた中年男だが、車が停るか停らぬにトラップから妙な腰つきで飛び下りた。その真剣な表情に気押されて、誰も咄嗟に声をかけることができない。森田は局長の前へつかつかと寄って、唾《つば》を呑《の》み込んで、ようやく物を言う。檜垣も顔は見知っているが、呆《あき》れ果ててすこし身を退《ひ》いた。

「局長、只今《ただいま》東京のお宅から県庁のほうへお電話がございまして、一刻もはやくお知らせせねばと思うて、とんでまいりました」

「これはどうも。一体何ですか」

「実にそれが」——森田は頭をがくりと下げた。この男の芝居がかりは知れわたっていて、長男が生れたとき、役所の昼休みにおむつばかり縫っていたという話は有名である。「局長、御愁傷様でございます」

彼は気をつけの姿勢で頭《こうべ》を深く垂れた。

「何だね、藪《やぶ》から棒に」

「奥様が昨晩八時二十分におかくれになりました」

局長よりも取巻きの連中に反応が早く来た。動じないのは田中事務官一人である。取巻きの五人は一せいにあっという驚愕《きょうがく》の表情で使者を見戍《みまも》った。死のしらせは同情より先に連帯的な或《あ》る種の感動で人を結ぶものである。彼らは一斉に、深甚《しんじん》に、檜垣金融局長を理解した。この場合の理解は一種暴力に似たものである。理解するということが暴力的な権利のように心にそなわってしまう。いずれも単純な極く小さい不正しか出来ない気のいい人たちなので、心にひとたびこういう権利が賦与《ふよ》されると、忽《たちま》ちそれに身を委《まか》せてしまって他を顧みないのである。五人の人たちの暴力的な理解は、同じ結論に到達した。それはこうであった。

『何という人間的な、そして立派な局長だろう。彼は妻の重患を隠していたのだ。見事な忍耐で職務に耐え、それよりも耐えがたい夜毎《よごと》のどんちゃん騒ぎに耐えていたのだ。殊《こと》に昨晩、妻の死の時刻に我々に加わって心ならずも磐梯山《ばんだいさん》節を歌っていたのだ。押えがたい憂慮が日ましに募ってさすがに傍目にもとれるようになった。それでいながら面には微笑をたたえ、黙々と職務に忠実に従っていたのだ。これこそは人間の亀鑑《きかん》であり、これこそはもしかすると英雄である。立派な人だ。美談の主だ。この頽廃《たいはい》した時代にもこういう立派な人がいるのだからなあ。われわれは自らに恥じなければならない』

檜垣はまわりからやいのやいのと悔みの口上を述べ立てられて、事態の判断をつけるのに手間取った。うつむいて自分の靴先を見つめ、靴先で地面をかわるがわる軽く叩《たた》いてみた。そうしているうちに段々呑み込めて来る。取巻きの一人がしんみりとこう言うのがきこえたからである。

「存ぜぬこととはいえ、昨晩奥様がお亡《な》くなりになった時刻に、ああいう酒の席へお誘いした結果になりまして申訳ございません。局長の御様子で何か御心配のあることはお察ししておりましたが、こういうことならお洩《も》らしいただければよかったのにと存じます」

檜垣はまわりの誤解を正確に判断した。妻の死をいつも心の底から待ち希《のぞ》んでいたがそれがおそらく大々的な喀血《かっけつ》のおかげか何かで突然こんな風に叶《かな》えられてしまったものであろう。彼は檜垣家の財産の完全な所有権者になり、英子は後妻に迎えられることとなろう。その上彼自身の原因不明の憂愁には、見事な表てむきの理由（これぞ唯一《ゆいいつ》のもの！）が与えられたのである。檜垣は気力の回復を感じた。彼は到着した晩の彼と同じであった。象牙《ぞうげ》のパイプなんか糞喰らえだ！

――やがてバスが八人の一行を乗せて走り出した。唐松林へ入って窓が仄暗《ほのぐら》くなる。八人が八人とも押し黙ったままである。

「どうしたんです諸君」――局長が快活な声で言った。「ここでお通夜《つや》をしていただいても私が寂しくなるばかりですな。さっきの勢いでもっと元気にやって下さい。黒田節でもやろうではないですか」

こう言って一同を見まわした表情が殆《ほとん》ど英雄的なほど晴れ晴れとしていたので、涙ぐましい声で一人が賛成した。

「局長、やりましょう」

皆がこれに従う。そうして黒田節の合唱が終点までつづいた。

汽車の駅には事情を知らない税務署長や銀行関係の連中が見送りに集まっていた。切符の打合せで一足先に改札口を出た田中事務官が、慇懃な県庁の職員に肩を叩かれた。

「一体どうしたんですか。けさ宿直の森田君が東京から長距離電話をうけて、忠義立てをして一番で局長へ御注進にとんで行ったそうですが、政変でもあったんですかね」

「いや……いや」と、何でも知っている男、この、『金融局の生字引』はこたえた。

「そんな大したことじゃございません。局長の奥さんが亡くなったんですよ。それだけのことですよ、あなた」

怪物

倒れたのが、夕刻の五時すぎである。

五月の海は日没を地峡の山々にゆだねて、引き去られようとする光りへの静かな祈《き》禱《とう》にも似た薄暮のただよいを、敬虔《けいけん》に捧《ささ》げ持っている。

断崖《だんがい》の岩影から、一羽の鶚《みさご》が飛び立った。

そこに巣を営んでいるらしい。

頂きの赤松の梢《こずえ》に羽を休めたとき、むかし狩猟に凝ったことのある斉茂《なりもち》には鶚とわかった。この猛禽《もうきん》の羽色は松の幹と大差がない。しかし入日が梢をあかあかと照らしているので、怒り肩にすくめた首をうごかしている猛禽の起居《たちい》が見えた。

鶚はふたたび翼をひろげた。不吉なほど暗い長大な翼である。赤松の梢をすりぬけて、天高く飛び翔《た》った。夕空の異常に透明な大気のなかを翔《か》けのぼった。何か切迫したおそろしい衝動を身内に感じているにちがいない。それは天頂のひろがりを貫ぬいて、まばゆい躍動する一点に化身して、もっと高く翔《かけ》り去ってゆくようにみえた。

斉茂は縁先に立っていた。軒とすれすれの天空を見上げるために爪先《つまさき》立った。そのとき無理な姿勢が、硬化していた脳の血管を破ったのである。

伊豆半島の附根《つけね》にある卑俗な温泉地からすこし隔たった高台の上の別荘であった。すぐ下にバス道路の迂回《うかい》して通うトンネルがある。トンネルの背がそのまま断崖になって海の眺めへつづいた。松平斉茂は別荘の三間《みま》の離れを宛《あて》がわれていた。今は世に亡《な》い二度目の妻の娘が身のまわりの世話を焼いた。

一昼夜の昏睡《こんすい》状態から斉茂がさめたとき、まずものうげな、きわめて低いのにうるさい感じのする物音をきいた。藤棚にとび交う蜂《はち》の羽音だと気づくには数分を要した。意識が鮮明になると、彼はまずこの当面の疑問、自分が置かれている位置、断絶された意識の背後に起った事件について訊《たず》ねようとした。異常な深い麻痺《まひ》感《かん》があった。言葉が失われていた。左側の内嚢《ないのう》の出血で右半身が不随になるのと同時に、別の個所の小さな出血が言語中枢《ちゅうすう》を侵したのである。

「お気がおつきになった」

「何か言おうとしていらっしゃる」

「私です。檜垣《ひがき》です。おわかりですか」

別荘の持主、小肥《こぶと》りした中年男の檜垣が、斉茂の目の前へ顔をつきだした。それを見ると額に積み重ねた氷嚢《ひょうのう》の下から年老いた貴族の目は、一瞬恐怖に見ひらかれ、それから戸惑いするように目《ま》ばたきして閉じた。些細《ささい》な盗みの科《とが》で両頰に平手打をくらっている少年の顔を、檜垣の顔のなかに見たからであった。

檜垣も斉茂の恐怖を直感した。顔を離して斉茂の娘、斎子《いっこ》に目じらせして、首をすこし左右に振った。

斉茂は目を閉じた。怒りが身内にあふれた。一瞬間にもあれ、恐怖を感じたことが腹立たしい。今まで永い生涯に一度たりと、人間に対する恐怖というものを知らなかった彼である。

囁《ささや》きがまわりにおこった。立ったり坐《すわ》ったりする衣摺《きぬず》れの音や、足袋の裏が軽く畳を叩《たた》いて立上る乾いた音や、畳がほのかにきしむ音がした。

「意識は取戻したんだな」――長男の斉顕《なりあき》の声である。冷酷な高調子の声が年よりも若くきこえる。

「しかし、お口が不自由らしい」――檜垣がいう。

「何も仰言《おっしゃ》れないのね」

「看護がむつかしゅうござんすよ」

「ええ、でもあたくし」――斎子がいう。「看護婦には任せられませんわ。あたくし一人でやりますわ。御心配なくってよ」

「口が利《き》けないほうがいいじゃないの」――斎子の姉の耀子《てるこ》はあたりかまわぬ調子で

言った。

「そのほうが斎《いつ》ちゃんだって助かることよ」

「ふふ」——斉顕が笑った。

斉茂は暗い怒りに駆《か》られて起き上ろうとした。大そう熱く倦《だる》かったが左手は動いた。夜具は揺れ、氷嚢の氷が固い角《かど》で額をこすりながら頰のほうへ雪崩《なだ》れて来た。唸《うな》り声に四人が駈《か》け寄って、「絶対安静」の病人をとり押えた。

明るい警笛がひびいた。トンネルへ入ってゆくバスである。モオターの音が庭土を伝わって微《かす》かに響き寄った。それが遠ざかると、忘れていたように潮騒《しおさい》が返ってくる。斉茂はふとあの鶚の飛翔を思いうかべた。すでに前生《さきしよう》の記憶のように思われる。空は光りかがやいて、雲の連環は、この世ならぬ壮麗さであった。

松平斉茂子爵《ししやく》はその生涯を、悪魔的な強烈な影響力、というよりは精神的な膂力《りよりよく》のたすけによって送って来た。また、送って来たと信じていた。幼ないころから残酷な悪戯《いたずら》に興味をもち、楊弓《ようきゆう》で猫を射て、その首を斬《き》って梅の古木に梟《さら》した。迷い込んだ雀《すずめ》の子に熱湯を注《そそ》いで喜んだ。

凡《およ》そ人をひきつける人間的魅力は露ほどもない人柄が、こうまで一生他人を思うままに動かしてきたのは何に依《よ》るのであろう。門地のおかげだと言わば言えるが、もっと門地の高い人々が、斉茂の手にかかってさんざんに籠絡《ろうらく》されている。矜《ほこ》りの高さからだとも言わば言えるが、彼はおのが矜りを台なしにするような行動をも、時と場合によっては平気でした。この別荘へ住むようにとの檜垣の申出を、難なく受け入れたのがよい例である。

つねづね多くの人を傷つけ不幸にしているという自覚が斉茂の生きる支えになった。彼はおのれの身にそなわった、生れながらの一種仄暗《ほのぐら》い力を確信していた。たとえばまた、予感や当て物についての天与の才にも、狂的な自負を抱いていた。彼が或《あ》る男を呪《のろ》う。その男は必ず死ぬか、重患にかかるかした。人の不幸を見ることはつきせぬ慰めであった。中年のころ柄《がら》にもなく慈善事業に凝った一時期を持ったが、それはひどい貧乏やひどい悪疫《あくえき》を見ることが目をたのしませたからである。

彼は中傷や誹謗《ひぼう》や離間工策や皮肉や罵詈《ばり》雑言《ぞうごん》や根も葉もない噂《うわさ》や醜聞《しゅうぶん》のたぐいをほとほと愛した。分不相応な出世をした男を失脚させたり、仲の好《よ》すぎる夫婦を破鏡の嘆に陥らしめたりすることには、おどろくばかりの情熱を賭《か》けたが、この情熱は埒《らち》もない復讐《ふくしゅう》の情熱であった。故《ゆえ》ない幸福ほど彼の心に侮辱を感じさせるものはなかったのである。

京都帝大を中途退学してのち、華族の子弟の芥《ごみ》捨て場といわれる宮内《くない》省に入った。

同僚が女官の一人と恋愛をした。斉茂はこれを大声であばき立てて同僚をおとしいれ、かえって己れの墓穴を掘った。

　このころ彼の従妹《いとこ》にさる若宮との縁談があった。若宮は一家の人たちの前で「わたしは童貞なんですよ」と広言した。斉茂はもともと若宮の親友で「殿下、殿下」と立てながら、隠れ遊びの指南をした。しかしこの縁談がある前に、殿下が大へん卑怯《ひきよう》な遣口《やりくち》で斉茂の狎妓《こうぎ》を奪った。これを怨《うら》みに思った斉茂が京都の幾多の茶屋から殿下の遊蕩《ゆうとう》の動かぬ証拠をあつめて従妹の家へ提供したので、縁談は破談になった。宮は「この恨みは一生忘れない」という直筆の絶交状を斉茂に送った。

　その年の冬用件があって斉茂が旧領地へかえっていた留守に、宮内省の彼の事務机から、甚《はなは》だ不敬にわたる文書が発見された。腹いせのように若宮を揶揄《やゆ》する歌の文句があり、陛下の好色の諷刺《ふうし》にまで筆が及んでいた。たまたま明治の末年、幸徳秋水の事件が世間を騒がせていたころである。この戯文のおかげで斉茂は社会主義者と誤認された。ことさらに誤認した人たちがいたのである。同僚をおとしいれた斉茂の振舞を、かねてから憎んでいた人たちであった。

　戯文をわざわざ若宮のところへもって行った男がある。若宮が激怒する。宗秩寮総裁が宮家へ参上する。帰京した斉茂は、この事件が世間へ洩《も》れると却《かえ》って若宮の醜聞になるところへ目をつけて、巧みに運動して、戒飭《かいちょく》処分を受けるにとどまった。しかし宮内省の勤めは辞した。

斉茂は殿下を呪った。彼の呪いは甚だ近代的な、プロテスタント的な呪いであって、大がかりな呪文《じゅもん》や呪術を必要としない。たえず心に念じて忘れないでいさえすればよいのである。大正三年に、若宮は急患によって薨去《こうきょ》された。

春画、猥《わい》写真のたぐいを蒐集《しゅうしゅう》する道楽が斉茂にあった。殊《こと》に前大戦後には独逸《ドイツ》製の閨房《けいぼう》百態図のネガが無数に輸入された。彼はまたこのころからカメラに凝った。焼付技術のさまざまなトリックを写真師に習った。憎いと思う男の写真を春画写真の人物の首とすげかえて、この奇怪な創作を他人に見せるでもなく独り愉《たの》しんだ。子爵家の番頭株であり管理人でもあった某銀行の頭取は、何かと金を出し渋ったので、その写真の禿頭《とくとう》を画中の独逸美人の豊かな畝《うね》のような腹に押しあてねばならなかった。そんな仕儀とは当人は夢にも知らずに。

『あいつ今ごろ自分で知らずに、文字どおりいい夢を見てるというわけだ』

斉茂はこういう気持を口に出したくて、あくる朝御苦労様にも頭取を訪問して言うのである。

「それはそうと、ゆうべは夢見がよかったでしょう」

「何の事でございますか」

「いい夢を見られたろうと想像したのですよ」

「子爵。おからかいになってはいけません」

前年すでに父子爵が世を去ったので、斉茂は爵位をついでいた。

しかしこの頭取この銀行があったおかげで、子爵家は幾多の名門の倒産を招来した十五銀行の破産からも何らの被害を蒙《こうむ》らなかった。それにもかかわらず、斉茂は作病を構えて、頭取の愛娘《まなむすめ》の結婚式に参列しない。この美しい娘に漠然と初夜権のような権利の行使を夢みていた斉茂は、彼に一言の相談もなく決められた縁談が不快だったのである。人妻になってのち彼女を丹念に口説いて陥落させ、それをわざわざ自分の口から良人《おっと》に吹聴《ふいちょう》して自慢した。彼女は二人の子をあとに、自ら縊《くび》れた。良人は再婚を肯《がえ》んじなかった。

斉茂は壮年時代おもしろい好敵手にめぐり合った。祇園《ぎおん》のお福という芸妓《げいぎ》である。一度大阪の紳商に嫁《か》して離別され、帰り新参で出たのを囲ったのである。離別の原因はいろんな風に取沙汰《とりざた》されていた。たとえばこういう噂がある。

先妻の子をお福は誠心誠意憎んだ。しかし表てへ出すような女ではない。姑《しゅうとめ》にも愛される、心のやさしい身ぎれいな後妻という風に見えた。先妻の子は八歳の男児である。継母のお福はしばしば寒夜に継子の夜具を剝《は》いで風邪を引かせようとし、またむりやりに菓子や好物の料理を子供の腹へ詰め込んで胃弱になるように、巧《うま》く行けば中毒症状を起すように取計らった。丈夫な子でこういう微温的な虐待《ぎゃくたい》は功を奏さなかった。

ある晩、お福は継子と一緒に風呂《ふろ》へ入った。外で風呂釜《がま》を焚《た》いている下男に、もっと熱くするようにと湯殿の中から命じた。たまたまお福に電話がかかったので、伝言のために女中が湯殿へだしぬけに入った。見るとお福が裸体のまま、蓋《ふた》を密閉した風呂桶《おけ》に腰かけている。継子の姿がない。湯気に当てられて窒息寸前の子供が救い出された。お福が冗談を装《よそお》いながら、一人で湯桶に浸っている子供の頭上に檜《ひのき》の厚板の蓋を密閉したのである。

女中がこれを主人に告げたので、お福に暇が出たのだという噂があった。

しかし斉茂に囲われてからの彼女にはそういう翳《かげ》は微塵《みじん》もなかった。無口になり、子供を生んだ。斉顕と耀子である。

いずれも生後一カ月で斉茂が本妻の手許《てもと》へ移した。斉茂にとって一石二鳥だと思われたことには、この処置によって同時に二人の女を不幸にすることができたのである。即《すなわ》ち一人は子を奪われた母になり、一人の石女《うまずめ》は嫉妬《しっと》の徒刑に服した。この本妻の不妊は最初の妊娠の折、斉茂が何事かを怒って妻の腹部をまともに蹴上《けあ》げてからである。夥《おびただ》しい出血を見、不妊の症状が固定した。本妻はのちに肺結核で死んだ。

——こうしてまた、うつらうつらして一日がすぎた。耳もとでだしぬけに甲高《かんだか》い子供の笑い声がした。つづいて制止する舌の音がきこえる。子供は永く笑わないでいることができない。また笑い出す。斉茂は半眼に目をあいた。庭といい、海上の空といい、五月の日和《ひより》のみずみずしさが遍満している。よく光る粉薬を展《の》べたような広い雲がある。それが沖のほうから軒先の空までを覆《おお》うている。

「おじさま、お目ざめですか。子供たちがうるさくて申訳ありません」

若々しい骨太《ほねぶと》な声がこう言った。斉茂の軽薄な振舞が原因になって縊《い》死《し》した夫人の息子であり、今は亡い頭取の孫に当る尚夫《ひさお》であった。母の死の原因に斉茂が介在することを夢にも知らずに育って、祖父につれられて、子供のときから斉茂のところへしばしば遊びに来た。この臆面《おくめん》のない子供が、今は三十五歳のおよそ人の悪意というものを信じることのできない快活な青年になった。結構な成長ぶりだ。

斉茂は顔をもっと深く庭のほうへ向けた。尚夫が縁先に乱暴に腰かけると、海を眺めている妻を呼んだ。

尚夫の着ている背広は、格子《こうし》縞《じま》の大そう派手なものである。大学時代蹴球《しゅうきゅう》の選手であったので肩幅がひろい。その肩から下げているカメラを外して斉茂に示した。斉茂が知らないアメリカの新しい会社の製品である。口が利けさえすれば、アメリカ出来のカメラなんぞに満足している尚夫を嘲《あざけ》ってやれるのだが、それが出来ないので眉《まゆ》をひそめて苦々《にがにが》しく口を歪《ゆが》めた。しかし尚夫はまた妻の名を呼びかけて、この老人の無精髭《ぶしょうひげ》だらけの醜い顔のほうは見ていなかった。

藤棚には今日も蜂が飛び交わしていた。見えないあたりに巣があるにちがいない。斉茂は辛うじて頭をもたげて見た。すると視界を区切って一条の海がみえた。それがあいまいな茄子《なすび》いろの島影を泛《うか》べていた。

そのとき子供の手を引いた若い夫人の姿が現われた。病人に頓着《とんちゃく》なく騒ぐ子供を連れて、彼女は断崖《だんがい》のほうへ散歩に出ようとしていたのである。斉茂は庭の芝生を微笑《ほほえ》みながら近づいて来る彼女を見た。流行の服を身につけ、斉茂の遠視の目には、耳輪が揺れて燦《きら》めいているのがみえる。耳輪は黄金の輪と、そのさきに垂らした瑪瑙《めのう》の細工とで出来ているらしい。その燦めきが小さな躍っている朱いろの焔《ほのお》のように見えたからである。

言わん方ない嫉妬が老いた貴族に生れた。彼は喋《しゃべ》ろうとした。この歳《とし》でも女の心をとらえ、男の心を傷つける言葉は豊富に貯《たく》わえられていた。しかし口からは意味をもたない呟《つぶや》きが洩れるだけである。口は言おうとする言葉の形を空中にえがく。……しかし形は忽《たちま》ち靄《もや》のようなものになって崩れて消えた。……彼は立上ろうとした。理由もなく人を打擲《ちようちやく》することなど日常茶飯の一生であった。しかるに体は重い庭石のように床《とこ》に埋もれて動かなかった。

斎子はどこへ行ったのであろう。

尚夫夫妻はまるきり屈託がなくて、見舞に来た人のようではなかった。病人扱いにしない段ではなく、斉茂をただの唖《おし》の老人のように扱うのであった。返事を期待しないでしきりに話しかけた。週末旅行の行きがけに見舞に立寄ったと尚夫はいう。妻の睦子《むつこ》は、良人と向い合って縁先に腰かけて、時々斉茂のほうを憐《あわ》れむように、また、憚《はばか》るように見やった。

「留守番をしていただいてどうもありがとう」

斎子が買物袋を下げて庭へ入って来て言った。

「お目ざめになりましたわ。お顔だけ拝見していると、御病気だと思えないわね」

「返事がきけないのが残念だけど、僕、今いろいろおじさまにお話ししていたんですよ」

「どうも恐れ入りました。お茶を容《い》れますから、むこうの部屋へお上りになって頂《ちよう》戴《だい》」

夫婦と子供を案内すると斎子は又入ってきて、父の額へ手をあてた。

「お気分はいい？」

ときいた。斉茂はうなずいた。言葉が通じないということはこうまで凡《すべ》てを変えるものであろうか。白粉《おしろい》をつけない京都の尼僧《にそう》のような斎子の赤い頬、生毛がまわりに生えた素の唇、その切れ長の目を斉茂は見た。ふだん娘の顔をあまり見たことのない斉茂である。見てもこれほど目近《まぢか》にしげしげと眺めたことはなかった。その顔がこれほど若さの匂《にお》いを放っているとは、まして知らなかった。日向《ひなた》を遠くの町まで買物に行ったので、斎子はすこし汗ばんでいた。瞼《まぶた》は赤らみ、頬はほてっていた。吐く息には五月の海の風や草の匂いや雨後の日に照らし出されて陽炎《かげろう》を立てる果樹の木の肌のような匂いが入りまじっていた。覗かれる舌は、引締った桃いろの肉を唾液の潤《うる》みの中で狡猾《こうかつ》な生物《いきもの》のように動かしていた。まだ誰の所有にも帰さない若さが、斎子の顔をほとんど鬱陶《うっとう》しいほどのものに見せていた。

斎子の目の中に恐れがない。これが斉茂を絶望させた。憐れみもない。斎子は単純に親切でしていることである。今まで父の傍《そば》で家事を見てきたのも、結婚しないできたのも、決して犠牲のつもりではない。好きでしていることだ。斎子のその親身な

「御気分はいい」の中に、斉茂はこれらの感情を見た。やりきれない発見である。向うへ行ってくれというしるしに目を閉じた。

「じっとしていらっしゃいね。お動きになるとよくないわよ」

倒れる前の斉茂に斎子はこんな親しげな物言いをしたことはない。ややあって斉茂が目を薄目にあくと、廊下を客間へかけてゆくその健かな素足が見えた。スカートに素足でいつも無雑作に買物に出る彼女は、かすかに日に焼けてその下に青い白墨のあとのような静脈のうかがわれる美しい脚をもっていた。その脚は磨かれた廊下に映る白い硝子戸《ガラスど》の反映を踏んで、心おきなく客間のほうへ駈《か》け去った。

『あの娘の母親、二度目の妻の死因だけは俺のせいじゃない。俺はあいつの母親に罪を犯したおぼえがない。奇妙なことだ。俺が殺した女は十五人もあるのに。或る女は俺に突きとばされて、庭の土砂降りの雨のなかで一時間の余も泣いていた。引張り上げてやってもよかったが、俺の仕立卸しの洋服が濡《ぬ》れるのも業腹《ごうはら》だったからだ。俺はその間退屈して、英字新聞を隅から隅まで読んでいたのだ。あれなら読むのに時間がかかる。あれに出ていた御木本の大きな広告が妙に記憶に残っている。女はそれから三日のちに他愛《たわい》もなく急性肺炎で死んじまった。俺は香奠《こうでん》に五円包んだ。赤新聞が暴露記事を書いて、俺を外道扱いにした。俺はわざわざその新聞記者を招いて、新橋で大盤振舞をやったのだ。そうすると訂正記事が出た。俺を「肚《はら》の出来た男」と書いてあったな。肚の出来た男。肚の出来た男だとさ。』

笑おうとしたが、笑いは穴のあいた風船のように一向膨《ふく》れない。口が硬《こわ》ばったまま歪むだけである。彼は氷嚢《ひょうのう》がまだ額にあるような気がして手をやった。氷嚢はすでに取払われていた。水枕《みずまくら》がふてくされたような弾力で斉茂の頭を支えていた。

そのとき彼は自分の顔が翳るのを感じた。障子に片手をあてて、四つ五つの男の子が立ったまま斉茂を見下ろしていたのである。さっき見た尚夫の子供であった。

斉茂は故しらぬ恐怖を感じた。

子供はもう片方の手で半ズボンをまくり上げて腿《もも》のかゆいところを掻《か》いていた。そのまま斉茂を見つめて少し笑った。それから猫のように障子の角へ体をこすりつけるような様子をした。決心してもう少し病床へ近寄って来た。

斉茂は子供が憎い。彼は子供というものをどうして世間で可愛《かわい》がるのか不思議に思っていた。子供の時分の尚夫だって、やましい気持があればこそ款待《かんたい》したのである。

子供は寝床のそばまで来て、しゃがんで老人の顔をじろじろ見た。その表情にも怖れはなく、好奇心以外の何もない。斉茂は自分に対する好奇心のうち、嫉妬のまざった好奇心をしか恕《ゆる》さないのだった。しかし四歳の男の児に嫉妬の有りようがない。子供は薄く口をあけて老人をしげしげと見ていたが、そのうちに永い溜息《ためいき》をした。よく溜息をする子があるものだ。そして手をさしだして老人の頭を押えて、糞《くそ》まじめにこう訊《き》いた。

「キイキイわるいの？」

斉茂は必死に首を振って、怖《おそ》ろしい目で子供を睨《にら》んだ。するとこの豪胆な子供は、にっこりと笑って目をかがやかせた。口の両はじに薄く玉子の黄味が乾いて附《つ》いていた。

子供は豹《ひょう》のように蒲団《ふとん》の上へおどりかかり、病人の首にまたがった。そしてたるんだ頰の肉を思い切り両方へ引張って笑った。それから髯《ひげ》を引張り、白髪を左右に引張り、耳を引張り、耳朶《みみたぶ》をおもちゃにした。斉茂は自由の利《き》く手で取押えようとした。しかし蒲団に入れたままの衰えた手は、四歳の子供の体重をはねかえす力がなかった。そのうちに子供の丸々と肉のついた指が、老人の皺《しわ》だらけの咽喉元《のどもと》にかかった。みるみる斉茂の顔は紅潮した。

『殺される！　殺される！』

漸《ようや》く手を蒲団からぬき出して、つかまえようとする。すると子供は素速くその手をすりぬけて、座敷のむこうに逃げてとめどもなく笑った。そのとき枕元に呼鈴のあったのを思い出した斉茂は、手さぐりして、鉄の鋳物《いもの》の振鈴をあわただしく振った。駈けつけて来た斎子と尚夫夫妻はこの様を見て無遠慮に笑った。大人たちが笑うのを見ると、男の子もますます笑った。誰も斉茂の危機を理解するものはなかった。老人の目の鋭い怒りも、救済をねがう切実な表情も、その涎《よだれ》の流れ出した口もとの滑稽《こっけい》な老醜を、何ら裏切るものではなかった。斎子がひざまずいて斉茂の涎をタオルで拭《ぬぐ》った。無感動に額の汗を拭《ふ》いた。

「この子が又おじさまに親愛の意を表したんだろう。さっきもおじさまの鼾《いびき》をきいて笑っていたからね。おじさまも子供が笑ったからってお怒りになるのは大人げないですよ」

「どう？　斎子さん。うちの子供とおじさまと仲好くしているお写真をとらせて頂戴な」

「いい思い付きだね。この光線ならまだ撮れる。斎子さん、よございますね」

反対するかと思われた斎子は簡単に賛成した。

「いいことね、お父さま。写真をとられて病気が悪くなったなんて、きいたことございませんもの」

斉茂が懸命に頭をふるので、斎子がその旨《むね》を伝えたが、尚夫はとりあわないで準備にかかった。子供を枕もとに坐《すわ》らせた。斉茂は撮られまいとして頭を枕からのけぞらせた。シャッタアが切られて、喘《あえ》いでいる獣のような口が映った。

　斉茂は失神して、それから二日間というもの、模糊《もこ》とした意識のうちにさまよった。医師は新らしい血管が切れたのを認めなかった。それよりもむしろ神経疾患の併発を疑った。

　斉茂は幾多の幻影を見た。鶚《みさご》が翼をひらいて飛ぼうとする。しかし飛べない。悲しげな叫びをあげて、月夜の庭をあがき廻る。そうすると、無数の蟻《あり》が鶚にたかって、生きながらこれを嚙《か》み殺し、腸に黒々と蝟集《いしゅう》する。……

　また、月夜の海上に、斉茂に虐《しいた》げられた男女が、一艘《そう》の巨大な真黒な貨物船に満載されてこの湾へ向って来るのが見える。貨物船は断崖の下に錨《いかり》をおろす。鞄《かばん》を下げて、かれら船客が、次々と断崖をのぼってくる。爪《つめ》が延びていて、岩角から岩角へすばやく伝わって、鞄も落さない。多くの顔が断崖の上にならんで斉茂の病室をうかがっている。……

　概《おおむ》ねこういう常套《じょうとう》的な幻影である。斉茂にはおよそ詩人的な素質が欠けていた。これらの凡庸な幻影にこたえて、彼は真率の、生一本な恐怖のうわ言を発するのであった。

四五日すると、彼は失神前の状態に立戻り、口はきけず、半身は不随なまま、旺盛《おうせい》な食欲が回復していた。

五月を半ばすぎた或《あ》る朝であった。

この朝は素晴らしかった。海はおだやかに、空はのこりなく晴れていた。多くの漁船が出て、斉茂の病室からも、そのばらまかれた白帆の数々が、互いに吸い寄せられるように動いたりすれちがったりするのがみえた。赤松の枝には小鳥が群がって囀《さえず》っていたし、庭の泰山木《たいさんぼく》は野暮な造花のような大柄の花をつけた。蜂《はち》はいっそう忙しく飛び交い、自動車の警笛もいつもより頻繁《ひんぱん》にきかれた。トンネルを抜けて温泉地へむかう乗用車やジープが多い。それで気がつくのだが、日曜日であった。失神した日から丁度一週間経《た》っていた。

檜垣も斉顕も耀子も、責任をいささか感じた尚夫も来て、前の晩から泊っていた。斉子は銀の匙《さじ》でミルクを父の口へ運んでいた。顔の下にタオルが敷いてある。ミルクは屢々《しばしば》こぼれて、顎《あご》を伝わってタオルを濡らした。機嫌のよいあまりに細かい心遣いを失った斉子は、匙を乱暴につっこんで入歯を外した軟かい歯齦《はぐき》をついた。斉茂は仕返しに、口からありたけのミルクを吐き出した。

誰一人としてこの絶えず怒っている幽閉された魂を理解する者はなかった。皆は檜垣の卑俗な冗談を笑い、斎子ですら、たびたびその冗談に吊《つ》られて匙の手を休めた。

「でも、何ですわ、あたくし共がお世話しなくちゃならないお父様を、こんなに面倒を見て下さる御厚意は忘れられないわ。本当に斎子の面倒まで。……檜垣さんはお偉いと思うわ。ふつうの人にはできないことですわ」

檜垣をおだてあげることが利害関係上有利らしいと気づいた耀子が、こんな見えすいたお上手を言い出した。ところが一向懐《ふとこ》ろを痛めないこの近親が、自分の怠慢は棚に上げて、「お偉いと思うわ」なんて言い方するのは、それこそ「ふつうの人にはできないこと」だった。

お姫様育ちのまますれっからしになった耀子は、兄の斉顕を世間知らずだと謂《い》って軽蔑《けいべつ》していたが、五十歩百歩というものであった。

「檜垣君には全く迷惑をかけるね。感謝に堪えないね」

斉顕は斉顕で大風《おおふう》に言った。作曲家になるつもりが怠け癖から何にもなれなくて、父の邸《やしき》の焼跡でアンゴラ兎《うさぎ》を飼って、その収入で喰《た》べているような男が、証券会社の社長ともある者に、こういう口を利くのは奇異な感じを与えた。

「お礼なんか困ります。いやですよ。私はもうただただファンの心理でやってることなんですから。私はお父さまの大ファンなんですから。私はもう殿様のためなら何でもしてあげたいと思っています。封建的なんて仰言《おつしや》っちゃ困りますよ。お父さまが大好きだから、それだけでございますよ」

「どこが好《い》いのかしらん」

「蓼《たで》喰う虫というけど、お父さまなんか、むしろにんにくじゃないの」

「しかしにんにくはとにかくホルモン剤だからね」

斎子は黙っていた。黙っているのが非難のしるしであって、すでに彼女は父を看病されるための愛着のある人形として扱っていたのだが、こういう言葉をきくと、父にも聴く耳、見る眼が残っていることを考えた。父の耳、父の目は肉体とは別のところにあるようであった。それはむしろ、この世へひっそりと向けられている別の世界からの耳や目のようであった。その別世界へ何事が聴かれようと、この世の恥にはならないのだった。この耳、この目の前でだけ、人は無恥厚顔にも有りのままにも振舞うことができるであろう。

「みんな召上りましたか？」

「途中でお止《や》めになっちゃったのよ」

「私が差上げてみましょう」

檜垣が、ズボンの折目に頓着《とんちゃく》しない律儀《りちぎ》な坐り方をして、牛乳の匙をとった。

斉茂は再びそこはかとない恐怖を予感した。しかし恐怖はすでに彼の生活になった。人間に対する恐怖はすでにその信条になった。

檜垣の目と眼脂《めやに》に半ば閉ざされた老貴族の目が出会った。檜垣の小さな目、小肥《こぶと》りした顎、丸まっちい鼻、すべてを斉茂は笑うべきものと見たのであった。檜垣の厄介になるようになったのも、畢竟《ひっきょう》すれば、より深く彼を笑おうがためだった。

――檜垣は歯並びのわるい口もとに善意を溢《あふ》れさせ、善意を喰べすぎてゲップの出そうな面持で匙をさしだした。片頬に平手打を喰ったときの鋭い少年の表情をそこに見出《みいだ》すことはもはや困難であった。

――二十五年前のことである。そのころ使っていた執事の息子が、庭の涼亭《ちん》に置きわすれた斉茂のライターを盗んだ。盗んだというよりは、物珍らしさに検分していた最中に、立ち戻った斉茂は、少年をとらえて平手打を喰らわした。小柄な少年で頭がよかった。その頭のよいことは斉茂もみとめたが、顔立の醜いのが気に入らなかった。

美しいものにも残酷な斉茂であったが、その酷薄さには愛がまじっていた。しかし醜いものには寸毫《すんごう》も仮借しなかった。

古風な父親にこれが因《もと》で勘当されて、檜垣は或る株屋の書生に住み込んだ。主人に見込まれて叩《たた》き上げられた。終戦後のれんをわけてもらう。自ら一証券会社の社長になる。ここの別荘を買って留守番代りに、家を戦災で失った旧主と娘を、客分として迎えたのであった。

——檜垣は匙になみなみとミルクを湛《たた》えた。その匙の底を斉茂の下唇に押しあてた。斉顕たちも顔をさし出して檜垣を応援した。

「お父さまお飲みなさい」と冷酷な命令調で斉顕が言った。こういう物言いをする男は、案外中味は甘いのである。

「お飲みあそばせよ。おいしいわよ」といけぞんざいに耀子が言う。

「檜垣さん頑張れ頑張れ」と無邪気一方の尚夫が言う。

これに対する瞬間の反応で、何事も決るような気持が斉茂にはした。こうした予感は概ねあやまたない。事実人生には下らない外見をもった重要な瞬間がまままあるものである。である。それは大袈裟《おおげさ》な譬《たと》えをすると、群衆にまぎれた暗殺者が一しお目立たぬ身装《みなり》をしているのと似ている。

口を頑《かたく》なに閉じて受けつけないのも一興である。顔をそむけてミルクを滾《こぼ》してしまうのも一興である。また、唇に勢いをつけて匙をはねかえし、檜垣の鼻先が犬のようにミルクに濡れるのを見るのも一興である。

斉茂はちらと瞳《ひとみ》を転じて斎子を見た。斎子は父の羽根蒲団によりかかって、体を捩《よじ》って、蒲団の絹の覆《おお》いから抜きん出た白い羽根毛の一本をつまんで指に弄《もてあそ》んでいた。彼女は斉茂がどんな態度をとろうが関心のなさそうな様子をしていた。しかし彼女が何事かを希《ねが》っている様子は、誰が見ても分明《ぶんみょう》であった。ただ誰も見ていなかったまでである。

斉茂はこれを見て、無意識に何ものかに素直に身を委《ゆだ》ねる気持になった。口を素直にあいた。牛乳が半ば痺《しび》れている口の中を滑らかに流れた。

「まあ、お飲みになったわ」

「どうです。巧《うま》いもんでしょう」

と檜垣が言った。斉茂は嘘《うそ》のように、彼の匙から何杯も飲んだ。

見飽きた耀子が斎子の手鏡を借りて化粧をするために立上った。鏡は五月の朝の光線を須臾《しゅゆ》のあいだ縦横に室内に走らせた。

斎子が言った。

「この分ならお父さまはすぐ快《よ》くおなりになるわ」

「そうですとも、そうですとも」

と檜垣が言った。

やがて斎子が昼食の仕度に、檜垣と尚夫が散歩に立った。

斉茂は殆んど生れてはじめてと謂っていい融和の感情の甘みの中に漂っていた。彼は空を美しい、海を美しいと感じるのであった。鳥の声も蜂の唸《うな》りでさえ優しく聴かれた。彼の感情は、半身の麻痺《まひ》感《かん》の内にすら、何かすがすがしい諧和《かいわ》があるように感じた。

耀子は鏡台がないので手鏡を窓框《まどがまち》に立てかけて、立ったまま顔を直していた。化粧がすむ。手鏡はまた彼女の手にとられて部屋のそこかしこを稲妻のように照らした。

寝そべって朝刊をよんでいた兄の斉顕が言った。

「よせよ、うるさいな」

「でも今朝からあたくし腹が立って仕様がないのよ。斎子ちゃんなんか子供だと思っていたら、あの通りなんですもの。あたくしたちだけこっちの窄《せま》い部屋に寝かせて、自分一人は檜垣さんと母屋《おもや》へ行って寝るんですもの」

「檜垣もはじめからそれがお目当てだったんだから仕方がないさ」

「でも好加減呆《あき》れ返るわね」

「今度来てみて斎子の様子がちがうんで、俺ははんと思ったよ。檜垣はうまいチャンスを狙《ねら》ったもんだ」

斉顕は様子ぶった大欠伸《あくび》をした。

きくうちに斉茂の感情の偸安《とうあん》は打ち挫《くじ》かれた。

『檜垣なんぞと……事もあろうに、檜垣なんぞと』

彼はさきほど羽根蒲団の白い羽毛をまさぐっていた斎子の異様に真剣な様子を思い出した。あれこそは愛なのであった。その暗示で、事もあろうに檜垣の髭を斉茂がうけたのであった。いっそ毒であったらよかった。毒ですら、与えられるのを待つほかはない。……

斉茂の目は怒りに燃えた。予言の能力、当て物の能力も目前に消滅した。おそらく呪《のろ》いももう利くまい。このような囹圄《れいご》の身を、このような魂の捕われを、誰が理解しよう。彼自身でさえそれがわかっていない。……彼は死を祈った。しかるに死も、彼の希いとは全く無関係な判断で、或る朝乞食《こじき》に投げ与えられる破れた小額紙幣のようにして、彼の上へ舞い降りて来るに相違なかった。

松平斉茂は悔恨を知らなかった。とは言いながら、嘗《かつ》て彼が人に与えた不幸が力強く成長し、不幸からは不幸の息子が、不幸の孫、不幸の裔《すえ》が目ざましく繁殖することがあるのだったら、斉茂はまだしも悔悟を知ろうと力《つと》める情熱をもったであろう。しかるに彼の蒔《ま》いた不幸の種子は、悉《ことごと》く変形された愛情や、曲りくねった人道主義や、物やわらかな非難の形で育って来たにすぎなかった。何一つ彼に報いを齎《もた》らさなかった。何一つ！　彼が他人の不幸と傷を喜びとしたその力強い判断と同じ力で。彼に報いたものは何一つなかった。ただ受けたものは、あの当りのよい成金がちまちました みっともない手に匙を握って彼の口に注ぎこんだ少量のミルク、それだけである。彼の生涯の報復はそれだけである。

あれほど口をききたいと希っていた斉茂が、怒りのあまり口をききたくなってみると、或る別種の自由が兆《きざ》すような気持がした。老いと病気と分泌物《ぶんぴつぶつ》の匂《にお》いに埋もれたこの老人が、梃《てこ》でも動かない巣の中にあって、ひそかに、微妙な復讐《ふくしゅう》に仮託した生き方を夢みていた。斎子をあんな卑俗な豚に委《まか》せておいてはならぬ、と彼は心に思った。せめて斎子だけは俺を離れず、俺にとっての本物の不幸にならねばならぬ。

檜垣の振舞はだんだん露骨になった。

うたたねからさめがてに、

「だめよ、ここではだめ、だめったら」

という斎子の声をきくことがあった。二人は傍若無人になり有頂天になり、しばしば斉茂の存在を忘れた。子爵《ししゃく》は振鈴を鳴らす暇も見出だせずに、粗相をしたことがあった。それは二時間の余も気づかれなかった。

或る夜停電になった。斎子が斉茂の枕許《まくらもと》へ手燭《てしょく》を携えて来た。

裸蠟燭《ろうそく》の手燭を置くと、立って母屋へ行こうとした。斉茂はこの機会を待っていた。横へ出した左足を躓《つま》ずかせて、顚倒《てんとう》させた。

斎子は冗談だと考えてこう叫んだ。

「およしあそばせ。およしあそばせよ。御病気にさわるわよ」

斉茂は倒れている娘の両足を、自由のきく左足と動かない右足とで押えた。そして左手で手燭をとって、肩で娘の胸を強引に押した。

左手は熟練していたので、見事にその用を果した。蠟燭の焰《ほのお》で斎子の頰を焙《あぶ》ったのである。彼女は甚《はなは》だしく抵抗したので、髪の一部にも焰が移った。焰は髪の毛を織《こま》かく丹念に巻くようにして伝わった。しかし髪の焰は大事に至らなかった。

――松平斉茂のこの最後の策謀は裏切られた。今時めずらしい人道的な檜垣は、頰一面に醜い引きつりのある女と敢然と結婚した。斉茂は二人の結婚一週間後に再度の脳溢血《のういっけつ》で急逝《きゅうせい》した。

果実

ねもころに右手《めて》に肌着をおしひらき彼女《かれ》われにあたたかの甘やかの胸を示しぬ。生《しよう》ある番《つが》いの雉鳩《きじばと》をば、おおん女神へ献ぜんさまにさも似たり。

ピエェル・ルイス「ムナジディカの胸」

昭和二十二年の十月に逸子《いつこ》は弘子《ひろこ》を招いて、それまで独り寄宿してきた田園調布の伯父の家の離れで共同生活をはじめた。既に春ごろから屢々《しばしば》弘子はこの家に泊った。伯父夫婦は何等怪しまない。逸子と同額の部屋代を支払うことを弘子は申し入れてそれを実行した。時流に遅れた著書がもはや売れない老いた法律学者の伯父も、見るからにぼんやりした働らきのない伯母も、寧《むし》ろ進んで彼女等の同棲《どうせい》に賛同した。

離れというのは母屋《おもや》から独立した五坪のアトリエでありこれに附属した四畳半と厨《くりや》である。戦死した画家志望の長男のために建てられたものである。伯父夫婦がこのアトリエに近づくことさえ嫌っているのは、長男の戦死ののち、偶々《たまたま》アトリエの家相が鬼方を犯していることを知って以来である。迷信的恐怖ではなくて、悔恨を怖《おそ》れる心持であった。

アトリエの中は小気味よく片附《かたづ》いていた。清潔で明るく、不意の客にも間誤つかない不断の用意がある。外貌《がいぼう》には殆《ほとん》ど似通ったところがないが、逸子も弘子も潔癖に近い清潔好きの点ではよく似ていた。潔癖な人間には却《かえ》って何事もピンセットで扱うことに習熟したような或《あ》る鷹揚《おうよう》さ、緩慢さが備わるものだが、この二人の挙止にも、どことなく気倦《けだる》そうな慎重さが共通していた。

逸子は年上で、未婚がそろそろ人前に憚《はばか》られる年齢である。大柄な体つき、眼鼻立ちの明瞭《めいりょう》すぎる大柄な美貌、手足も大きくて舞台へ出たら目立ちそうに思われる。歩くときに稍々《やや》大振りに肩をゆする癖がある。骨董《こっとう》が好きで由緒《ゆいしょ》の知れない李朝《りちょう》まがいの壺《つぼ》や翡翠《ひすい》を買う。神戸の汽船会社の父親から毎月潤沢な小遣が送られて来るのである。

弘子は小柄で無口で、顔の造作もちまちまとしている。ひどい貧血質なので、頬は草いろに近い。それだけに頬紅や口紅が陶器に塗ったようにあざやかに見える。近眼だが、眼鏡を掛けることを嫌った。

二人は私立の音楽学校の声楽科へ通っていた。

同棲の生活は一年ちかくつづいた。翌年の夏の一日《いちじつ》、暁闇《ぎょうあん》のアトリエに逸子が坐《すわ》っていた。深夜に眼がさめてから寝つかれない。四畳半の蚊帳《かや》には身に一糸を纏《まと》わぬ弘子が眠っている。逸子は浴衣《ゆかた》を羽織って、その傍《かたわ》らから身を離すと、小一時間もアトリエの椅子《いす》に凭《もた》れたまま、脱いだ片方のスリッパを足の指でつまみ上げて、それを定めなく闇《やみ》に揺らしながら、脈絡のない思案に耽《ふけ》っていたのである。

蚊帳の中からけたたましく逸子の名が呼ばれる。眼をさました弘子は裸のまま寝床に坐っていた。しなやかな肩がスタンド・ランプの逆光を受け、にじんだ汗に暗い光輝を帯びて、激しく上り下りして息づいている。逸子が一刻も傍《さが》らに居ないと、弘子は恐怖に息もつまりそうな思いがするのである。この一年が二人の立場を、言いかえれば、二人の孤独に対する恐怖感を顚倒《てんとう》させてしまった。

「どこへ行っていたの？　お姉様（弘子は時たま逸子のことをこう呼んだ）どこへ行っていたのよ。私を置いて行ったら、私すぐ死んでみせるわ。死ぬのなんか、何でもないわ」

逸子は狡《ずる》そうに暫《しばら》く黙っている。狡さからではない。弘子の熱意に圧服され出した息苦しさと、なお弘子を失いたくない未練との板挟《いたばさ》みになっているのである。後者が前者より力の弱いものだとは断言できない。沈黙を蚊の羽音が物憂《ものう》げな重みで充たした。

「どうしたの。どうして黙っているの」――弘子は苛立《いらだ》って言う。「私をもう愛していないの？　赤ちゃんをいつ下さるの？　私が欲しがっているものなんかどうだっていいの？」

「私だって欲しいのよ。眼がさめてしまったら寝つかれなかったから、今その事を考えていたのよ」

「もうじき夏休みね。私、夏休みまでに欲しかったのに」

逸子は元の椅子に還《かえ》って深い吐息を洩《も》らした。弘子のところからは浴衣の白いたたずまいが見えるにすぎない。やがて熱く重い嘆息のような逸子の声が、暁闇の窓のほうへ独言《ひとりごと》つのがきこえる。

「もうじき夏休みね」


霊感といおうか、この一つの奇想が、偶々二人の心に殆ど同時に生れたのは、一ト月ほど前のことである。

破綻《はたん》はこの年の春から来た。破綻という言葉が当らないなら、飽和状態というべきである。極度に愛し合って、しかもその一風変った愛が袋小路のような梗塞《こうそく》された構造をもっているので、愛し合えば愛し合うほど足掻《あが》きがとれなくなる。その愛は本質的に堕落を知らない。堕落を知らない愛の怖ろしさは、決して外れを知らない賭事《かけごと》があるとすれば、そういう怖ろしさである。終りがないのだ。逸子が時折自分たち二人の生活を絵の中に塗り込められた生活だと考えるのは、アトリエに起居していることの自然な聯想《れんそう》であるが、絵具の膠《にかわ》が画中の人物を放恣《ほうし》な姿勢の磔刑《たっけい》にかけたので、部屋のそとでも二人の女は磔刑にかかっている人間の特質を微妙に示した。歩くときの二人の指はいつも絡《から》み合ったまま離れない。断末魔の叫喚のようなけたたましい笑い声を立てる。時によると、喪心の体《てい》で小一時間ものを言わずに坐っている。それでいてこうした生活は、それが日ましに重荷になり、日ましに厭《いと》わしいものになってゆくのをどうすることもできない。

四月半ばに学校友達が二人を花見へ誘いに来たことがある。偶々弘子が風邪で伏していた。逸子は誘いを断わり、客を送り出してドアを閉めた。忘れ物の煙草《たばこ》入れに気づく。客のあとを追って出ようとすると、寝床の中から弘子が狂暴な眼つきで「行かないで！」と叫ぶ。本心は病人の私を置いてお花見へ行きたいのだろうと厭味《いやみ》を言う。逸子は黙ったままアトリエに還って、煙草入れから他人《ひと》の煙草をとり出して喫《の》んだ。無意識の動作である。――枕《まくら》に顔を伏せて泣き出した弘子はこれを見なかった。知らずに喫み出した煙草が他人の所有物だと気づいたとき、逸子は一瞬間、深い澄明《ちょうめい》な闊達《かったつ》の心持を味わった。弘子に気づかれぬように用心しながら、深々《ふかぶか》と吸った。ありふれた和製の煙草である。それがこれほど旨《うま》く感じられるとは何事であろう。しかしこの感情をつきとめることは恐怖のために出来かねた。ただこの時以来、お互いの愛がお互いに恐怖を与えもする所以《ゆえん》を覚《さと》ったのである。

六月のはじめのことである。二人は日比谷へ映画を見に行って、そこを出ると薄暮であった。逸子と弘子の足並はいつも合う。言い合わすでもなく、日比谷公園の門内へ足が向いた。空は明るいが樹立《こだ》ちの下陰はもう夜なのである。路傍の水道管が破裂して溢《あふ》れ出した水溜《みずたま》りが夕雲を映している。それがこの木下闇のせいで一そう明るく花やいでみえる。道を右に折れて花壇のある一劃《かく》へ出た。芝生の中央にそそり立った蘇鉄《そてつ》が暗い。薔薇《ばら》やダリヤの繁茂している傍らに、空いたベンチがあったので腰を下ろした。

二人は身を寄せ合い、指をからめ合ってじっとしている。神妙に、誰かにそうせよと強いられたようにいつまでもそうしている。他のベンチの男女の数人たちの姿態が明らかに二人を追いつめているのだが、それを承知で追いつめられ、肩身を窄《せま》く扱うことが快いといった風である。不意に弘子が歔欷《きょき》に近い不明瞭な鼻声を洩らして、逸子の肩に頭部を凭《もた》せた。髪の感触が逸子の頸筋《くびすじ》を戦慄《せんりつ》させた。

「どうしたのよ」逸子が正面を向いたまま故《ことさ》ら無感動に訊《き》く。

「どうもしないわ」

「変な人ね」

「お姉さまもね」

めまぐるしく花壇を縫って自転車の曲乗りをしている少年がある。そのワイシャツの白さばかりが眼に際立《きわだ》つほどに暮色が濃い。二人の女はまた沈黙に返って深い吐息をした。耳は習慣的な肉慾《にくよく》の鼓動を聴いているが、眼は疼《うず》くような倦怠《けんたい》に熱ばんでいる。二人は現在めいめいの考えていることが「死」以外の何ものでもないことを見抜き合っていたのである。

微《かす》かに車輪のきしむ音が接近した。弘子は逸子の肩から頭をずらしてその方を見た。乳母車であった。多少身幅に合わないワンピースを着た阿媽《あま》が、暮色に急ぐ気配もなく、そこかしこの恋人同志に気怯《きおく》れする風情《ふぜい》もなく、悠長とも自堕落ともとれる様子で車を押して通るのである。弘子に促されて逸子も乳母車へ視線を転じた。

車が二人のベンチの前を緩《ゆる》やかに行った。嬰児《えいじ》は額に金髪の捲毛《まきげ》を載せて眠っている。睫《まつげ》は深く、しかも眼尻《めじり》や口もとには、日本人の嬰児には見られない正確な陰翳《いんえい》を包んだ彫琢《ちょうたく》の線がある。体は幾重にも薄いろのケープで包まれている。夢見心地に車の縁《へり》へさしのべた手が言いようもなく可憐《かれん》である。それを見るうちに弘子の眼は輝いた。逸子の眼も、暑さに萎《な》えた草が俄《にわ》かに水を灌《そそ》がれたように、活気を帯びて潤《うる》んだ。

「まあ、可愛《かわい》い！」

二人の女は異口同音に叫んで顔を見合わせた。純粋な喜悦に心を貫かれ、愛を混えない共感の表情を見交わした。何という共感であろう。何カ月ぶりで、逸子と弘子は分け隔てのない心を、怖れ合わない心を、裸かの心を再び近づけ合うことができたのである。遠ざかる乳母車を見送って二人は身動きもしない。乳母車は樫《かし》の木蔭《こかげ》へ隠れた。二人は眼ざめた。そして完全な欠乏を、言いかえれば、或る完全な飢渇《きかつ》を二人の間に感じた。

弘子は一ト月のあいだ、赤ちゃんが欲しいと言い暮らした。逸子は又もや受太刀になって、この不可能な熱望を持てあました。この世には明確な掟《おきて》がある。女の力だけで子供を生むことができないという掟もその一つである。しかし依然逸子と弘子は、男という男を毛嫌いしていた。理由は一つ、「男は不潔だから、」である。彼女たちの清潔好きは、熱望する赤ん坊でさえが女の児であることを希《ねが》った。「女は清潔だから」である。

音楽学校では、逸子と弘子の慎重すぎる身の持し方から、却って秘密が友達の間に嗅《か》ぎつけられていた。気づかれているとは毫《ごう》も思っていないその鉄面皮な慎重さの方が、犯している罪そのものよりも、却って許すべからざるものと人の眼に映った。罪というものの謙虚な性質を人は容易に恕《ゆる》すが、秘密というものの尊大な性質を人は恕さない。友達は寄り寄り友情に充《み》ちた懲罰の方法を考えた。

梅雨の季節である。初年級の発声法の練習が、別館の窓から苛立たしく聴かれる。弘子は会う人毎《ひとごと》にこう言うのである。

「私、赤ちゃんが欲しいわ。どうしてだか赤ちゃんが欲しくてたまらないのよ」

逸子は、そういう時、楽譜鞄《かばん》を胸に抱えて、非難の微笑を湛《たた》えて、眼覚《おど》かされた人のようにじっと弘子の方を見る。その様子を空怖ろしいと友達が言う。友達は逸子の嫉妬《しっと》だと、また、二人の中が冷却して弘子は男を欲しがっているのだと誤解した。この誤解にも尤《もっと》もな節がある。弘子のあけすけな熱望は、人が本心を隠してものを言う時のような誇張された闊達さで言われたからである。

「赤ん坊がほしいというのは男がほしいと言うことじゃないの」

「裏を掻いて、御注文どおりに赤ん坊を恵んでやりましょうよ」

「どこかに要らない赤ちゃんは居ないこと」

要らない赤ん坊を探すのに難儀はなかった。一人の生徒が間違えて生んでしまった女の児《こ》をもてあましていた。

夏休みの最初の日に逸子と弘子は外出《そとで》からかえってアトリエの鍵《かぎ》をあける。四畳半の窓が開いている。訝《いぶか》りながらアトリエに灯をともす。すると、卓の上に楕円《だえん》形の籠《かご》に入れられた嬰児が眠っているのを見出《みいだ》した。

二人の女は気違いじみた叫びをあげて籠にのしかかった。嬰児が眼をさまして愕《おどろ》いて泣き出した。もともと泣き疲れて眠ったのである。歯が漸《ようや》く生えかけた口は、咽喉《のど》もとから煮え立つような泣声を立てる。二人はかわるがわるその頰をさすり頤《おとがい》をさすった。逸子が笑うべきことをした。汗臭いというので、赤ん坊の体を包んだガアゼに愛用の香水をふりまいたのである。二人の女は忘我の時をすごした。小息《こや》みなく嬰児は泣き立てていた。泣き止《や》ませる術《すべ》を二人は知らない。弘子が嬰児の胸に耳をあてる。動悸《どうき》がきこえる。

「生きてるわ！　生きてるわ！」

弘子が叫んだ。また頰ずりをする。二人の女の口紅で嬰児の胸は真紅《まつか》になった。奇蹟《きせき》をやすやすと信ずるたちの弘子なので、今起っていることの原因をたずねて見ることはしない。逸子も次第にその狂おしい確信に惹《ひ》かれ、制肘《せいちゆう》されている。それが不条理な判断を迫るのである。この嬰児は私たち二人の間に生れた子に相違ない、という判断を。

不幸な嬰児は、やがて乱暴な取扱いに体がしびれて、声は立てずに、微かな不平らしい歔欷だけを洩らして二人を見比べた。

逸子はさめかけた眼で嬰児をみつめている。彼女は非難を、また憎悪《ぞうお》の予感を感じる。骨張った、女にしては大きな掌を嬰児の背中へさし入れた。一方の手でガーゼを腹のほうへ剝《は》いだ。そして髪が頰のほうへ垂れてくるのを掻き上げもせずに、嬰児の体に見入った。やがて安心したような冷静さで言った。

「女の児だわ」

弘子は狂喜した。そして言ったのは怖ろしい言葉である。逸子はこれをきいて心ならずも悚懼《しょうく》した。弘子はこう言ったのである。

「それなら確かに私たちの子だわ」

夏の毎日は、二人にとって異常な速度ですぎた。逸子の伯母が育児の諮問《しもん》に与《あずか》った。二人は夜の目も寝ずに授乳に気を配った。牛乳と重湯の混合物が与えられた。しかも一方、伯母の眼の届かぬところでは幼児の愛撫《あいぶ》に羽目を外した。強烈な愛撫である。赤ん坊は二人の女の間に寝かされて、夜もすがら髪を撫《な》でられるか頰ずりされるかしたのである。二人の女は嬰児の未来を夢みていた。矛盾のように思われる夢の内容は、幼児が成長して、美しい花嫁になって、他に比べようもない男の妻になることであった。

女の夢はとどのつまりはこうなのである。

逸子も弘子も倦怠と死の誘いから完全に免かれ、安全な共感の中にいた。二人はもう一緒に家を出ることはない。買物にはかわるがわる出た。買物は主に玩具《がんぐ》である。四畳半の天井には幼児の眼をよろこばす玩具がとりかえ引きかえ吊《つ》られていた。それらが一せいに廻転するまばゆさは、幼児の神経を惑乱させた。

晩夏の一日、赤ん坊は白い顆粒《かりゅう》のある吐瀉《としゃ》物を吐いた。水分の多い下痢《げり》が数日前からつづいていた。しかし食欲は衰えない。逸子と弘子は栄養補充のために授乳の量を殖やした。嬰児は泣きつづけて止まない。時たま喪心したように眠りに落ちた。眠っている眼が心持釣り上ってみえる。呼ばれた医師は重篤《じゅうとく》な消化不良症という診断を下した。入院して三日目に嬰児は死んだ。

二人は黙りこくってその日その日を送った。夏が果てようとしていた。終日暑いアトリエに引き籠《こも》ったまま一歩も出ない。本を読むでもない。時々弘子が蹴《け》つまずいたような調子で歔欷する。逸子は泣かない。逸子の悲しみは対象の知れない憎悪に似ていたのである。

一日、二人は旅に出ると言って伯母に留守を言い置いた。トランクを提げ、快活な面持で挨拶《あいさつ》に来たのである。伯母は見送りもせずに玄関で別れた。二日のちに伯父が異臭を怪しんでアトリエを覗《のぞ》いてみると、二人は床に倒れて死んでいた。放《ほ》ったらかしの温室の中で熟《う》み腐れた果実のように、既に糜爛《びらん》がはじまっている。アトリエの天窓から注ぐ晩夏の劇《はげ》しい日射《ひざ》しが、その時期を早めたのであった。

死の島

菊田次郎の乗った函館《はこだて》発網走《あばしり》行の閑散な汽車が、林檎《りんご》畑やポプラの景観をくりひろげる渡島大野《おしまおおの》をすぎ、大沼駅に到着したのは午《ひる》すぎであった。

車中次郎は、そそり立つポプラ並木の一本々々《ひともとひともと》が、第一の樹《き》から左隣りの樹へ、さらにその隣りの樹へと、今しがた耽《ふけ》っていたポプラらしい瀟洒《しょうしゃ》な思考の断片を、次々とうけわたすのを見たような気がした。どのみちポプラはおしまいまでものを考え抜くことはできない。うけとった思考からしっかりした結論を抽《ぬ》き出すでもなく、さらにポプラは隣りの樹にそれを投げわたす……。

秋だった。広大な野は光りに充《み》ちあふれていた。次郎はポプラの一つが、突然身をめぐらして、光りの柱に化身するのを見た。愕然《がくぜん》としてこう独り言した。

『あれは何だろう、あのふしぎな身振は』

汽車がもう少し進むと、そこにはまたもとのように、凡庸な黒ずんだ幹ともの寂びた緑の葉叢《はむら》とのポプラが眺められるにすぎなかった。

『あれは何だろう、あの伸び上るようなふしぎな身振は』

次郎はこの意味もない考えを追った。それが楽想のように彼の心に触れたのである。

それを現実の感動というよりも、現実の喪失感をありありと心に刻んだことで却《かえ》って一層現実的な感動であり、いいかえれば重畳《ちょうじょう》たる記憶の力、喪《うしな》われたものを不断に蘇《よみがえ》らそうとする精神のこの確乎《かっこ》たる機能が、はやくもその喪失の奥にいきいきと感じられるような感動であった。

次郎が旅に出る。そのとき彼は日常生活の裡《うち》に見喪ったものを、再び見出《みいだ》そうと試みる。旅は彼にとって、一種の失《う》せ物探しであり、甚《はなは》だ遠いところへ置き忘れた彼自身の感情を取り戻すための遍歴である。未知の土地に来て未知のものを探すのではない。未知の土地にこそ彼のもっとも親炙《しんしゃ》した観念が、郷里に於《お》けるかのように、生れたままの新鮮な姿で彼を待っているにちがいない。かくして彼は未知へ還るのである。『……何故《なぜ》かといえば』と次郎は人が彼を呼んで子供っぽい傲慢《ごうまん》さと云《い》うようすがになる例の頤《おとがい》を引締めた表情で考えた。『何故かといえば、僕は未知から生れたからだ』

この二十六歳の青年は、はやくも旅塵《りょじん》に染った灰色の旅行服の上に間《あい》コートを羽織っていた。スーツケースは網棚に、ボストンバッグは膝《ひざ》のわきに置かれている。たえず煙草《たばこ》を吹かしているので、その指のペンだこは脂《やに》のために茜《あかね》いろに汚れている。

彼は青年になろうというころ、皮肉《シニシズム》の洋服を誂《あつら》えた。誰しも少年時には自分に似合うだろうと考える柄《がら》の洋服である。次郎はしばらくこの新調の服を身に纏《まと》って得意であった。……やがてこの服が自分に少しも似合わないことに気付いた。ある朝街角の鏡の中で、女が新らしい皺《しわ》を目の下に見出して絶望するように。……いや、この比喩《ひゆ》は妥当でない。次郎は皮肉《シニシズム》の洋服が彼の年齢の弱味を隠すあまりに、年齢に対して彼が負うている筈《はず》の義務をも忽《ゆるが》せにさせることを覚《さと》ったのである。今年の夏にいたって、皮肉《シニシズム》は彼の滑稽《こっけい》さを救うどころか、もっと性悪な滑稽さに、つまりあらゆる感情を笑殺してきたので滑稽の仮面を被《かぶ》った八百長《やおちょう》の感情しか生れて来ないという滑稽さに、彼を陥《おとし》いれつつあるのをまざまざと見たのである。

次郎は黙視を学んだ。滑稽であるまいとしても詮《せん》ないことだ。彼自身の滑稽さを恕《ゆる》すところから始めねばならぬ。われわれ自身の崇高さを育てようがためには、滑稽さをも同時に育てなければならぬ……。

美しい風景は彼の皮肉《シニシズム》を癒《いや》した。うすく口をあけ、愕然として、彼は光によろめいている一本のポプラを見たのだった。

大沼駅で汽車を降りたのは彼一人である。この若い、沈鬱《ちんうつ》に見られまいとして軽佻《けいちょう》に見られがちな愛想のよい旅行者は、駅前で客を待っていた宿の出迎えの馬車に乗り込んだ。馭者《ぎょしゃ》が午ややすぎの紺青《こんじょう》の倦怠《けんたい》にかがやいている秋空へ鞭《むち》をあげた。馬はうつむいたまま走り出し、馬車は所在なげにこれに従って動いた。

大沼は函館市からそう遠くない。函館山頂に立って眺めると、横津連峰の西端に駒ヶ岳の噴煙が日に当って白く光ってみえる。突兀《とっこつ》たるその山頂が角《つの》のように地平を抜ん出ている。むかし駒ヶ岳噴火のために川水が堰《せ》き止められてできた大沼は、その山《やま》裾《すそ》にあるのである。

同じ駒ヶ岳の白い噴煙は、宿の午飯をすませた次郎が、大沼公園の一端の月見橋畔に立ったときに、丁度望遠鏡の焦点をうまく合わせたように、きのう函館山頂で見た火口の数倍の大きさと鮮明度とを以《もっ》て望まれた。稀《うす》い噴煙は火口の上にゆるやかに環《わ》をえがいていた。代赭《たいしゃ》いろの火口の内壁にたゆたいながら、立去りがてにしている煙のさまは、次郎の目に親近感を与えたのである。用もないのに放課後の学校からなかなか帰ろうとしない小学生のようだと次郎は思った。

彼は大沼公園の落葉に埋もれた木下道へ歩み入った。

鬱然たる樫《かし》の梢《こずえ》を風が深い音色をたててしばしば渡っていた。その都度、滝のような日差が暗い苔《こけ》むした小径《こみち》や石段の上に雪崩《なだ》れ落ちた。次郎はやがてそこへ登ってゆこうとしている険しい石段の中程に、この光りの滝が、音もなく懸《かか》って、そしてしばらく動かずにいるのを見た。風が渡った。滝はまた砕けて消え散った。

『あれは何だろう、あのふしぎな身振は』

次郎はさきほどからたえず自然の異様な媚態《びたい》のようなものを感じていたのである。

青年の耳目は次第にいきいきとした。

一つの詩想、一つの音楽的な主題が心に生れると、次郎の顔の筋肉は引締り、すばしこい柔軟性にみちた賢い小動物の顔のようになることが、彼自身にもありありと感じられる。彼の魂は悪戯《いたずら》に熱中している栗鼠《りす》のようになる。あるいはまた伸びて疼《うず》いてくる歯をもてあます快活な野鼠《のねずみ》のようになる。魂はどんな対象の中へもやすやすと入って行け、どんな部厚な壁をも通り抜けることができそうに思われる。

彼は立止って煙草に火を点《つ》けた。深閑とした広大な公園の森を見まわした。檻《おり》を逃げ出してきた小動物のように聴耳を立てた。数日前の雨の湿気をまだ帯びている落葉の堆積《たいせき》を戯《たわむ》れに靴先で蹴《け》ちらした。

『何かが僕を呼んでいる。僕を呼んでいるのは何だろう』

この人工的な森、この人工的な自然の構図のなかには、或《あ》る優雅な詭計《きけい》がひそんでいるように思われた。風景もまた音楽のようなものである。一度その中へ足を踏み入れると、それはもはや透明で複雑な奥行を持った一個の純粋な体験に化するのである。

次郎は答えようとした。おーいと叫んだ。谺《こだま》は周囲の葉ごもりの中を駈《か》けめぐった。

その葉ごもりの一角に水の反映がゆらめいているのを次郎は見出した。

そこは大沼の三十二の小さな入江の一つである。入江というより潟《かた》と謂《い》ったほうがちかい。水のおもては暗緑の影に閉ざされ、太鼓橋がそのささやかな湾口に懸っている。剝《は》げた瀝青《れきせい》の看板に「貸ボート」の四字が読まれる。汀《みぎわ》の葦《あし》の叢《くさむら》に輻輳《ふくそう》しているボートのうち、あるものは半ば水に浸っていた。水に浸って傾いたその姿は、静かな不動の難船のありさまを、ひねもすふしぎな均衡を以て演じつづけているが、緑いろの苔のうっすらと生えかけた美しい木目《もくめ》の板が透かし見られる水びたしの座席には、朝毎《あさごと》に森のあたかも真東の隙間《すきま》から、しばしのあいだ快活な朝陽が坐《すわ》りに来るのである。

次郎は看板をかけた小屋の戸を押した。戸は朽ちていて傾いて開いた。畳の上に一人の老人が午睡をしていた。物音に目ざめて戸口の青年の姿を見ると、老人はつと立って前へのめるような様子で近づいた。古背広の胸ポケットから、どういう了見《りようけん》か、汚れた藤いろの手巾《ハンカチ》が覗《のぞ》いている。

「ボートを貸して下さい」

「さあ、さあ」

彼が同乗して島めぐりの案内をしようという提案を次郎は断った。大沼は周囲三十二キロメートルほどの水面に、百二十六の小島をうかべているので名高い。

「ひとりで行かれては、景色（老人は、けいしょく、と発音した）のよいのはわかっても、島の名前はわかりません。百二十六の島におのおの名がつけられておりますよ。美人島、女夫島、厳島、軍艦島、ヒュッテのありまする西大島、東大島、親子島、日の出島、東伏見宮御命名の呉竹島、もと元帥《げんすい》の銅像がありました東郷島……」

これら俗悪な名前の列挙は次郎を辟易《へきえき》させた。彼はそれらの名を忘れようと試みた。

「お客さんは東京ですか」

「うん」

「私はここのボートの組合長をやっておりまする木谷と申すもんです。ここでボートを扱いだしてから、今年で丁度二十五年になります。私もこう見えても東京近在の生れなんですがね、若いころ家内と北海道へ流れて来て家内に死なれましてね」

老人は日に少くも数人の客に述べ立てるであろう履歴書を口迅《くちど》に言った。そそくさと胸の手巾をつまみ上げた。中に名刺が包んであるのである。手品師がトランプを抜きとるようにそれから一枚を抜きとって、恭《うやうや》しく次郎にさし出した。

次郎は名刺を内かくしに蔵《しま》うなり、ボートの一つに飛び移った。さし出された櫂《かい》は水の面にたまたま明るい平手打を喰らわせた。次郎は不器用に櫂をあやつりながら、太鼓橋をくぐって入江を出るときに「組合長」のほうへ手をあげた。老人は藤いろの手巾を振ってこれに応《こた》えた。大沼のひろい水域の明るみへ漕《こ》ぎ出すと、駒ヶ岳の稀い噴煙はいまだに羞恥《しゅうち》のようなためらいを示して、火口周辺の砂漠の上に仄《ほの》かな影を落しているのが望み見られた。

感動にみちた心、というよりは、感動のためにいつも万端の準備を整えている、賓客を待つばかりになった宴席の純白の卓布のような心の前に、百二十六の島々の景観があらわれた。それらの島々は無言の大ぜいの賓客のように次郎の心を訪れたのである。この不器用な漕手にあやつられた舟は、しかし無益な迂《う》路をめぐりながら、徐々に風景の只中《ただなか》へ進み出した。次郎は櫂の手を休めた。舟が流れに乗って、相接した小島のあいだの山漆の紅葉の反映で火のように赤い水路をとおったのである。

前にも言うように、大沼は噴火に堰かれた川の洪水で出来上った湖である。島はいわば洪水の水面に露出したさまざまな地上の風景の名残なのだ。浮島ではない以上、島々の根が共通の大地に繋《つな》っていることは勿論《もちろん》だが、大沼の許多《ここだ》の小島は、もっとお互いに隠密な目くばせや微笑を交わし、人前にそしらぬ顔を装《よそお》いながら炬燵《こたつ》の中で指をからめ合っている恋人同士のように、お互いの秘密な紐帯《ちゅうたい》を隠し立てする快楽に涵《ひた》っている。

『目くばせをしたぞ』と次郎は自分の舟がその間を辷《すべ》りゆきつつある二つの小島を仰ぎ見ながら呟《つぶや》いた。『たしかに今、この二つの島は目くばせをした。島と島とが葉ごもりの煌《きら》めきで以て目くばせをするのを僕は今たしかに見たぞ。……それもその筈だ。彼らには僕たち人間の目が映すもののすがたが笑止と思われるに相違ない。彼らこそこの水上の風景が虚偽であることを知っている。島と島との離隔は仮の姿にすぎず、島というその名詞でさえ架空のものにすぎないことを知っている。水底《みなそこ》の確乎たる起伏だけが真実のものだということを知っている。僕たちの目が現象の世界をしか見ることが出来ないのを、彼らは目まぜして嗤《わら》っているのだ』

菊田次郎は流れのままにボートがどこへむかうかに興を覚えた。手は休めている。その身は交叉《こうさ》させた櫂の上にうつむきに凭《よ》りかかり、じっとこの徐々たる漂流の行方をみつめている。一つの島が威厳にみちた様子で、彼のほうへまっすぐに静々と辷り寄った。能楽の神秘な女人のシテが歩み寄って来るように思われた。緋《ひ》の大口のように、その小島の裾を山漆の紅葉が彩《いろど》っていたのである。

次郎の身には故《ゆえ》しれぬ期待の快い酩酊《めいてい》がゆきわたった。島がやさしく辷り寄って来るその速度は、彼を刻々微妙な美しいおののきで包んだ。外界の存在が、世にいわゆる現実が、この青年を訪れる仕方はこうではなかった。存在がかくも威厳と融和にみちて、彼の内部へ流れ入るのは、通例彼の自我が円柱の片蔭《かたかげ》に暗殺者のように隠れて佇《たたず》む時に限られていた。無防禦《むぼうぎょ》に外界を迎え入れることは彼には礼節を欠く行為とさえ思われ、作品に形式を与えるためには、形式の無慈悲なギロチンの用意がこちら側に整っている要があった。しかし今、次郎は音楽が、――生れながらに完全な形式をそなえた存在が――、彼を訪れる姿を見たのである。

『形式とは』と次郎は考えた。『僕にとっては残酷さの決心だった。しかしあの島の形式の優美なことは、およそ僕の決心と似ても似つかない。ああ、あの島は形式の美徳で僕を負かす。あれは僕の内部へ優雅な行幸《みゆき》のように入って来る。……』

そのときボートは軽やかに島に衝突した。この軽快な座礁《ざしょう》は、湿った落葉の貼《は》りついた靴底をながながと舳《へさき》へ向けて、交叉させたオールに凭りかかっていた青年の体を少し動揺させた。誰も見ている人はなかったが、彼はその動揺をごまかすように立上った。小舟は大まかに揺れ動いた。

灌木《かんぼく》の枝に纜《ともづな》を結びつけ、菊田次郎は今そこをとおってきた五十米《メートル》ほどさきの、相接した双児《ふたご》の島を眺めやった。513と帆にしるした白いヨットが、島のあいだを過ぎようとしている。こちらで見ると、その双児島は重複して一つに見える。そこで白い帆が木の間《こま》をよぎってゆくさまは、大股《おおまた》に樹間をすぎる白い大きな人影のように見えたのである。

次郎は島の汀づたいに歩いて、やや広い草地の石に腰を下ろした。

そのとき風が立った。島の多からぬ樹々の梢をとよもした。次郎の脚下の草にはいくつかのどんぐりが落ち、見わたされる湖面の色は黒ずんだ。波がずっとおくから規則正しくこちらへ向けて畳まれて来ると、汀の石に当る水の音、水の呟き、落葉、梢をわたる風の音などが一せいに起った。それらは多くの人の衣摺《きぬず》れのようにしばらく次郎のまわりの中空《なかぞら》に漂った。

風が一ひらの雲を押し流したので、湖面はもとのように晴れ、この日差の新鮮さにみずみずしくされた次郎の目は、今まで気づかずにいたやや遠い一つの小島に注がれた。

それは殆《ほとん》ど島とは名付け難い。半ば水に涵《ひた》された平たい二三坪の草生の上に、水からじかに生い立ったのではないかと思われる四五本の樹がすくすくと無雑作にのびている。水明りはそのはんのきの黒い幹と白樺《しらかば》の白い幹の根方を明るませ、草生は雨後の芝生のように明るく潤《うる》んでいる。

『まるで雨のあとの街路のような島だな』と次郎は思った。『何故《なぜ》だろう、あんなに身も蓋《ふた》もない小島が、あれほど誘惑にみちあふれて見えるのは……』

次郎はまた立上って項《うなじ》をめぐらした。上る前には荘厳《そうごん》な巫女《みこ》のようにみえたここの小島は、凡庸な、むしろ俗悪な築山《つきやま》にすぎなかった。空っぽな貸座敷のような殺風景な小島である。ここにはおよそわれわれを幻影の中に自足させるに足りる狡智《こうち》の美しさもなければ、――何故なら精密な狡智に却《かえ》ってわれわれは安堵《あんど》しておのが幻影を託する場合が往々あるから――、飽かぬ単純の味わい深さも見られなかった。適当に大きく、適当に整い、適当に美しく、適当に複雑で、適当に繁茂している。ここの島は適当な形式をもっているおかげであれほど素直に心に入って来たのにちがいない。

次郎はボートの傍《かたわ》らへ立戻って纜を解いた。この退屈な島にものの五分もいなかったのである。

菊田次郎のボートはあの「雨のあとの街路のような」小島へ向った。名状しがたい誘惑がその島に感じられるのは、何故であろう。少くともその濡《ぬ》れた窄《せま》い草生と数本の樹《き》だけの小島は、次郎を落着かせはしないだろう。それにしても、島とはいえない島の風情《ふぜい》、水とすれすれな草地、水からじかに生い立ったような木立が、こうまで心を惑わすのは何故であろう。

次郎は前にも述べたように、このごろ小さな生活上の決心で己れを縛っていた。この負け惜しみのつよい慎重な青年は、容易に「生きよう」と叫ばなかった。彼は万能薬のようなこの所謂《いわゆる》「生きる意志」がいかに生を歪《ゆが》め、生の意味の無限の多様さを貧しい偏執《へんしゅう》に変えてしまうかを知っていた。もとはといえばさまざまな予断の不安に脅《おび》やかされて生れた彼の犬儒《けんじゅ》主義は、このほうへ走るのが当然だったろう。しかし次郎は、生を見限らず、高を括《くく》らず、予断しないためには、生それ自身の意志に彼という存在が叶《かな》っていると考えるべきであり、死者の床に附添《つきそ》う誠実な医師のように、自分の生を最後まで見届けることを信条としはじめていたのである。

……菊田次郎はボートを水びたしの小島へ遣《や》った。

その島は近づくにつれ、それが到底上るに由《よし》ない島であることを告げしらせ顔だった。岩が白樺やはんのきを堅固に支えていたが、わずかな土に生い茂った草叢《くさむら》は、水かさが増している今では、頼るに足りないものにみえた。彼はボートの上から、水辺の樹に手を支えて、じっとこの島の微細画を見戍《みまも》った。

次郎は子供のころ玩具の家の内部を終日見飽かなかった。家の正面を取り外すと、階段や二階の寝室の調度一式から、階下の居間や食堂まで一切がわれわれの目に曝《さら》されるあの玩具である。なぜあれほどあの家が次郎を魅したのであろう？　それはおそらく十全の所有の喜びに加えて、その家のなかへ、彼自身は入ることができないという事実が、彼をはげしく魅《まど》わしたのであろう。

島は何事もなく次郎の目近《まぢか》にあった。丈高いはんのきや白樺は風にしなやかに梢の葉をざわめかせていた。草叢ははんのきの落葉を載せて雨後のようにみずみずしく耀《かがや》いていた。白樺の幹に大きな髪切虫が、長い触角をうごかしているのを次郎は見た。すべてが外々《よそよそ》しい。そしてこれほど目近に見てさえ、すべてがその本来の美しさを失っていなかった。

次郎は木の幹から手を離した。ボートは徐々にほぐれるように島を離れた。『あの雨上りの街路のような小島は、その街路を雨後に這《は》い出した甲虫《かぶとむし》のようなつややかな乗用車が連なって疾駆することもなく、永遠に人の住まない空っぽな街の街路であるにとどまるだろう』――次郎は遠ざかる島影を見ながら、こう心に呟いた。『きっとそうだろう。人間の関与を拒むような美が、愛の解熱剤《げねつ》として時には必要だ』――それは葡萄《ぶどう》に手の届かなかった狐《きつね》の尤《もつと》もらしい弁疏《べんそ》であった。

次郎は宿へかえるつもりだった。一つの島が朱塗りの橋で岸につづいていた。この島に上ってみてから、あとは岸ぞいにもとの入江までかえるつもりだった。しかしこの平凡な島をひとめぐりして、人目に離れた汀に佇むと、又も次郎は、すぐ目の前の小島の姿に心を奪われた。

この島とその島とは、おそらく二米と離れていなかった。橋は架けられず、さりとて跳び越すにはおぼつかない。そこでこちらの汀と目《ま》のあたり水を隔てたあちらの汀とは、媚態《びたい》を帯びた距離感を以《もっ》て相対していた。その歯痒《はがゆ》い距離はどちらか一方が情熱を以て希《ねが》いさえすれば忽《たちま》ち縮められそうに思われた。

だが二つの汀は依然としてういういしい七面倒な恋人同士のように相対していた。次郎は汀の草むらに身を横たえ、掌に頰を支《か》てて、むこうの汀を眺めやった。

島と島との間、このささやかな海峡を、木かげに覆《おお》われた緑ふかい水が流れていた。その静かな距離がたたえている焦躁《しょうそう》には、えもいわれぬ風情があったのである。二米幅の緑の海峡が内に畳み込んでいる距離の大きさは、ほとんど限りがないと謂ってよかった。その無限の介在のたゆたいは、十二単衣《ひとえ》のように重複した距離の集積であり、眺めている次郎の思念のなかでは、ある時ははるかかなたに、ある時は手をふれればふれられる近くに、その島がかわるがわる思い描かれた。

『何という快い誘惑だ』と次郎は海峡の水を手に掬《すく》いながら思った。青年の手は緑いづいていてそこの汀のところでおわっているあの小径《こみち》の一端は、何という快い想像力を呼びさますことだろう。そこの汀には芒《すすき》が生い茂り、楢《なら》の幹にまつわる蔦《つた》も、山漆も一様に紅葉《もみじ》している。その芒のあいだから、ささやかな径がはじまって島の奥につづいている。乾いた小石が落ちちらばり、草間を洩《も》れる日ざしが風にさやいでいるその路上にはまったく人影がない。それは確実なんだ。その径の一方の端からもう一方の端まで、人がいないことは確実なんだ。何故かといえばその島に人の隠れる場所のないことが僕の目にははっきり見えているからだ。それにもかかわらず、僕の視線が辿《たど》るその小径の上をそぞろあるけば、誰かしら懐《なつか》しい知り人に会いそうな気がするのは何故だろう』

次郎は囁《ささや》くようにこちらへ向けられている小径の緒《いとぐち》に心をうばわれ、肉慾《にくよく》に襲われた人のように立上った。跳び越えるのはおぼつかない。彼は又しても汀の灌木につないであった纜を解いた。

菊田次郎はその径を歩みつくした。径の果てまで二十歩を要しなかった。人影はなかった。彼は認識と行為との寸分たがわぬ符合に疲れながら、なおも認識と行為との堺《さかい》にあって彼を魅惑してやまぬもの、その堺にだけ姿を現わし、分裂や別離に赴きやすいこの二つのものをいつも危うい綾糸《あやいと》でつなぐ役目をする妖精《ようせい》のことを考えた。妖精の名は知られなかった。しかし又しても次郎の耳にその軽やかな羽搏《はばた》きがこう聞かれた。

『何かが僕を呼んでいる。僕を呼んでいるものは何か?』

次郎は日暮れまで、このようにして島から島へさまよった。山漆やはんのきや楓《かえで》や槐《えんじゅ》や白樺や橅《ぶな》の生い茂る島から島へ、彼は憑《つ》かれたように経《へ》めぐった。やがて雲がもえつきた。数隻《せき》のヨットは粛然《しゅくぜん》と西大島のヨットクラブの港内へ帰って行った。しばらく暗い岸の森かげに白い帆の在処《ありか》がみえていた。しかしそれさえ畳まれて影を没した。

駒ヶ岳は西日をあかあかと受けていた。雲が一日の意味もない戯《たわむ》れに疲れ果てて、定かならぬ横雲の形に棚引いていた。夜が風景の隅々にまで予感のように感じられた。亀裂《きれつ》をめがけてしみ入る水のように、すでに風景の弱い部分、たとえば森の下蔭や、鬱蒼《うっそう》とした木立の下から、夜がしずかにしみ入って水嵩《みずかさ》をましていた。

その時、次郎は沖のかたにみしらぬ島がみえるのに気づいた。島ははじめ灰色の巨船のようにみえた。それは漠然とした色調をおびた灰色の植物に隈《くま》なく覆われた島であった。水面との境界は夕やみのために曖昧《あいまい》であったので、島はほんのすこし空中に泛《うか》んでいるようにみえた。

次郎のボートは今し岸ぞいに例の入江のほうへ還《かえ》ろうとしていた。島影は項をめぐらしたときに見えたのである。

『あれは死の島にちがいない』と次郎はわれしらず舳を転じながらひとりごちた。『あれだけが実在するにちがいない。あの気高い灰いろの島が、際限もない現象の沼の沖つ方に、聳《そび》え立っているのは道理に叶っている。あれこそは死の島、この百二十六の島のなかで、唯《ただ》一つの実在の島にちがいない。例の老人は僕にその名を教えなかったが、彼もきっといつかあの島を見たことがあるにちがいない』

次郎は、風が立ち、波がなめらかに畳んでくる険しい沖の方へと漕《こ》ぎ出した……。

その晩、菊田次郎は夜行列車に乗って札幌へ発《た》つために、夜半軍川駅まで一里ちかい道を歩いた。月は半月であった。静寧な湖上は月にかがやいて音もなかった。

彼は立止った。彼の荷物を自転車のうしろへ乗せて軍川まで見送りに来てくれる宿の支配人も車をとめた。夜は馬車が利《き》かないのだった。

支配人は月並な讃辞《さんじ》で湖上の美しさを褒めそやした。次郎が見ているのは湖ではなかった。沖にうかんでいるあのふしぎな島影を探したのである。

「何か見えますので？」

と支配人が言った。

「ええ、何か見えるんです」と若い旅行者は答えた。「僕がきょう溺《おぼ》れないで無事に次の旅程にとりかかれるのはふしぎですね。きょう僕はたしかにボートに乗ったでしょうか」

「ええ、お乗りになったと御自分で仰言《おつしや》ってでしたよ」

若い旅行者は快活に笑いだした。

「じゃあきっと本当でしょう。僕がまだ溺れ死んでいない以上、僕が今も島めぐりを止《や》められないでいるということだけは」

美神

R博士は独乙人《ドイツ》で、ライン流域のデュッセルドルフの人である。永く伊太利に定住し、その夥《おびただ》しい著作の数は、古代彫刻の権威の名に背かない。

八十三歳の博士は今、臨終の床にある。しかし病褥《びょうじょく》に近づくことを許されているのは、美術愛好家の若い真摯《しんし》な医者N博士一人である。

R博士の住居は、羅馬《ローマ》市ルドヴィシ通にある。ここは古羅馬の都門を残すボルゲーゼ公園に近い閑静な一劃《かく》で、博士のアパートメントは四階の三部屋にわたっていた。

羅馬の五月は暖いというよりも、暑いと云《い》ったほうが適当なほどである。強烈な明るさが遍満し、人々は街路樹の深い木蔭《こかげ》を選んで歩く。蜜柑水《みかんすい》を売る者が町角に車を出し、空は終日雲の翳《かげ》をとどめない。廃墟《はいきょ》の上には夥しい燕《つばめ》がとび交わし、幾多の古い泉は豊かな清水を装飾の彫像の全身に浴せている。博士の住居の近くには羅馬の泉の源といわれるトリトンの泉がある。又名高いトレヴィの泉に、羅馬離京の前夜貨幣を投げる者は、生涯のうちに再び羅馬を訪《と》うめぐりあわせになるという口碑《こうひ》がある。

博士はこの泉に貨幣を投げたことは一度もない。その必要を認めなかったからである。羅馬を終生離れない運命を自ら選んでいたからである。

病室の窓には午後の日が真向から射《さ》している。日覆《ひおおい》が下ろされて、室内は暗い。しかし枕許《まくらもと》の水差の水は忽《たちま》ち温《ぬる》み、博士の額には汗が拭《ぬぐ》われるそばから微《かす》かに滲《にじ》んだ。死に瀕《ひん》している荘厳《そうごん》な顔は、強《こわ》い髯《ひげ》の中に埋《うも》れている。深い皺《しわ》も、高い倨傲《きょごう》な鼻も、落ち窪《くぼ》んだ眼窩《がんか》の底に微光を放っている瞳《ひとみ》も、大地の起伏を圧縮したように静かである。近づいている死の兆《きざし》の、もっとも明瞭《めいりょう》に刻まれた部分がある。それは胸の上に置かれた手である。弾力を失った静脈が、手の甲を縦横に走っている。汚斑《しみ》の多い白い皮膚がこの静脈の形を、無力に、しかし正確になぞっている。この形骸《けいがい》だけになった手の内部には、生命はすでに喪《うしな》われているように思われる。

「もう一度見せてくれ。もう一度別れを言わせてくれ」

博士は痰《たん》の詰った聴きとりにくい声でそう言った。N医師は、言葉を聴き分けずとも、博士の言わんとしているところが分る。

彼は病褥の傍《かたわ》らの椅子《いす》を立った。壁際《かべぎわ》に寄せてある台座のところへ行く。台座の下には四輪の小さな車がある。彫像が押されると、車は絨氈《じゅうたん》の上を音もなく廻りだす。Nは自分の坐《すわ》っていた椅子を除《ど》けて、その位置に車を止めた。R博士は瞳をめぐらしてそのほうを見た。

台座の上に立っているのは、大理石のアフロディテの像である。十年前、ローマ近郊の発掘に当って、博士がこの像を発見した。その発見は近代の奇蹟《きせき》であった。像は羅馬国立美術館に納められた。十年来、週に一度、この大理石像に会うために老博士は美術館へ通った。病の篤《あつ》いことをきいて、美術館は特例を以《もっ》て、像に最後の対面をさせるために、それを博士の病室へ運んだのである。

室内の薄明のなかに、アフロディテの像は白い模糊《もこ》たる形態を泛《うか》べている。右腕が失われているほかは、ほとんど完全に原型を伝えている。その目は羞恥《しゅうち》のために半ば伏せられているが、それがあたかも病床の博士を、冷ややかに見下ろしているように見えるのである。

R博士は、手をさしのべて、あわただしく本の頁《ページ》をめくるような仕草をした。死がせきたてているので、日頃の落着いた挙措は失われている。辛うじてこう言った。

「私の著書を、私の著書を……」

N博士はモロッコ革にフィレンツェの捺金《なっきん》の細工を施した大部の一冊をとり上げた。

「読んでくれ、百七十頁だ、早く」

N博士は若々しい声で、日覆のわきから洩《も》れる光の下へ、ひらいた頁をさし出して、読みはじめた。

『……………。

かくてわがアフロディテについて語る段階に至ったことは、著者の無上の悦《よろこ》びである。これこそは二十世紀に入って発見せられた希臘《ギリシャ》古典時代の唯一《ゆいいつ》の傑作であり、優雅と品格において、クニドスのアフロディテに匹敵するものである。比類なき優婉《ゆうえん》は、一抹《いちまつ》の神秘と悲哀を宿し、神聖と官能のえもいわれぬ一致は、プラクシテレスの原作たるを疑わしめない。これは羅馬時代の最上の模作であり、また今のところ、残された唯一の模作である。この無上の美については、ただわが目に見た者だけがこれを知り、いかなる言葉を以てしても、それが与える感動を他人に伝えることは不可能である。しかもローマの古い土中からこれを発見し、近代の人間にして最初にこの至上の美に直面した者の戦慄《せんりつ》を想像されたい。

さて像の高さは、二・一七メートル……』

「そこまででいい。そこまででいい」

R博士は濁った叫び声をあげて、手をふって、朗読を中断した。

「次はS博士の著書を」

Nは書架を探して、とりだした一冊の埃《ほこり》を部屋の一隅で払った。日覆のはじから洩れる光は埃を舞わせた。

「儂《わし》のアフロディテの章を読むのだ。早く」

『……さてR博士の発見にかかるアフロディテは……』

「そこじゃない、背丈を読むのだ」

Nは不審気な顔を向けた。

「高さですか」

「そうだ、早く」

『像の高さは、二・一七メートル』

「それでいい。今度はオクスフォード大学のE博士の著書を」

「やはり、高さだけを?」

「そうだ、早くしてくれ」

Nは次の一冊の頁を、窓のほとりで繰った。そして読みかけて、戦慄した。その数字が、あやしい呪文《じゅもん》のように思われたのである。

『像の高さは、二・一七メートル……』

……R博士は目をとじてきいていた。ふいにこの瀕死の胸の底から笑いが湧《わ》いた。彼はふさがれた咽喉《のど》から、怖ろしい笑いを笑った。笑いは、はやくも屍臭《ししゅう》にみちたような部屋の、黄ばんだ腐敗した空気をおしゆるがした。

N博士は駈《か》け寄って、その手をとった。おちつかせようと試みながら、こう言った。

「博士、どうなすったのです。しっかりして下さい」

「これが笑わずにいられるか、N博士」——彼はいいしれぬ嘲《あざけ》りと陶酔の表情をした。

「あいつら、ヨーロッパの一流の碩学《せきがく》どもは、私の著書からただ引用したにすぎんのだ。誰一人自分で測ってみた者はおらんのだ。

きいてくれ、N、儂のいまわの懺悔《ざんげ》だ。半世紀の間、儂は学究を以てきこえていた。儂の研究はことごとく精確だった。儂はあいまいな独断をにくみ、ペイタア流の甘い主観的な美学を憎んだ。儂の著書のどこをさがしても、一字の誤植でさえみつかるまい。……しかしこの儂が、一生に一度、自ら好んで過《あやま》ちを犯したことがある。このアフロディテをごらん」

Nは薄明にひたされた、名状しがたい美神の横顔を目近《まぢか》に見た。

「……わかるだろう。儂がこれを発見したときの愕《おどろ》きが。儂はこの美が公共のものたるべきを知っていたし、儂がまたそうなるように努力するだろうことを知っていた。だが、わかるか、N、最初の一瞥《いちべつ》以来、儂はこのアフロディテの魅惑の虜《とりこ》になった。儂は彼女と個人的な秘密を頒《わか》ちたかった。どんな些細《ささい》な秘密であれ、儂とアフロディテ以外、何ものも知らない秘密を頒ちたかった。……儂は咄嗟《とっさ》にたくらみをめぐらした。手ずからその高さを測った。像の高さは二・一四メートルあった。しかるに儂は、世界の学界へあまねく、三センチ多い尺数を公表したのだ。……そうだ、測ってみるがいい、そんな疑わしそうな顔をするなら、測ってみるがいい」

R博士の顔は汗に濡《ぬ》れて、狂おしく紅潮した。

「机の上に物差がある。細い三米《メートル》弱の板がある。定規がある。像の足から直角のところへその板を立て、頭の頂点から地面に水平に引いた線が、その板にまじわるところにしるしをつける。それだけでいい。さあ、測ってみるがいい。早く……」

N博士は言われたとおりにした。

瀕死の者は、枕から頭を浮かせ、あえぎながら、この作業を見戍《みまも》った。

「測れたな」

R博士は言った。

「はい」

「何メートルだ」

N博士は物差を丹念に見た。

「ちょうど二・一七メートルです」

「何？」

R博士は蒼《あお》ざめて、叫んだ。

「そんな筈《はず》はない。何かのまちがいだ。何をしている、もう一度はかるんだ」

Nは再び定規を手にして脚立《きやたつ》へ上った。

「まだか」

死がすでに、博士の後髪をつかんでいる。

「まだか」

「もうすこしです」

Nは脚立を下りて来た。

R博士は、蒼ざめて、はや頬が引きつっている。

「まだか」

「すみました」

「何米だ……」

「丁度、二・一七メートル」

Nは故《ゆえ》しれぬ恐怖に搏《う》たれた。もしR博士が真実を語ったとすれば、像はおのずから三センチだけ育ったのである。

……しかし年若い彼はR博士の顔を冷静に眺めた。そこにはすでに錯乱の兆があり、この明白な錯乱のほうが、信ずるに易《やす》かったのである。

R博士は、この世ならず美しいアフロディテを、半ば瞳孔《どうこう》のひらいた怖《おそ》ろしい怨嗟《えんさ》の目でみつめていた。ようやく、途切れがちに、しかし十分毒々しく、こう言った。

「裏切りおったな」

これが最後の言葉になった。

R博士はこときれた。N博士はひざまずいて、この異教徒のために祈った。R博士は終油をうけることを肯《がえ》んじなかったからである。

やがてN博士は立って、涙に濡れた顔を、扉のそとに待っていた人たちに示した。人々は死の部屋に雪崩《なだ》れ込んだ。

最初にその部屋へ入った婦人は金切声をあげて立ちすくんだ。

R博士の死顔があまり怖ろしかったからである。

江口初女覚書

江口初子の父は詳《つまび》らかにしない。もと月島商相の書生をしていた男だそうである。母は栗島澄子《くりしますみこ》が全盛のころ、その門下で女優をしていた女である。

母の縁で、十六歳の時、映画界に入り、高山広吉の主演の映画に、二言三言台詞《せりふ》を言う煙草《たばこ》屋の小娘の役を貰《もら》った。撮影所は京都である。このとき初子ははじめて男を知った。男は織物問屋の息子である。撮影所へ見物に来て、友人の紹介で、初子と知り合ったのである。

初子は男に、東京の家は大邸宅で、母が一人で初子の留守を守っている。女中が五人いる。馬車廻しのまんなかに噴水がある。なんぞと言った。

撮影がすむと、すぐ次の役がつかなかったので、初子は男に断りなしに一旦《いったん》東京へかえった。男は住所を調べて、女を追って上京した。住所の所番地には大邸宅らしいものが一向に見えない。江口という家で、石の門から見える馬車廻しのまんなかに、噴水がある家はこのへんに在るか、とたずねて廻った。訊《き》かれた人は皆小首をかしげた。

探し疲れた男の咽喉《のど》は渇いた。露地の中央に流しが設けられ、二人のお内儀《かみ》さんが喋《しゃべ》りながら洗濯をしている。男は水を呑《の》ませてもらえまいかとたのんだ。水道の蛇口に口をあてて呑み、たずねるのはこれきりにしようと思って、何番地の江口という家はどこかときいた。お内儀さんの一人がすぐさま指さしたのは目前の家である。六軒つづきの長屋の一軒で、四棟都合二十四軒が、この水道を共用しているのである。

窓には褪《あ》せたカーテンがはためいている。男は外側からそれを少し指で片寄せて、声をかけた。初子と母は食事をしていた。初子は飯を口にふくんだまま、すこしも表情をかえずに玄関へ立って来た。

男は遠慮したが、無理に上げられた。初子は茶も出さずに、男がかたわらで母子《おやこ》の食事を見物するままにさせておいた。初子の前には刺身の皿がある。母の前には漬物があるきりである。初子は刺身を口で噛《か》み千切って、寄ってくる黒い猫に与えた。一匹が餌《えさ》にありつくと、大小さまざまの毛色の四匹がさらに初子のまわりに媚《こ》び寄って来た。初子は他の猫には何も与えない。男は五人の女中がみんな猫に化けた勘定だと思った。

するうちに母子の間に外聞のわるい争いが起った。母親が口のなかで、猫にやる刺身なら親にくれてもいい、というような愚痴を言ったのである。初子は柳眉《りゅうび》を逆立てて、刺身をたべたかったら、いくらかでも稼《かせ》ぎを入れてからのことにするがいい、という意味のことを言った。母親は黙り、男は倉皇《そうこう》として帰った。

十七歳の時、初子は幸運にぶつかった。

初子の芝居は拙《まず》かったが、特徴はなくても男好きのする顔立ちであるところから、また二言三言の台詞の役をやらしてもらっているうちに、さる独逸人《ドイツじん》に嘱目されて養女になった。母も四谷東信濃町《しなのまち》のその家へ引取られ、家政婦のような仕事をし、月給を与えられた。

独逸人は高等学校の独逸語の教師であるが、大使館に始終出入していて、教師に似合わない収入がある。初子は洋服を買ってもらう。外套《がいとう》を買ってもらう。靴を与えられる。頸飾《くびかざり》を与えられる。指環《ゆびわ》を与えられる。

そのうちに戦争が烈《はげ》しくなる。空襲がはじまる。独逸人は若い時にわずらった肺結核が再発して、帝大病院へ入院した。収入は俄《にわ》かに減った。初子は一芝居を打った。入院中の独逸人の家具や衣類一式を、京都鞍馬山《くらまやま》へ疎開《そかい》して焼かれてしまったと病人には報告して、その実母子で着服したのである。

昭和二十年の三月に独逸人は死んだ。養女とは名ばかりで、籍は入っていない。独逸人は遺産をのこさなかった。独逸の降伏によって、東信濃町の家は国家の管理するところになり、母子は疎開かたがた、着服した荷物の預け先へ移った。都下南多摩郡の農家で、母親の叔母に当る七十歳の寡婦が一人でこの家を守っている。

独逸人の荷物は、それだけが母子の財産である以上、インフレーションの昂進《こうしん》を見越して、少しずつ金に換えてゆくほうが有利である。そこで初子は、家計を助けるために、さつま薯《いも》の担《かつ》ぎ屋をやった。

初子は持前の愛嬌《あいきょう》で、最寄《もより》の駅の駅員に近づいた。隣りの駅までの切符を買い、用もないのに二三度往復する。若い切符切りに、どうともとれるような微笑を送ってみせる。夜おそくかえると、気をつけて帰りなよ、と声をかけてくれるようになる。すっかり見かけだけは朴訥《ぼくとつ》になった母親が、娘が世話になった礼だと言って、絞《し》めたての鶏を一羽もってゆく。初子は京都行の切符を手に入れた。当時京都の闇値《やみね》は非常なもので、東京都下で仕入れた薯を、運賃をかけ、危険を冒しても、京都まで運んで売れば、東京都内で売る三倍にちかい純益が上った。初子は、京都の撮影所を訪れて、哀れな身振をして、むかしの知己先輩から、時には闇値を上廻る値段で買ってもらった。

終戦のあくる年の夏、初子の母親がぽっくり死んだ。心臓脚気《かっけ》の持病があったのが、突然、心臓麻痺《まひ》を起したのである。

初子は一大決心をして、家財を整理し、外人向の骨董《こっとう》を買い蒐《あつ》め、田村町の二流地に骨董店をひらいた。

骨董店は思うように時花《はや》らなかった。一間間口《けん》の店に一人で店番をする。硝子《ガラス》ごしにひねもす人通りのすくない路面を見張って、進駐軍兵士が一人でもそこを通らないかと心待ちにする。

初子は一種の確信を以《もっ》て待っていた。この時代が、初子を迎えに来ない筈《はず》はないと確信していたのである。

占領時代は屈辱の時代である。虚偽の時代である。面従背反と、肉体的および精神的売淫《ばいいん》と、策謀と譎詐《けっさ》の時代である。

初子は本能的に自分がこういう時代のために生れて来たことを感じていた。こういう時代に生きながら、不遇に陥っていることは、不当である。それに初子は、独逸人に教わって英会話が達者である。初子の器を生かす機会はいくらもある。ただその機会がまだ手でつかめる距離までやって来ないだけだと思った。

何人か、その日も、進駐軍兵士は店先を通ったが、お土産店には食傷していて立寄らない。夕方になって来たものがある。人ではなくて、速達の手紙である。GHQからの召喚状が来たのである。

初子は戦争中独逸人が手に入れてくれた純毛の婦人服地を、最近晴着に仕立てて、大切な場合のためにしまっておいたのを、とり出して身に着けた。真珠の首飾をかけ、極上の靴を穿《は》いた。当時の日本人がGHQに対して抱いていた本能的な怖《おそ》れは少しもなく、千載一遇の好機と心得て、いそいそと出掛けた。

初子の直感は誤まらなかった。取調べは、独逸大使館関係の調査であった。係官は簡単な通り一ぺんのことをきいて、初子を帰した。その帰りがけの廊下で、往《い》きに召喚状を出した局の場所を通りすがりに訊いた二世の中尉《ちゆうい》に再び会った。肥《ふと》った、小さい髭《ひげ》を生やした目の細い男である。この男と二言三言話すと、退庁後の待合せの約束が成立った。アーニイ・パイル劇場の映画を見せてくれるというのである。

一カ月後に、二人は結婚の約束をした。中尉の上司が、女の前身を話して忠告した。中尉は病気を理由に、匆々《そうそう》に帰米した。

初子は険のある目つきをして、また終日、骨董屋の店番をするようになった。昔東信濃町で隣人だった或《あ》る夫人が来る。銀狐《ぎんぎつね》の襟巻《えりまき》を売りたいが、商人は一万円に値踏みをする。一万円では手放せないが、金が要《い》るので、何とかならないか、という相談に来たのである。

初子は三万円で売ってあげると請合ったので、夫人はさらに金の腕輪をも預けて帰った。初子は三月もじらしておいて、初子はやはり一万円にしか売れなかったという口上で、夫人の家へ一万円を届けに行った。はじめから自分で使うつもりで、襟巻がおかしくない季節が来るまで、一万円の払いを待たしておいたのである。

金の腕輪のほうは、そのあいだ自分で使って、そのまま返した。

初子の店の前の焼ビルが改装された。三階建の小ビルである。そこへ越して来た貿易会社の社長が、中食後の散歩に店へ立寄って、埒《らち》もない買物をした。それから二度三度と来て、だんだん高い買物をするようになった。

或る日、初子が確信を以て座蒲団《ざぶとん》と茶をすすめると、社長はこんなことを切り出した。今度ビルの地下に、ジャスミン・クラブという名のクラブをひらいて、接客用に酒を出す心算《つもり》である。そこの雇われマダムになってもらえまいか、というのである。

初子は承諾して、昼は自分の店におり、夜は目と鼻の先にあるクラブへ通うことになった。

初子の容貌《ようぼう》は、美人と言っても過言ではない。卵形の、妃《ひ》殿下によくあるような目鼻立のはっきりした美人で、品があるかというと、ありそうにもみえる。ただ目に険があって、微笑の愛嬌を何割方か差引いている。

戦後の自然な化粧の流行にわざと逆らうつもりか、白粉《おしろい》の濃い厚化粧である。洋服もクラブへ入ってから、社長に数着作ってもらったが、ことごとくドレッシイな好みで、何かというと羽根のついた帽子をかぶりたがる。ヴェールをかけたがる。ヴェールは目の険を柔らげるばかりか、目もとに漸《ようや》くあらわれ出した小皺《こじわ》をも隠した。ある男は初子の下着の汚なさにおどろいた。

初子は字を書かすと、小学校二年生ほどの字を平気で書いた。

ジャスミン・クラブで、出入りのＧＩたちと初子との交遊がはじまった。

社長がもっと初子に肩を入れて、給料以外に生活一切の面倒を見て、家を一軒、自動車を一台ぐらい買ってくれることと思っていた目算がのこらず外れたので、初子は面当《つらあ》てを考えだした。ある日、五菱《びし》化成から、禁制品の舶来ウイスキー十ケース、即《すなわ》ち二百四十本が運び込まれ、初子が預りを委託された。初子はあくる日、出入りの闇商人を呼んで、これをのこらず売り飛ばした。

一週間ほどして、五菱化成から電話がかかった。今夜宴会があるから、五六本出しておいてくれ、という電話である。

初子はすぐ馴染《なじ》みのGIに電話をかけた。初子は酒が好きである。しかし会社がやかましくて店の酒を自由に呑ませない。ウイスキーが一本至急ほしい。と甘えて言った。

初子はGIから同じ銘柄の一本のウイスキーをうけとると、倉庫の奥へしまって煤《すす》を塗った。化成の人がうけとりに来る。初子は愛嬌をふりまいて倉庫へ入ったきり、三十分の余も客を待たせた。客は何度か声をかける。絶え入りそうな返事がきこえる。漸く出てきた姿は、髪には蜘蛛《くも》の巣がかかり、頬には墨がつき、大仰な咳《せき》をして、手には一本のウイスキーを提げている。

「大事なお預り物だと思っていちばん奥へしまっておきましたのよ。そうしたら、どうでしょう。店の者があとから他のお酒をたくさん積み込んだもんで、どうしても下になって出ませんの。やっとの思いでいちばん端の一本を出してまいりましたのよ。今日はこれで勘弁して下さいましね。無理を仰言《おつしや》られたら、あたし死んでしまいますわ」

一週間ほどして、また同じ依頼の電話が化成からかかった。初子の態度は豹変《ひょうへん》した。そんなものを預ったおぼえはない。CCウイスキーといえば禁制品ではないか。化成のような一流会社から、そんな禁制品を預ったということが人にきこえたら、私はどうでもよいが、化成のお名前に傷がつきはしないか、と逆襲した。相手は憤然として電話を切った。

五菱化成は貿易会社の社長に直に掛け合った。社長はこの事実を知らなかった。初子を呼びつけて詰問《きつもん》した。初子があまり白を切りとおして、おそらく化成の宴会掛が、こちらへ預けたといつわって横流しをしたにちがいないと言い張るので、社長は混乱した。このとき初子を快からず思っていたクラブの給仕が社長に不正の事実を密告した。証人はさらに数人現われた。初子は色事にからんだ社長の弱味から、別段賠償金を追徴されずに、クラブを追い出された。会社の目の前の店にも居辛《いづら》くなったので、店を商品もろとも売却して、ひとまず渋谷宇田川町のアパートに落ちついた。

ウイスキーをくれた気のいいGIは、早速このアパートにも遊びに来た。得意気に腕をまくって見せる。見ると二の腕に、初子の名を羅馬字《ローマ》で書いた小さな刺青《いれずみ》が彫られている。初子はよろこんで、除幕式だと言って、男の腕の自分の名前の上に、花もようの手巾《ハンカチ》をのせて、それをすっと引張り落して、拍手をした。男が何の真似《まね》だときくと、幼時、父が死んだときに、大学構内に父の銅像が建てられて、千人も参列者のあったその除幕式に、自分も母に抱かれて参列したが、その銅像も今は、戦争中の金属献納で鋳潰《いつぶ》されてしまった、と言って、泣いた。男は同情して大いに慰めた。初子は嘘《うそ》を言っていると、よく自分の嘘に感動して、泣いたり笑ったりするのである。

初子はこのアパートにいるあいだに、歌を詠《よ》むようになった。管理人の細君が歌に凝っていて、奨《すす》めたのである。何でも出来ないということの言えない初子は、二三首作ってみせると、細君が添删《てんさん》した。左のはその添删ずみの一首である。

何ごとも強き心に押し進めば
曇れる空も晴れわたるべし

細君は、まるで御製のようだ、とお世辞を言った。

初子はさすがに男から金を請求することはできない。くれるものを貰《もら》うだけである。口がみつからず、アパートに数カ月暮すうちに、生来の浪費癖からまた手許《てもと》が不如意《ふにょい》になった。GIは間もなく帰国した。

そのころ京橋にできた某レストランで、初子はたびたび食事をするようになった。老舗《しにせ》のレストランがおおかた接収されていた当時では、一流に属する仏蘭西《フランス》料理店である。ジャスミン・クラブ時代に知り合った金蔓《かねづる》になりそうな男を、そこへ招待しては、どこかの雇われマダムの口か、あわよくば初子に一軒持たしてくれるような口の斡旋《あっせん》方をたのんだのである。クラブの行跡を知っている男は、誰も気休めのような返事をするだけである。はじめのうちは気前のよかった初子の支払は、だんだん滞った。

初子は窮余の一策を案じた。最初から愛想のよかったレストランのマネージャアにむかって片目をつぶった。すでにこの店に忠義立てする気持のなくなっていたマネージャアは、滞った勘定を大目に見た。

ある朝、マネージャアは初子との朝食のあいだに、自分はいつまでも人に使われているつもりはない。独立してお座敷洋食をやりたいと思っている。それに恰好《かっこう》な家があるが、もし一緒に仕事をする気があれば、その家を見に行ってみないか、と言った。女は早速承諾した。

季節は春で、あたかも花見の時候である。二人は高輪の旧三井倶楽部《くらぶ》の前をのどかに歩いた。マネージャアはいつも手入れの念入りな口髭の下に、赤いボウ・タイを目立たせている。商売柄、歩き方も姿勢がいい。初子はヴェールのついた共色の帽子に、時花《はやり》の黒のドレスを着て、昼日中男の腕に手を委《ゆだ》ねている。

女は進駐軍施設になっている三井倶楽部の正門の前に立止って、中を一寸覗《ちょつとのぞ》いた。そして、なつかしいわ。あの建物。女子学習院時代は土曜というとこのパーティーへ来たもんですわ、と言った。

男は半信半疑でいたが、この女が日常の挨拶《あいさつ》に、決して今日はとも今晩はとも言わず、ごきげんよう、というのをきいて、育ちのいい女にはちがいあるまいと思っていた。現に彼自身が、上流の挨拶をまねて、お客にはもちろん、ボオイが帰宅の挨拶をしても、ごきげんようと答えることにしていたのである。

それればかりではない。店の華客《とくい》の一流人士の娘や息子の名を、人に話すときは親戚《しんせき》附合《づきあい》でもあるように、「ちゃん」附けで呼ぶ彼の習慣の上を行って、初子は貴顕《きけん》の令嬢の名が出るとなつかしげに、ああ、何子様、お元気かしら、何子様、お変りなくって、などと言うのであった。

二人は旧蜂須賀《はちすか》邸の前の坂道を下りて、焼跡に建てられた家並の間の、焼残った石塀《いしべい》の門を叩《たた》いた。品のよい老夫人が現われて、二人を招じ入れた。

この家の主人は、元関西財界の有力者であったのが、隠退してから東京に居を移し、双葉山のパトロンになったり、京都の八窓庵《はっそうあん》を摸《も》した庭の茶室で茶会をひらいたりして、余生を送った。主人が死ぬ。戦争が激化する。戦争で洋間を含む母屋《おもや》が焼かれる。無力な未亡人と息子夫婦は、焼跡に建てた五間の家で、税金のがれの無免許の旅館をはじめたのである。料理道楽の息子が板前をやったが、客が知人とその紹介だけに限られているので、一家はよい買手があれば土地ぐるみ譲ってもよいと考えていた。

初子は廃園に散る桜を見て、ワンダフル、と叫んだ。奇聳《きしょう》な庭石を見て、まあ可愛《かわ》いい石、と言った。池に架けられた石橋を見て、まあ可愛いい橋、と言った。蒲公英《たんぽぽ》の花の一輪を摘《つ》み、それを鼻におしあてて、写真にとられるようなポーズをした。この家は初子の気に入った。

洋間の焼跡に大理石の炉棚《ろだな》と煉瓦《れんが》を積んだ炉が、礎石の上に、そそり立つ煙出しと共に残っている。ここで炭焼きのビフテキを焼いて、戸外でサーヴィスをしてはどうか、と初子はマネージャアに諮《はか》ったりした。

初子はひとまず一室を借りたいと言った。投資家を呼んで、家の造りを見せるためにも、初子がここに居を占める必要があると言った。人のよい若夫婦が承諾すると、初子は早速アパートを引き払い、机やわずかな道具をオート三輪車に運ばせて、あくる日の午前中にはすでにこの家へ引移った。

一家の者が不審に思ったのは、それ以来例のレストランのマネージャアが顔を見せなくなったことである。実はマネージャアは、女の過去をたまたま知って、俄《にわ》かに離れたのである。

初子は早速、門に江口という表札を出してほしいとたのんだ。江口と鮮やかに墨書した檜《ひのき》の表札を自分で持っている。家の板前兼若主人が、割烹着《かっぽうぎ》を着たまま、門の外へ脚立をもち出して、表札を掲げた。耳門《くぐり》の横に遠慮勝ちに掲げられた当家の表札は、これに圧倒されて、一向目立たなくなった。

初子はまるで家族の一員のようになった。愛想はいい。話は面白い。たえず出掛けているが、老未亡人に手土産の菓子を携えて帰ったりする。

初子は懇意の京橋の写真屋に十五万を借りていた。何カ月も催促をされつづけて困っていたが、この家へ移って匆々《そうそう》返済した。どこから出た金かというと、十年前の知己である西宝映画の衣裳《いしょう》部の男が、例のレストランで初子に会って、西宝の先附小切手の割引をたのんで預けたのを、写真屋の借金返済へまわしたのである。

衣裳部の男は、レストランのマネージャアにきいて、初子の移転先をたずねて来た。初子は離れの自室で小一時間も男と話をした。はじめはその部屋から罵声《ののしりごえ》がきこえる。

しばらくすると、啜《すす》り泣きが洩《も》れきこえる。若主人の妻が、茶を換えにいくと、泣いているのは、初子ではなくて男のほうである。

初子は濡縁《ぬれえん》に腰かけて、足をぶらぶらさせて、庭を眺めていたが、入って来た妻のほうを見ずに、ねえ、と呼びかけて、のどかに言った。

「……ねえ、死ぬと云《い》ってるから、そこらのいい枝振りを探してあげて」

客は間もなくかえった。妻の報告でもって、一家は初子に対する認識を新たにした。

江口の表札の出た門前には、たびたび高級車が横附になった。時には午前中からジープが着いて、四五人のGIが訪ねて来る。初子はGIたちと庭で鬼ごっこをして遊び、前栽の花々を容赦なく踏んで歩いた。

いいお客には初子は気前のいい饗応《きょうおう》をした。いつかは勘定をもらえるものと思って、板前は腕によりをかけた。初子には料理の味がわからない。あとで板前が料理の出来具合をきくと、結構だったわ、本当においしかったわ、すばらしかったわ、なんて料理がお上手なの、とほめた。この甘い声に、若い妻は耳を欹《そばだ》てた。

そのころ渋谷の藤川男爵《だんしゃく》邸が売りに出され、建坪三百坪土地九百坪が六百万の売値で、この家へ話がもちこまれた。江口は知人の桑井がこの話に乗るに相違ないと思った。

桑井は桑井組の社長である。桑井組は三流の建築会社である。例のレストランで初子の容色に目をつけて、マネージャアの紹介で知り合ったのである。

桑井は初子の家へ招かれて、その家が相当な門構えであるばかりか、初子が親戚だと云っている半使用人まで使って、鷹揚《おうよう》な饗応をするのにおどろいた。素人《しろうと》ではなかろうと思われるのに、酒代一つ請求するではない。こうなると却《かえ》って気味がわるくて手がつけられない。

そこへ初子から、渋谷の売邸の話がもちこまれた。桑井は三百五十万なら即金でもらうと言った。初子は交渉してみるが、手金に二十万ほど要ると言った。この話が出ると、却って桑井は安心した。二十万の小切手を書いて、初子に持たせてやった。

四五日して、初子から連絡があったので、たずねて来た桑井は、即金三百五十万の話がまとまらなかったという返事に接した。初子は神妙に小切手を返した。桑井はうけとらず、小遣に貸してやってもいいと答えた。いざとなれば、この家を抵当《かた》にできると思ったのである。

二三日して、桑井はこの家へ電話をかけ、江口さんのお宅ですか、と問うた。老耒亡人は、いいえ、こちらは江口ではございません、杉と申します、と答えた。番号をまちがえたのかと思って、もう一度かける。出て来たのは同じ声である。桑井は言い

直して、

「江口さんという女の人は居《お》られますか」

と言った。未亡人の声が答えた。

「はい、江口さんは只今《ただいま》お留守でございます」

桑井は不審に思って、早速その足で杉家をたずねた。門をよく注意してみると、夜は見えなかった杉という古い不明瞭《ふめいりよう》な表札が、門のわきにかかっている。

若主人が出て来て応対する。

「妙なことを伺いますが、ここのお宅は江口さんのお宅じゃないんですね」

人のよい若主人は、少しも疑いを面上に出さずに答えた。

「江口さんにはただ部屋を貸してございますので、この家は手前共の家でございます」

桑井は愕《おどろ》いて、茶碗《ちやわん》を膝《ひざ》の上に落した。

桑井は手のこんだ復讐《ふくしゆう》をした。罪のない杉家に二十万円の返済を請求するわけには行かない。そこで馴染《なじみ》のサロン秋の女給を引抜いて来て、親戚の娘だといつわって、杉家の茶室へ放り込んで、自分は大阪の本社へかえった。こうしておけば、娘の宿泊費食費一切の負担が初子にかかるだろうと思ったのである。女は二カ月半も茶室にいた。初子は一文も支払わない。

娘の留守に、初子は昼間から、GIと茶室に籠《こも》ることがあった。障子はことごとく開け放したままである。あるとき若主人が初子へかかって来た電話を告げに、わざと飛び石に下駄《げた》を高鳴らせて茶室へ近づいたことがある。GIは顔をそむけた。初子はそのまま首をめぐらして、なあに、と訊《き》いた。

杉一家は追いつめられて、この家を売りにかかった。少しぐらい安くても、苛酷《かこく》な買手をさがしたのは、女を立退《たちの》かせるためには、お人好《よ》しの一家は他力に縋《すが》るほかはなかったからである。

家は売られ、初子は追い出された。

初子はその後無理な資金を調達して、銀座に呑《の》み屋をひらいた。流行《はや》らなくなった呉服屋を買って、呑み屋に改造したのである。この工事を引受けた大工は、あの女は目つきが悪いから剣呑《けんのん》だ、と言ってなかなか引受けなかったが、果して報酬はとれずじまいであった。

店は一二カ月で数十万の赤字になった。馴染みのGIたちがしじゅう屯《たむ》ろをしていて、初子に色目を使っては、無代で飲み喰いする。他の客はこれを憚《はばか》って、ますます寄りつかない。給料を払ってもらえない店員たちは、身銭でお菜を買って食事をした。男からかかる電話は、だんだんぞんざいになった。酔漢がきくにたえない仇名《あだな》で初子の名を連呼する電話に出て、手伝いの小女は頬を赤らめた。

初子はいつも口直しに用いていた若い学生を連れて雲隠れをした。九月である。二人は熱海へゆき、極上の宿に泊り、酒を呑んで初子は歌をうたった。その晩、初子は、一緒に死んでくれる、と問うた。若い恋人は眠たそうに、うん、と答えた。当時吉田総理大臣が桑港《サンフランシスコ》に赴き、講和条約が締結されようとしていた。占領時代は終らんとしている。

二人はあくる日、錦《にしき》ケ浦へ散歩にゆき、この心中の名所をのぞいた。初子の目は岩を嚙《か》む怒濤《どとう》を見、まわりの晴朗な海が立てている無数の三角波を見た。初子は男の手を握っていたが、男の意志は全くその手に伝わって来なかった。無気力な青年は、生きてもよく、死んでもよかった。初子は舌を出した。虚偽の時代はまだ終っていない。初子はうしろから自分を引きずっている虚偽の強大な力を感じた。自分の手が握って自由にしているかよわい男の誠実が、世にもたよりのないものに思われた。初子は踵《きびす》を返した。

何のあてもなしに、二人は東京へかえった。かえりの車中で

世の中の荒波いかにひどくとも
心をこめて乗り切らんとぞ思ふ

こういう歌が出来たので、初子はこれを手帖《てちよう》にかきとめて、呆然《ぼうぜん》と窓外を見ている男の肩をつついて、これを見せた。

鍵《かぎ》のかかる部屋

きょう、社会党内閣が瓦解《がかい》した。内紛でつぶれたのである。二三日前の新聞が、すでに総辞職を予報していた。左派の鈴木予算委員長が、追加予算の財源である鉄道運賃と通信料の値上に反対を唱え、国鉄従組も動員して反対運動を展開し、左右両派の対立のおかげで、追加予算は暗礁《あんしょう》に乗り上げた。きのう九日、片山首相はマッカーサーを訪問し、後継内閣について懇談した。

児玉一雄《こだまかずお》は、それを新聞で読んだ。役所での情報は、一事務官の耳には、新聞より早いというわけではなかった。内閣がどうなろうと、子供が泣こうと、官僚機構は頑として存在していた。彼は去年の秋大学を出て、財務省に入った。

財務省は建物を進駐軍にとられているので、四谷の汚い小学校の建物に逼塞《ひっそく》していた。一雄の局はもっとひどかった。小学校の本館はまだしもコンクリート建であるのに、銀行局は別棟の木造のバラックに押し込まれていた。一雄のいる国民貯蓄課は階下であった。日はせまい中庭の空から、朝の一時間ほど射《さ》した。

殺風景な机のあいだに貧乏ストーヴがあり、入口の引戸はあけたてするたびに御大層な音を立てた。廊下と来たら真の闇《やみ》であった。そこを陳情団がうろうろしていた。

属官たちは木切をストーヴに押し込んで怠けていた。猥談《わいだん》でなければ新聞の話である。

「政情混沌《こんとん》たるもんですな」

それと同じ見出しが、今朝の新聞に出ていたのだ。

『早く昼休みにならないかな』と一雄は思った。『少し寒くても、晴れた日には散歩をすることだ。あしたは紀元節だな』

一雄は絶対に、何ものにも繋《つな》がっていなかった。家庭にいても、役所にいても、たえず無関心を持しているということは楽なことではない。朝、ひどく眠くて、役所の机にむかって何もせずにいると、眠さに抵抗しようとするので、よく勃起《ぼっき》した。そういうときは呼ばれて席を立つのに困った。揺れるバスに乗るといつも勃起する。あれと同じなのだろう。彼はポケットに手を入れて、それを軽く慰撫《いぶ》した。別に快感はなかった。

向い合せている机の女事務員が、ペン皿に丸い毛糸の人形を乗せていた。糸屑《いとくず》の固まりかと見紛《みまご》う小さな黄いろと緑の人形である。暇なときに彼女はよく鉛筆のさきで、それをつっついて机の上にころがしていた。彼女は出勤するとすぐ、十本の鉛筆の先を錐《きり》のようにとがらす仕事に熱中した。

毛糸はいい。毛糸の人形はいくら突き刺されても同じ形をしている。一雄は軍事教練で、銃剣術の練習に、剣附鉄砲を何度となくそれに突き刺した藁《わら》人形を思い出した。それでも藁人形はときどき壊れた。人形の縛られた杭《くい》の根本には、土埃《つちぼこり》のなかに鮮かな色をした藁の粉がいっぱい落ちていた……。

「児玉君、来たまえ」

と彼の椅子《いす》のうしろを通りながら、小柄な課長が言った。

「はあ」

「君も一緒に来たまえ。資金計画の省議だよ」

役所はたえず資金計画をめぐらし、国民貯蓄課はたえず貯蓄を推進していた。それでもインフレーションは来るだろう。破滅的なインフレーションが必ず来るだろう。

大内博士はそう予言した。

課長と一雄は廊下をぐるぐるまわった。廊下はほうぼうで継ぎはぎになっていた。便所の前をとおると尿《にょう》の匂《にお》いがした。次官室。一雄は末席に腰かけた。次官は首根っこにフルンケルをこしらえて、大きなガアゼの固まりを絆創膏《ばんそうこう》でとめていた。いつものけぞって安楽椅子に坐《すわ》るので、首にあたるところの椅子の黴菌《ばいきん》がついたのだろう。

やつれた重たい陰気な顔が大ぜい集まった。局長たちと課長たちである。貧乏ゆすりをしたり、不機嫌に爪《つめ》を噛《か》んでいるのがある。そうかと思うと、血色のよい頰をして、たえず昂奮《こうふん》しているのもある。いつでも自分の女房を譲りわたしかねないほど寛大な顔もある。

省議は二時間つづいた。一雄はメモに書きとめた。

『次官の要求で、租税は、二月が二百億、三月が二百十億徴収と改められた。そうすれば四月へ繰越し二百億位ですむ。自由預金増一月見込の百九十億は大体合っている。二百億を越したかもしれない。通貨発行高も、あるいは通貨審議会の二千七百億をはるかに下廻るかもしれない。とにかくインフレーションは喰止めなければならない。』

インフレーションの破局は必ず訪れるだろう。それでも今日一日、早春の日光が、四谷見附界隈《みつけかいわい》の、駅や土手や電車道路や離宮や掘割の景観を照らしていた。昼休み。一雄はいつも一人で散歩に出た。

四谷見附を出た都電が、濠《ほり》沿いに赤坂見附のほうへ降りてゆくのを、路傍の鉄柵《てつさく》にもたれて眺めるのが好きである。子供のころ、彼は用がないのでその線に乗ったことがなかった。ときどき自動車の窓から見て、一度でいいからあの線に乗りたいと思った。退屈すると、自動車の座席に逆さになって、足を背窓に乗せて、逆さになったまま、習いおぼえの「沙漠《さばく》に日は落ちて」を歌ったものだ。おばあさんは、そんな歌をうたってはいけない、と言って怒っていた。……それにしてもあの線はいい。電車は下降する。遠ざかる。濠のあぶない縁《ふち》を、ぐらぐらと揺れながら通る。あそこの濠には電車が何台沈んでいるだろう。電車は玩具みたいに小さくなる。玩具みたいな小さな濠沿いの煉瓦《れんが》づくりのトンネルを通る。あれはとどのつまりは、あまり小さくなって、見えなくなってしまうだろう。

一雄は自分が煙草《たばこ》を吸っているのに気づいた。煙草をもちかえて、右手の中指が脂《やに》でほんのり代赭色《たいしゃいろ》に染っているのを見た。外界が彼の指を染めている確実な証拠。外界はいつも彼にむかって同じ形で襲う。習慣という形で。ともすると悪習《ヴァイス》という形で。そいつは、まるで知らない間《ま》に、著実《ちゃくじつ》に犯す。

彼はこのあたりの、緑の多い地帯の、さわやかな冷たい空気を深く吸った。

『俺のまわりには無秩序がある』と一雄は満足して、思った。無秩序は彼の親類みたいなものであったが、決して親類附合をしないで生きることだって出来る。一九四八年二月十日。敗戦後まだ二年半。誰も彼もあくせくして生き、子供のように「悪いこと」に夢中になり、賭博《とばく》やヒロポンや自殺にむかって傾斜していた。ついこの間も、寿産院事件があり、引きつづいて帝銀事件があった。

どちらの事件にも、彼は別に関係がなかった。当り前のことだ。一雄はそれを新聞で読んだだけだ。しかし舞台上の事件と観客とが絶対に関係がないと言い切れるだろうか。

なんとなく、みんなが顔色のわるい顔をして、十分いきいきと、たのしくてたまらないように暮していた。どんな行為にでも弁疏《べんそ》の自由があった。辷《すべ》り台を辷り下りるとき、子供はどんなにうれしそうな顔をするか。辷り下りるということは素晴しいことなのにちがいない。重力の法則、この一般的な法則のなかで人は自由になる。その他の個別的な法則はどこかへ飛んでいってしまう。

無秩序もまた、その人を魅する力において一個の法則である。それと絶縁して、その自由だけをわがものにすることはできないだろうか？

人々は好《い》い気になって、悪い酒を呑《の》んでは抒情的《じよじよう》になっていた。メチール・アルコホル入りのウィスキイのおかげで、死んだり盲《めくら》になったりする人が大ぜいいた。

……腹がすこしごろごろ言っていた。弁当の飯に麦が多すぎるので、腸の中で異常醱酵《はっこう》が起っているらしい。一雄は手袋をはめた。

道路を渡って、赤坂離宮の前の道を歩いた。離宮の庭草は枯れていた。青銅の屋根の色が美しい。威厳があってやさしい色だ。鉄柵は巧みに鋳《い》られた鉄の花環《はなわ》を、早春の青空と雲との空へ捧《ささ》げ持っている。

彼はそこから引返して、小公園の前の道を役所のほうへかえった。キャッチボールをしている同じ課の青年が、彼のほうへグローヴの手をあげた。一雄は昼休みにあの「鍵《かぎ》のかかる部屋」へ行かないですんだことが、一寸《ちよつと》うれしいような気がした。彼は死人には興味がなかった。

土曜日は雨であった。ひどく寒かった。一雄はその日、組合費を三十円と、省内理髪店の散髪代を五円つかった。あまり仕事がないので、散髪に行って時間をつぶしていたのである。

かえりに映画を見てかえるかもしれないと思って、弁当をもって来ていた。正午に役所がひけた。弁当をたべた。特に見たいと思う映画はなかった。彼は傘立てから傘をとった。

冬の雨は骨にしみた。リュウマチスの人はたまらないだろう。彼は靴の中で靴下が濡《ぬ》れているのを感じた。四谷駅へ下りる斜面を雨水が走っていた。駅の前には雨傘が賑《にぎ》わっており、何本かが次々と畳まれた。家へかえる気がしなかったので、引返して、駅前の喫茶店に入った。店内は大そうあたたかい。彼はココアを註文《ちゆうもん》した。

窓ごしに雨のなかをゆききする外套《がいとう》の人々が見え、軍隊外套がまだそのなかにちらほら見えた。みんな他人の顔をしていた。未知の人がどうして世界中にこんなに多いのであろう。一雄は一人ぽっちだった。少くとも一カ月このかた……。

彼のまわりにはあけっぴろげの誘惑があった。自殺するのはほんとうに簡単だ。自殺すれば、国民貯蓄課の属官たちはこう言うにちがいない。『前途有為な青年がどうして自殺なんかするのだろう』前途有為というやつは、他人の僭越《せんえつ》な判断だ。大体この二つの観念は必ずしも矛盾しない。未来を確信するからこそ自殺する男もいるのだ。朝のラッシュ・アワーの電車に揉《も》まれていて、一雄は誰も叫び出さないのをふしぎに思うことがあった。自分の体さえ思うままにならない。他人の圧力から、自分の腕をどうにか引っこ抜いて、背中の痒《かゆ》いところを掻《か》くことさえできない。誰もこんな状態を、秩序の状態だとは思わないだろう。しかし誰もそれを変改できない。満員電車のなかの、押し黙った多くの顔の底に、ひとつひとつ無秩序が住んでいて、それがお互いに共鳴し、となりの男の無礼な尻《しり》の圧力を是認しているのだ。ああいう共鳴は、一度共鳴してしまったら、とても住みよくなるのだ。

戦争で焼け残ったものも、焼跡に建てられたものも、一時凌《しの》ぎの仮りの姿をしているように思われた。傾けられた鉄板の上の煎豆《いりまめ》のように、煎られながら崩れ落ちようとしていた。繊維統制がまだ解けないので、闇屋たちの天下はつづいていた。闇屋たちは今風呂《ふろ》から出てきたばかりのようなさっぱりした顔をして、喧嘩《けんか》をしたり、女を愛したり、歌ったりしていた。アメリカの兵士たちはいたるところの街角で口笛を吹いていた。

暗いパセティックな情緒が街の空に懸《かか》っていた。火葬場の煙がうっすらと街をおおうような工合に。……腕を組み合う。組み合うときに、男も女も、衝動のためというよりも、この暗い、あいまいな、人間の切口のように新鮮な時代の、一つのしきたりに強いられてそうするように見える。どこかで何か、あらゆるものが符節を合《がっ》している。冬の屋根の上を走る猫の影。よく日の当った硝子戸《ガラスど》が風に鳴っているなかに、昼寝をしているようにみえる催眠剤の自殺者。ジープが衝突してつやっぽい安物陶器の破片が散乱した瀬戸物屋の店先。デモ行進の歌声。戦争で足を片っぽなくした男。麻薬の密売。……或《あ》る男と女とが、とある街角で腕をからめ合うことは、そういうすべてのことと関係があるのだ。

一雄はというと……、そうだ、一雄は一人ぼっちだった。外界の無秩序にさからって、内心の無秩序を純粋化して、ほとんどそいつに化身してしまおうとさえ企てていた。一ト月前までは彼の協力者が生きていた。彼の内心の小さな結晶した無秩序は、小さな「鍵のかかる部屋」の中で保たれていたのである。

……学生時代のおわりに、一雄はダンスを習った。一週間で、フォックス・トロットとタンゴを習った。そこで町の踊り場へ出かけて行った。

ダンスの渦の中心部はほとんど動いていない。ダンサーたちは、化粧室で朋輩《ほうばい》にあうと、こう言って自慢し合う。「あたし今日は、もう五つも抜いてやったわ」学生たちはズボンの下でサックをはめていて、擦るだけで射精してしまうのだ。……一雄は子供のころ、街を歩いていて、「サロン春」という店へ入りたくて仕方がなかった。みんなは笑って止めた。「あそこは子供の行くところじゃないのよ」「何故《なぜ》」「何故って、子供が入ろうとすると、怖い小父《おじ》さんがいて、つまみ出してしまうのよ」彼は半ズボンを穿《は》かされていた。夜寝床に入ると、「サロン春」の未知の内部を想像した。きっとそこには殺人の部屋だの、拷問《ごうもん》の部屋だのがあるにちがいない。地下道があって、鏡を押すと、海岸へ通じる間道がひらけるにちがいない。ひたひたひた。岩壁を舐《な》める波の音が、遠くから小さくきこえる。鏡の部屋で奇術師が、シルクハットの中からとてつもなく大きな兎《うさぎ》を引っぱり出す。兎がそばへ寄ってきて、ばあやの声で言う。「お坊ちゃま、お坊ちゃま、助けて下さい。私は兎の毛皮に縫いこめられて、苦しくって死にそうです」……。

一雄は柱によりかかって、ダンスの雑沓《ざっとう》を眺めていた。実際粘液的なダンスだった。どいつの背中も汗でつるつるしていた。女は目をつぶり、男は目をあいていた。多くの犬が後肢《うしろあし》で立って踊っているのだ。こういう芸当を仕込むには、はじめ熱した鉄板の上で、熱さのあまり四つ足で歩いていられぬようにして仕込むのだそうだ。中央の密集した渦の中では多くが接吻《せっぷん》しながら踊っている。多くの舌が歯のあいだをそろりそろりと出たり入ったりしている。胃の中では、かかるあいだも営々孜々《しし》として、憐《あわ》れな晩飯が消化されている。——ダンスの解剖学的考察。『人と反対だ』

『嫌悪《けんお》のおかげで、俺はセンチメンタルになっている』と一雄は思った。

そこの踊り場で、一雄は桐子《きりこ》に会ったのだ。桐子は和服を着ていた。彼女も柱のかげに立って、一人で踊りの群を眺めていた。一目見るなり、一雄は俺の女だと思った。彼女は水白粉《みずおしろい》のよく乗った眉間《みけん》に、一条の縦皺《たてじわ》を刻んでいた。きっと偏頭痛の持主にちがいない。

あの月並な発端。火のついていない煙草を手にかかげて、女があたりを見まわす。一雄がライタアで火をつけてやる。「お一人？」と女が言う。それから二人で踊った。

一雄のダンスはひどく下手だった。女は笑って、途中でやめてしまった。それからテーブルをとって、酒を註文した。

「私クイックが好きだわ」と女が言った。「それもなるたけ速いの、なるたけ騒々しいの」

「そのあいだ何もきこえないからいいんでしょう」

「そうなのよ。よくお分りになるわね」

桐子はちっとも汗をかいていなかった。汗腺がないのだと言っていた。

その晩はそれで別れてしまった。尤《もっと》も来週の同じ日に又会おうと約束したが。……そうして又来週会った。二三日して又会った。映画を見たり食事をしたりした。はじめて女は自宅の所番地を言った。するとそれは赤坂離宮の横の小公園の裏手に当っており、役所のすぐ近くであった。一雄はあくる日から役所通いをはじめることになっていた。

「丁度いいわ。うちであなたがおつとめになったお祝いをしましょうよ。主人は毎晩一時前には決してかえらないの。子供は九つになる女の子が一人きりだし、子供は早く寝かしてしまえばいいし、何の遠慮もいらないのよ」

約束した日に、一雄は役所がひけると、桐子の家へ行った。

一雄は女が自分の娘の年を隠さないのが気に入った。そういえば桐子は何でも投げやりだった。自動車のなかにハンドバッグを忘れて来たり、風呂場でダイヤの指環をなくしたりするのはこの型の女だ。そのくせ下着だけは決して忘れずに洗いたての清潔なやつを着ているのもこの型の女だ。……桐子はよく煙草を喫《の》み、心臓脚気《かっけ》でどうかすると衝心を起すと告白し、ハンドバッグのなかのこまごまとしたものを憚《はばか》らずに見せた。一雄は女が固い裸をしているのを感じていた。女学校時代にバレエ・ボールの選手だったそうで、足袋の上から女にめずらしくアキレス腱《けん》の張っているのが見えた。

今夜はきっとあの女と寝る、という予感はたしかにある。桐子のように、まだ接吻一つしない女の場合でもそうだ。想像力が独立して動き出さず、すべてが一途《いちず》に腥《なまぐさ》くなる。妙な言い方だが、一雄が、おや今日の俺は一種普遍的な心理に生きている、と感じるのはこういうときだ。ばらばらで雑多な諸価値が、仮りのいつわりの単純さだが、ともかく単純になる。下らないことにはちがいない。実際、期待の状態というやつは彼はあまり好きではない。

一雄は教わったとおりの道を行かずに、小公園を抜けて行った。まだ青い団栗《どんぐり》が落ちていた。夕日のなかで、子供たちが喧嘩をして、何か猥《みだ》らな悪口を言い合った。G

Iは一体又どうしてどこにでもいるのだろう。ベンチで一人のGIが女の指を弄《もてあそ》んでいた。遠くから、女の指の股《また》の汚れが見えるような気がした。もしかしたら、夕方の影がその指の股をいちばん先に染めていたのだ。

一雄は自分の手にぶらさげている鞄《かばん》を恥じた。鞄は主張していた、不平がましく。中身は弁当と、わずかなどうでもよい㊙の書類にすぎないのに、いやに厚ぼったく重く、不快な匂《にお》いを立てた。こんなものをぶらさげるようになったら、人間もおしまいだ。

桐子の家は焼残った古い中流住宅で、門の横にお定まりの応接間がついていた。呼鈴の釦《ボタン》は、黄いろく変色して、こまかい亀裂《きれつ》があった。強く押したら、ビスケットみたいに粉々になってしまうだろう。

女中が出てくる。肥《ふと》った、まっ白な、毛の薄い、蛆《うじ》のような女である。この女が無表情に一雄を見た。擲《なぐ》られた、斬《き》られた、などということは大したことだが、一雄はそれとほとんど同じ重みで、『見られた』と思った。こんな風にして人間を見たら、人間はみんな怪物になってしまう。しかし一雄は別に怪物ではない。だから逆にこの女中を怪物だと感じる理由があった。

つづいて九歳の女の子が走り出て来た。孤独で、人なつこくて、見知らぬ人にまで、可愛《かわい》らしく見せたいために、微笑の歯を見せる子供である。片手でスカートをまくりあげて、そのほうへ体を曲げて、赤い靴下留をその片手の指先でピチッピチッと云《い》わせながら、しきりに一雄を見て笑った。

玄関は暗かった。一雄は尤も、暗い思わせぶりな玄関が好きだ。彼は上った。すでに燈《ひ》をともしている一間の唐紙がすこしあいた。桐子は効果的に、その細い隙間《すきま》の閾《しきい》に斜めに立って男を出迎えた。部屋のまんなかにはすでに前菜の色とりどりの御馳走《ごちそう》が並んでいた。

あれはお祝いの晩餐《ばんさん》というようなものではない。今時めったに見られないとっときのスコッチ・ウィスキイなんかがあった。一目でこの家族の悲惨な贅沢《ぜいたく》が露呈された。一家の主人が一日かえって来ない家。そういう家はほうぼうにある。それが別段不幸の全部ではない。しかしこの家のように、家庭の不幸にまるっきり敬意を払わないで暮しているという法はない。

踊ってごらん、と母親が言った。女中が応接間へ童謡のレコードをかけに行き、扉をあけっぱなしにして、歌がこちらの座敷へもよくきこえるようにした。九歳の房子は踊りだした。そのあいだ卓の下で、桐子は一雄の指を握っていた。尖《とが》った指環が痛かった。踊りは際限もなくつづくような気がした。房子は少しも恥ずかしがらずに踊った。一雄は皿の上の残肴《ざんこう》が電燈《でんとう》に照りかがやいているのを見た。桐子の神経はみじめさというものを全然感じないようにできていたから、後年成長した房子も、この晩の踊りを思い出しても、自己嫌悪なんか感じることはないにちがいない。遺伝というやつは怖《おそろ》しい。

踊りがすむと、房子は寝かされた。女中のしげやはウィスキイとつまみものを応接間へ運んだ。手順はきっぱりしていた。しげやはダンス・レコードをかけ、天井の明りを消し、壁際《かべぎわ》のスタンド・ランプの一対を点《とも》した。「もう退《さが》っていいのよ」と桐子が言った。蛆のような女中は、黙ってむっつりした顔を消した。二人は絨毯《じゅうたん》の上で踊った。桐子がさきに接吻した。一曲がおわると、桐子はドアのところへ行って、鍵穴に刺っている鍵をまわした。

鍵のかかる音、あの輪郭のくっきりした小さな音を、一雄は自分の背後に聴いた。『何て女だ』――彼は別に嘔気《はきけ》もしなかった。レコードを替えるふりをしていた。彼の背後で、そのとき外界が手ぎわよく、遮断《しやだん》された。

まだ宵の口だった。彼の外界は、その鍵の音で、命令され、強圧され、料理されてしまった。途方もなく連続していたもの、たとえば、よく清涼飲料の商標にある、若い女が罎《びん》の口から呑《の》んでいるその罎のレッテルに、また若い女が罎の口から呑んでいる絵があり、その絵の中の罎のレッテルにまた若い女が罎の口から呑んでいる絵のある、(一雄の住んでいる現実はそういう構造をもっていた、)無限につながった現実の連鎖が、小気味よく絶たれてしまった。罎のレッテルの中の罎の、そのレッテルの中の罎の、そのレッテルの中の罎の、最後のレッテルは空白になった。彼は息がつけた。そしてのろのろと上着を脱いだ。

そのとき女のほうが鍵をかけたということはたしかに重要だった。これでなくてはいけない。今まで女を口説くときに、一雄はいろんな観念に悩まされた。たとえば女の洋服のホックが外され、それが遠い銀いろの一つの星のように明滅する。その途端に、ホックはいちどきに、あらゆるものと聯関《れんかん》を持ってしまう。彼が背中に背負っている外界の隅々にまで、ホックの意味が浸透してしまう。あれではいけない。しかし桐子は自分の意志で、勝手に、彼の聯関を絶ち切ったのだ。

新宿行の都電のスパークが、窓の上辺の夜空にひらめいた。まだ虫が啼《な》いていても可笑《おか》しくない季節だが、レコード音楽のおかげできこえなかった。二人は踊りながら、接吻し、接吻しながら、絨毯の上に倒れた。これはなかなか技術の要《い》るダンスだ。桐子は袂《たもと》から香水の平たい罎を出して、そこらじゅうに撒《ま》いた。彼女は決して帯を解かなかった。

一雄はひどく酔っていて、頭ががんがんしていた。桐子に対しては性的な虚栄心というやつを完全に免れている自分が面白かった。まるで自分が白痴の童貞みたいな気がした。白痴でない童貞なら、(一雄自身もおぼえのあることだが、)きっと本に書いてあるとおりに行動したろう、虚栄心のために真蒼《まつさお》になって。

彼は自分を限りなく無力な可愛い玩具《がんぐ》と考えることに熱中した。目をつぶって自分を一生けんめいシガレット・ケースだと思おうとすれば、人間は実際或る瞬間には、シガレット・ケースになることだってできる。

他の女と寝るときのように、突然、余剰価値説だの犯罪構成要件《タートベシユタント》だの海上物品運送契約だのを思い出したりはしなかった。

一雄はのびのびと楽をしたまま処刑されているような気がした。酔っているので、鼓動がふだんの十倍も搏《う》った。そのうちに竜巻に襲われた。竜巻は天井の方角から舞い下りて、彼を包んだ。目をあいている必要はなかった。時計の長針と短針が出会うように、女の顔がときどき彼の顔の上に影を落した。顔の匂いがそのときした。世界が遠ざかり、おそろしく遠いところで、大木の梢《こずえ》の小さな蜘蛛《くも》の巣のように煌《きら》めいていた。

桐子はまるきり叫ばなかった。叫ばないでいることも、意識的な陶酔の一種と云えように行儀わるく倒れていた。……しばらくすると、二人は絨毯のうえに、屍体《したい》のように行儀わるく倒れていた。もし窓のそとからこれを眺めた人があったら、窓硝子を破ってとび込んで来て、瓦斯栓《ガス》を閉めようとあせったにちがいない。ところが瓦斯栓は、まだストーヴの時期ではなかったので、しっかりとコルクでふさがれ、締めたネジは万一ゆるみでもせぬように、百貨店の丈夫な紐《ひも》で十文字に縛ってあった。瓦斯の匂いはどこにもなかった。空気は戸外よりも清浄だった。香水が緩慢な揮発をつづけていた。二人は深呼吸をした。家具の干割《ひわ》れる音がした。

……『あれから俺の定例訪問がはじまった』と一雄はくどくどと思い出した。『定例閣議、定例記者会見、定例同衾《どうきん》、……大臣も俺も同じことだが、俺のほうが回数が多いだけだ。ちぇっ、大臣で思い出した。折角の土曜だっていうのに、貯蓄奨励大会の大臣の祝辞の原稿を作らなくちゃならない。人の書いたものを読んで何が面白いんだろう。本日かくも多数の御参集を得まして、本大会が開催されましたことは、私の深く欣快《きんかい》とするところであります。……

俺は悪習に対してだって節度があるのだ。溺《おぼ》れる、という言葉は何と愚劣な表現だろう。悪習は一種の機械だ。これを取扱うには非人間的でなくてはならない。溺れる人間は、単に機械を人間的に取扱ったという、方法上の過誤を犯したにすぎない。

一ト月前に、女が俺の胸の上で、突然、衝心を起した。桐子は少し吐いた。そして手巾《ハンカチ》で口を押えながらこう言った。

「早くかえって頂戴《ちょうだい》。あたしに構わずに。……医者《せんせい》が来るから……医者をすぐ呼ぶから……医者にあなたを見られたくないの」

俺が鍵《かぎ》をあけると、女中が傲然《ごうぜん》と入って来た。女中がちっともあわてていないので、医者がすぐ来るという返事をきいてから、俺はかえった。その晩のあけ方に桐子は死んだ。』


……………………………。

一雄は呑み干したココアの茶碗《ちゃわん》を置いた。雨は小降りになぞなっていなかった。駅へ下りてゆく人影は少くなった。土曜日の午後がはじまっていた。『土曜日は人魚だ』と一雄は思った。『半ドンの正午のところをまんなかに、上半身は人間で、下半身は魚だ。俺も魚の部分で、思いきり泳いでいけないという法はないわけだな』
彼は「鍵のかかる部屋」へ行くかもしれない。桐子は死んだが、何かがまだあそこに生きているだろう。一体どんな理由で、桐子の死が少しも悲しくなかったのか、彼にはわからない。死の翌日も彼は定刻に出勤した。何通とない無意味な㊙の書類が、彼の机に流れて来て、彼はそれを課長の机へもって行った。陳情団の一人が、こっそり一ポンドのバターを呉《く》れた。バターは白くて、ひどく無気力な色をしていた。

一度夢の中で、胸の上の桐子の真蒼な顔があらわれた。怖しかったが、俺はちっとも怖がってやしない、と夢の中で思った。感情の沙漠《さばく》。しかし、沙漠という言葉の、感傷的でトリヴィアルな響きはきらいだった。少しも悲しくない、という感情を、一種の偶像扱いにしたりする必要はまるきりないのだ。

晴れて大そう寒い一月の日々がつづいた。ダンス・パーティーへ行って、自分の容貌《ようぼう》にひどく自信のない女の子と懇意になった。彼女はうるさいほど度々鏡を見た。何かの奇蹟《きせき》で自分の知らない間《ま》に美人に変貌しているかもしれないと思って、一雄は醜い女もきらいではなかった。本当に男を尊敬できるのは、劣等感を持った女だけだ。どこの会中へも顔を出す宮様が来ていた。きっと有名になりたいのだろう。一雄はその晩、友達から借りていた「マドモワゼル・ド・モーパン」の飜訳《ほんやく》を読んだ。退屈な小説。

……彼は喫茶店を出、傘をひろげた。濡《ぬ》れた雨傘は、それぞれの襞《ひだ》が貼《は》りついていたので、裂けるような音を立ててひらいた。彼の靴下はまだ靴の中で濡れていた。嫌《けん》悪《お》というのはこういう感覚だ。……彼は交叉点《こうさてん》を横切った。自動車の群がワイパアをうごかしながら停っていた。すこしいそぎ足になって渡ると、車道の水たまりが足もとにはねかえり、彼は自分をとてつもなく不幸だと感じた。

桐子の家へゆく道は、焼跡の一劃《かく》をとおる。建築用材が雨に濡れて鮮かな色を放っている。寒い。もしかすると雪になるだろう。

一雄はかじかんだ手袋の指先で、死んだ東畑《とうはた》桐子の家の呼鈴の釦を押した。家の中で呼鈴の音が反響していた。暗いがらんどうな家の中で。

ドアがあいた。房子があらわれた。ドアの把手《とって》は彼女の胸のところにあった。房子は把手を胸に押し当てて、一雄を見上げて笑った。

「しばらくね」

「みんなお留守かい」

「お母ちゃまは死んだし、お父ちゃまはいつもお留守、しげやはお買物に行ったの」

「君は今日は学校はないの？」

「あら、ばかねえ。今日は土曜じゃないの。学校はお昼でおしまいよ」

一雄がかえろうとすると、房子は彼のズボンを引張った。首を少しかしげて、彼を見上げて笑った。踊りの振の媚《こび》の仕種《しぐさ》を習ったのにちがいない。別にその媚が母親を思い出させたというのではない。一雄は九歳の少女の手を、ズボンから離させて、自分の手に握った。小さな手は男の掌の中で息をひそめていた。

一雄は家へ上った。房子が先に立って、応接間の扉をあけ放ち、雨の昼は暗かったので燈を点じた。それから炉棚の下の瓦斯ストーヴに火をつけた。湿った冷え冷えとした香《こう》の匂いがした。香水の匂いはとっくに消えていた。炉棚の上に、黒いリボンを結んだ桐子の写真があり、その前に線香を立てる香炉があった。

「さあ、お母ちゃまに、こんにちは、をして下さい」

と房子が言った。一雄は線香に火をつけた。香炉の灰には、線香の燃え滓《かす》がいっぱい刺っていて、新たな線香を立てにくい。その灰は骨《こつ》のように固い。一雄の立てようとした最初の一本はもろく折れた。折れ口は濃い緑だった。折れるために作られたような、この誇張された繊細さ。桐子の写真は、笑ってはいなかったが、まじめな顔つきではなかった。こういう表情が何を意味していたか、おそらく亭主は知らないだろう。やっと、一本がすこし斜めに樹《た》てられた。火はつくと同時に、白い灰に包まれて、橙色《だいだいいろ》になった。死の匂いがひろがった。

そのとき一雄はぞっとした。背後であれと同じ音がしたのである。鍵のかかる音、あの輪郭のくっきりした小さな音がしたのである。

彼はふりむくのが怖かった。やっとふりむいた。鍵をかけた手をうしろにまわして、房子が笑っていた。

「どうして鍵なんかかけるんだい」

「だっていつもお母ちゃまが鍵をかけたでしょう。房子、一度も中へ入れてもらえなかったんだもの。そいだもんで、房子、一雄おじちゃまの居るときに、自分で中から鍵をかけてみたいと思ってたんだもん」

一雄は疲れ果てて長椅子《いす》に腰を下ろした。房子はその膝《ひざ》の上へ乗って来た。……

一雄は今朝、出勤すると匆々《そうそう》、課長が大きな声で課員全部にきこえるように話していた夢の話を思い出した。

「……何と俺が帝銀事件の犯人になっているという夢なんだよ。何と俺がね」

属官たちは、人の夢の話なんか少しも面白くないという顔をして、いかにも面白そうな笑い声を立てていた。酒落《しゃれ》にもなりはしない、と思っている一雄は笑わなかった。小市民的な善良な顔が、夢の中で犯罪者の顔を願望し、それを模倣《もほう》する。こういう夢が公平に分配されるおかげで、社会生活はやや均衡を保っている。そういえば、一雄も昨夜、夢を見た。その夢には題がついている。題は「誓約の酒場」というのである。誓約の酒場、というやつが開設された。それは都市のほうぼうにあり、いずれも午前一時にひらく。一雄は町を歩いていた。まだ午前一時になっていなかった。

一雄はそれがどんな酒場か知らなかった。何のために開かれ、何のためにそういう名がついているのか知らなかった。とにかく彼はそこへ行く必要があるらしかった。彼は会員なのだ。

誓約の酒場は政令によって開設されたのだそうである。政府がいよいよ無秩序に手を貸すようになった奇怪な兆《きざし》である。場所もわからない。彼は「最寄《もより》の」酒場へ行くように指令をうけている。道筋をきかねばならない。

町に戸をしめる音がひびいて、商店が店じまいをはじめていた。あかりが戸の隙間《すきま》から車道へ長く延びている。

「『誓約の酒場』はどこですか」

と一雄がたずねた。店の主人の顔は、光りに背を向けているので真暗だった。

「政府のお役人の方《かた》ですね」

と一雄の顔を窺《うかが》うようにして言った。

「そうです」

主人は道筋を教えると、戸を閉ざしおわって隠れた。一雄は歩き出した。そこは町外れで、そこから先は街燈《がいとう》ひとつつない住宅街である。酒場なんかありそうもないところだ。

道は屈折している。冷い夜風が道の上に吹き迷っている。かなり広い道だが、道に敷かれた砂利の白さがようやく目じるしになるだけである。周囲には深い木立や長い石塀《いしべい》がある。燈火はどこにもなく、犬が遠吠《とおぼ》えをしている。

一つの角を曲ると、暗い道の中央に外人が立っていた。立っていたとみえたのは、歩いていたのである。それも前へ進んで歩くのではなく、ゆるゆると足をうしろへ運んで、後退しているのだ。外人は一雄に注意を払わなかった。一雄はそのそばを通って急いだ。

道がTの字になっているところがあった。そこまで来ると、Tの字の柄《え》に当る道はひときわ暗く、その暗い物蔭《ものかげ》にあわてて人が身をひそめる気配がした。今までの道が、その道と交叉するところに、石塀の半ば壊れた焼跡のような家があった。石塀の壊れた部分が出入口のようになっていた。きっと「誓約の酒場」はここなのだ。

彼は中へ入った。暗く深閑とした中に、もと勝手口でもあるらしい、コンクリートにかこまれたせまい一劃があった。頭上は曇った夜空だった。とっさきの低いコンクリートの欄のむこうが、川か荒れた草地になっているらしかった。

ここはたしかに「誓約の酒場」であった。空罎《あきびん》が、汚れたコンクリートの床に散乱していた。中央に、一つの酒罎が、踏みつぶされたような形に壊れ、酒が黒い血のように流れ出ていた。一雄は匂《にお》いをかいでみたが、何の酒かわからなかった。

一雄はしばらく立っていた。ひどく寒い。そうして誰もやって来る気配がない。

彼は諦《あきら》めて、また石塀の壊れた部分から外へ出た。T字の柄のほうの一そう暗い道で、再びあわてて身をひそめる人影が見えた。一雄はもとの道を歩いた。例の外人が同じごくゆっくりした速度で後退《あとずさ》りをしていた。そして同じように、一雄に何の注意も払わなかった。……

――夢はそこでさめた。しかし今まではっきりおぼえているのは奇態である。

……房子は彼の膝の上に乗っていた。子供のこういう小さい体には、肉体という観念的なものよりも、もっとよく纏《まと》まった肉の実感がある。女を抱くとき、われわれは大抵、顔か乳房か局部か太腿《ふともも》かをバラバラに抱いているのだ。それを総括する「肉体」という観念の下《もと》に。ところが九歳の女の児《こ》はちがう。こいつは端的な肉だ、と一雄は思った。彼の皮膚はズボンの生地をとおして、肉の温度と重みを正確にはかった。

房子ははしゃいでいた。男の膝に馬乗りになり、男の両肩へ手をさしのべ、男の目を憚《はばか》らずにじっと見た。

「おじちゃまの目に房子が映ってる。房子の目にもおじちゃまが映ってる?」

映っている、と一雄は答えた。房子は執念ぶかく睨《にら》めっこをつづけた。脣《くちびる》の両端をこころもち上げ、たった接吻《せっぷん》されただけなのにここが人生の大事だと思いこんでいる女のような表情をしていた。犬だって女のような表情をうかべることがある。むかし一雄が飼っていたジョリイはよくこんな顔をしたものだ。

房子が急に顔を近づけた。小さな声で、

「ねえキッスごっこしようよ」

と言った。一雄は避けるひまがなかった。小さな乾いた、すぼめた脣が飛んで来た。彼は接吻したあとでそれを避けた。それから大へん困惑した。勃起《ぼっき》していたのだ。膝の上から房子を下ろそうとすると、むちゃくちゃに暴れた。ともかく下ろして、行儀よく長椅子に坐《すわ》らせた。房子は足をかわるがわる跳ね上げて怒っていた。

ドアがノックされた。しげやの声がした。

「もしもし、お嬢さま、応接間ですか？」

房子は電話の口調をまねた。

「もしもし、しげやですか？　私、房子。今応接間でお客様の最中なのよ」

「もしもし、トントントン、お客様はどなたですか？」

「児玉一雄さんです。お茶とお菓子をもってきて頂戴」

「はいはい」

足音が遠ざかった。声だけきくと、しげやは決して怪物的ではなかった。むしろなまめかしいくらいだ。房子はレコードをかけに行った。桐子とよく踊ったレコードをかけてもらいたくなかったので、一雄は立って行って干渉した。桐子が一度もかけようとしなかった一枚をかけさせた。

その音楽が響いてきた。歌がはじまった。いかにもそれは、この部屋での桐子の思い出には関わりがなかった。しかしあのダンス・ホールで、この曲がはじまったとき、桐子は眉《まゆ》をひそめた。

「いやあね。この曲、私大きらい」

それを一雄は思い出した。彼は死人に対して嫉妬《しっと》を抱いた。桐子はこの曲をきくと別な男の不快な記憶にさいなまれたのにちがいない。もう少し桐子が生きていたら、一雄は苦しめられたかもしれない。

ドアがもう一度ノックされた。房子が無邪気に鍵をあけに飛んで行った。しげやは紅茶茶碗と菓子をのせた盆を捧《ささ》げて現れた。おそろしく愛想がよかった。

「お嬢様はお一人でおさびしいんです。どうぞちょいちょい遊びに来てあげて下さいませ。土曜だったら、御一緒におひるになさったらどうでしょう、お嬢様」

あくる日の日曜を、一雄はぼんやり暮した。家のちかくの郊外電車の駅まで散歩にゆき、出来心で切符を買って電車に乗り、出来心で好《い》い加減な駅で下りた。その駅には今まで一度も下りたことはなかった。夕方の場末の町の賑《にぎ》わいがはじまり、拡声器が家具屋の広告を尖《とが》ったざらざらした女の声で放送していた。彼はその町へ出てゆく気はしなかった。駅のベンチに坐って、入っては出てゆく電車を眺めた。一人のインバネスを著《き》た老人が、彼のすぐそばへ腰かけて、謡《うたい》をうなり出した。『インバネス。謡曲。郊外電車。小っぽけな駅。鉢植の梅。……俺もいつか恩給でこういうものをみんな手に入れるだろう』――しかし老人のその謡はうるさくてたまらなかった。この世には無害な道楽なんて存在しないと考えたほうが賢明だ。俺も今にたっぷり他人に迷惑をかけてたのしむ年齢になるだろう。健全な人間は、みんなそうやって自分の孤独を救済するのだ。……彼は手袋でベンチの羽目板にさわった。ベンチは埃《ほこり》でざらついていた。電車が来た。老人と謡とはその電車と一緒に立去った。夜寝るまで一つのいきいきした観念が一雄の頭についていた。「健全な人間の成れの果て」

まだ「成れの果て」まで行かない男が、月曜には役所の会議室で、「インフレ対策」の講演をした。インフレ対策の根本は要するに政治力の問題で、それは国民の自覚に俟《ま》つ他ない、というのが結論だった。国民の自覚、という言葉で、誰も吹き出さなかったのはふしぎだった。「国民」とか「自覚」とかの言葉には、場末で売っている平べったいコロッケ、藷《いも》と一緒に古新聞の切れっぱしなんぞの入っている冷いコロッケのような、妙にユーモラスな味わいがある。そんな言葉が手に手をとって現れたのに、笑わないなんてどうかしている。講演者もさぞがっかりしたろう。

机にかえると、一雄は金融白書の下書原稿を書いていた。それの融資準則の項目を書くように命ぜられていた。窓の一部分から見える小さい空は、白い燻《いぶ》し銀に曇っていたが、温かかった。前の机では、女事務員が、鉛筆のさきで、毛糸の人形をころがしていた。毛糸の人形はまるで健在だった。一雄はその女事務員と給仕を食堂へつれて行き、十円のミルクと十円の蜜豆《みつまめ》をおごった。

かえりの省線電車のなかで、一人の女の子が一雄に笑いかけた。顔は知らなかったが、笑い顔が気に入った。電車はほどよく混《こ》んでいて、一人の子供が、窓から外を見ながら、大きな声でトウキョウ・ブギウギを歌っていた。母親は別にとめなかった。女の子は何か口をききたそうにしていた。質素な微笑。電車が揺れて、女の子の体が一雄にぶつかった。紐《ひも》の締め方のゆるい柔かい小包のように。「ごめんなさい」——そうしてようやく口をきいた。

「どこへお入りになったの?」

「財務省。——失礼ですが、お名前は?」

「桑原ですの」

「僕、児玉です」

「児玉……カズオさんね」

「どうして知ってるの」

「封筒でいつも拝見していました」

一雄は空想的な恐怖で蒼《あお》くなった。彼の身柄はどこかですっかり調べ上げられているのにちがいない。幸い、一雄の下りる駅へ著《つ》いた。彼は「えッ!」と言ったまま歩きだした。女の子はにっこりした。

「私、あの、T大の就職係のものですの」

——木曜の昼休みには、退屈な同級学士の集まりがあった。一雄はその話をした。みんなは桑原という女の子を思い出そうと努力した。一人がようやく思い出してこう叫んだ。

「ああ、あの子はN教授が拾ってやったんだよ。実は、N教授の隠し子なんだって。一説にはN教授の妾《めかけ》だとも云《い》うんだ」

それからみんなは、お互いの知的社会的虚栄心を傷つけないような話題をとりあげた。金が足りない、とか、女にもてない、とか、そういうマイナスの話題を選ぶことが肝腎《かんじん》だ。会名がなかなか決らないので、その下らない議論で昼休みがすぎた。決ったことが一つあった。ケインズの一般理論《ゼネラル・セオリィ》のゼミナールをやろうということ。これでまた週のうちの一日がつぶれてしまう。

金曜は晴れて暖かかった。午後、一雄は局次長のお供で日銀へ行った。「小学生の貯蓄宣伝優秀ポスターと綴方《つづりかた》の審査会」があるのだ。

一雄は日銀の建物の中へ入って行くのが好きだった。この陰気な、壮大な、非人間的な建物も好きだった。この建物がインフレーションと呟《つぶや》く。インフレーションという言葉はこうして呟かれると千鈞の重味がある。インフレーション……インフレーション……それが幾千の谺《こだま》を返す。するとそろそろこの建物はデフレーションと呟くだろう。この「デフレーション」にも千鈞の重味がある。それは反響する。デフレーション……デフレーション……。

内閣首班の指名は、吉田へゆくか、芦田《あしだ》へゆくか、まだ今日のところはわからないそうだ。局次長は芦田だろうと言っていた。一雄は局次長のあとをついて、大理石にかこまれたリノリュームの廊下を歩いた。廊下は二重三重に錯綜《さくそう》していた。これは銀行の銀行だ。こんなに感情を無視した建物の中で働けたらどんなにいいだろう。どの角を曲っても、大きな石の柱が無言で押し戻す。粘液的なものはどこにもない。一雄は人間的な建築がきらいだった。大理石に頰っぺたを押しつけると、頰っぺたは冷くなり、まっ平《たいら》になる。墓の中で生活すべきなのだ。この活力ある墓はすばらしい。すべての墓地と同じに、「銀行の銀行」は、人間生活を究極のところで支配しているという自侍《じじ》の念に充《み》ちて、冷く暗い。生活の極致は墓を模倣することだ。千夜一夜譚《たん》の、異母兄弟の恋人同士は、快楽のために墓にとじこもる。……鍵のかかる部屋。……一雄はそれに思いついて、怖《おそろ》しさと快さにぞっとした。

この巨大な墓にはエレヴェータアがついていた。局次長と一雄はそれに乗った。二人は暗い立派な応接間へ案内された。戦後こんなにスチームのあたたかい部屋はめずらしい。

主賓の朝山《あさやま》画伯が待っていた。今日のポスタアの審査をするのだ。朝山画伯は小肥《こぶと》りしていて、愛想がよくて、いつも洒落《しゃれ》を飛ばしていて、姿も人となりも安楽椅子《いす》のような男だった。自分が人気者だということをよく知っていて、見上げた心掛だが、大臣にも左官にも同じ冗談まじりの挨拶《あいさつ》をする。生れつき社会の潤滑油と謂《い》った役処《やくどころ》の男があるものだ。いつも薔薇《ばら》いろの頰。いつも小綺麗《こぎれい》なハンカチーフ。……

局次長も日銀の役員たちも、十五分も話すとすっかり朝山氏に魅了された。地位を持った男たちというものは、少女みたいな感受性を持っている。いつもでは困るが、一寸《ちよつと》した息抜きに、何でもない男から肩を叩《たた》かれると嬉《うれ》しくなるのだ。朝山氏はこの呼吸をまことによく心得ていた。早く俺も禿《は》げることだな、と一雄は思った。世界は円くなり、人間関係は日向《ひなた》の飴《あめ》みたいに融《と》け合うだろう。

みんなは大きな窓がビル街を見渡すひろい部屋へ案内された。周囲の壁と、中央の大テーブルに飾られた色とりどりの無数のポスタア。子供たちがこんなに巧みにスローガンにおもねることを知っているとはおどろいたことだ。一つの絵では、鶏の母親が、ひよっこたちに餌《えさ》の貯蓄を教えている。ある絵では、充実した貯金箱が元気に縄飛びをしてはねまわり、何日も飯を食わないルンペンの貯金箱が、青い顔をしてベンチに寝ている。

「これは色がなかなかいい。図案は月並だが」

と朝山画伯が云った。地位のある男たちは、ぞろぞろと画伯のあとをついてあるいた。画伯は丸っこい指で、ポスタアにちょっとさわってみたり、少し遠くから眺めてみたりしていた。戸外のビル街には早春の明るい日ざしがあった。局次長がそっとお上品に欠伸《あくび》をした。

「これはなかなかいいね。図案に強いて意味をつけずに、色をよく活《い》かしてある。ほほう、九歳の女児ですな、女の子のほうが見処がありますよ」

みんなは手をうしろに組んだままぶらぶらその絵のほうへ近づいた。図案は明るい家庭のテラスだった。人物を描くのは本当にむつかしい。この作者はそこをうまく逃げていた。テラスは花壇の芝生に面し、家族の椅子だけが日ざしを浴びていた。父親の椅子には新聞と眼鏡が、母親の椅子にはやりかけの編物が、子供の椅子には読みかけの絵本とお人形が置いてあった。家族は何かの用で、一寸席を立ったあとらしい。貯金をせっせとすれば、こういう幸福な家庭が生れる、という意味にちがいない。

一雄は名札を見てびっくりした。

「G学院小学部二年、東畑房子」

と書いてある。

——審査会は夜までかかった。大きなシャンデリヤのある貴賓室で、洋食の晩餐《ばんさん》が出た。一雄はまちがえて、果物を切る前に、フィンガア・ボールで指を濡《ぬ》らした。

彼は疲れていた。朝寝坊をしてあわてて出て来たので、鬚《ひげ》を剃《そ》っていなかった。土曜日はまた雨だった。自分の頰と顎《あご》にさわってみた。鬚はいつのまにか、こっそり陰謀をたくらむような工合に、一せいに短い固い穂先をそろえて延びていた。

事務室のなかは暗くて寒かった。課長が出張に出ているので事務は沈滞していた。省内理髪店へ行くには、断りさえすれば公然と行ける。そこで公然と時間がつぶせる。ここのところ組合は、安全通勤、定時退庁を通告していた。懶《なま》けることは、どこかで社会的正義にちょっぴりつながっていた。

一雄は主任事務官に断って理髪店へ鬚剃りに行った。一週間前に来たばかりなので、馴染《なじみ》の理髪師はすこしおどろいたような顔をした。一雄は遠くから、顎をこすってみせた。理髪師は鋏《はさみ》を使いながら、うなずいた。一雄は安心して待合室の椅子の端に腰かけた。いつもそこは満員だった。先客が五人もあった。

一雄はここが好きだった。先客が多ければ多いほど好きだった。第一、明るいのがいい。電燈《でんとう》は惜しみなくともされ、三つの大きな鏡がその光りを反射させている。ヘア・トニックのアルコホルの匂《にお》い。石鹼《せっけん》や消毒液の純白の匂い。彼は火鉢にちょっと手をかざし、それからのびのびと椅子の背にもたれた。

娯楽雑誌が、頁《ページ》の上下の隅が汚れた造花のようにめくれて、椅子の上にちらばっていた。待っているあいだ、彼はそれらを隅から隅まで読んだ。扮装《ふんそう》をこらした流行歌手の写真が載り、その下に抒情的《じょじょう》な歌詞があった。映画俳優はたえず恋愛をしており、小説家はエロティックな連載小説を書いていた。

『人気商売もいいだろうな』と一雄は考えた。『無秩序から公然と利益を獲る。そうして自分は傷つかない』彼はふと自分が流行歌手になっているところを想像した。マドロスの扮装をし、ドーランを塗り、にやけた表情をする。この空想が彼を刺戟《しげき》した。歌うたいにはみんな白痴的な素質がある。歌をうたうということは、何か内面的なものの凝固を妨げるのだろう。或《あ》る流露感だけに涵《ひた》って生きる。そんなら何も人間の形をしている必要はないのだ。この非流動的な、ごつごつした、骨や肉や血や内臓から成立ったぶざまな肉体というもの。これが問題だ。

彼は歌をうたってみようとした。ちょっと口をひらくと沈黙した。

「……プラットホームの明るさよ」

「……忘られぬ、忘られぬ……」

「……林檎《りんご》の気持はよくわかる」

鏡の中の白い輝かしい布が立上った。客が交代するのだ。一雄は自分の顎の固い密生した鬚が、じっと自分を肉体の領域にとじこめているのを感じた。さもなければ、彼は歌うだろう。飛ぶだろう。どんな細い隙間《すきま》でも、一種の流動体になってすりぬけるだろう。現実の連鎖は解かれるだろう。

呪文《じゆもん》のようなものだ。一寸《ちよつと》歌い出せばいいのだ。

「夜のかなしさ、君偲《しの》ぶ……」

とか、

「青春の焔《ほのお》を胸に身もだえて……」

とか、そういうやくざな歌詞を。

——一雄は鏡の前にいた。鬚はきれいに剃られていた。彼はこの顔が、決して歌い出さない顔だということを知っていた。

……房子は、一雄の手から鞄《かばん》を引ったくって、先に茶の間へ飛んで行った。茶の間は温かかった。うれしいな、うれしいな、と房子は言った。もう房子、一人で御飯をたべるの飽きちゃった。

「君の貯金のポスタアは三等だよ」

「うれしい。どうして知ってるの」

「僕が審査したんだ」

「審査ってなあに」

「僕が点をつけたんだよ」

房子はよくわからないような顔をして黙っていた。わからなくてもいい。一雄は説明の必要を認めなかった。しかし房子があんなものを描《か》いたことに怒りを感じた。

「どうしてあんなものを描いたんだ」

「だって先生が描かせたんだもん」

「そうじゃない。あの図案のことだよ」

「ああ、あれ？　あれはアメリカの御本にあったのを真似《まね》たの」

一雄はうんとしつこく訊問《じんもん》しないことにはやりきれなかった。大体九つの子が、そんな図案で貯蓄奨励を暗示することを、思いつく筈《はず》がないではないか。

「どうしてあれが貯金の意味になるんだ」

「ああ、そうかな。おじちゃまもやっぱりよくわからない？　房子もよくわからないの。でも先生がとてもいい、っておほめになったの」

「本当にわからないで使ったのかい、あの図案」

「うん」

一雄は少し安心した。彼は煙草《たばこ》を口にくわえた。房子が燐寸《マッチ》を擦った。

「マッチなんか擦らなくてもいいんだよ。どこでそんなことを覚えたんだい」

「何でもきくのね、先生みたいね、おじちゃま。（房子は、呆《あき》れるほど愛らしく笑ってのけた。）今まで『どこで覚えた』なんて、誰もそんなこときかなかったわ」

「誰も？」

「お母ちゃまが、ときどき、いろんなちがうおじちゃまを御飯によんだのよ。煙草に火をつけるの面白いから、房子、一度火をつけて上げたの。そうしたら、お母ちゃまが、『房子ちゃん、えらいわね』って仰言《おつしや》ったの。それからいつも房子そうすることにしたんだもん」

しげやがハムや野菜サラダを盛り上げた皿をもって来た。この女の肌はどうしてこんなに真白にてかてか光っているんだろう。肥っているので、著物《きもの》の胸もとがいつも少しはだけている。おそらくこの女は何でも知っている。絶対信用できる女。何にでも聴耳を立て、必要とあれば立聞きも覗《のぞ》きもするが、秘密を決して人に売らず、自分一人で秘密を貯蓄してたのしむ女。八十歳まで独身でいても平気な女。つまり一人で寝るのがいちばん好きなのだ。夜具の中は、腋臭《わきが》持ちのように秘密の匂いで充満するだろう。

しげやは手首に輪ゴムを二つ三つはめている。輪ゴムは白い肉の脂身《あぶらみ》に喰い入っている。

「さあ、おひるができました」

「さあ、おいしいおひるをいただきましょう」

一雄はさっきの房子の言葉に傷ついていた。「ちがうおじちゃま」「ほかのおじちゃま」「別のおじちゃま」――これだけでもう三人だ。誰も死人を独占することはできない。死人は肉体の檻《おり》を抜け出して遍在してしまう。「他《ほか》の男たち」は、都市の隅々で、おのおのの生活をつづけているだろう。桐子は確実に彼らの間に存在している。一雄には……房子がいるのだ！　この考えが、ぞっとする力で彼の心に這《は》い入った。

食事がすんだ。房子は浮かれていた。母親を失《な》くして少しも悲しまないこの不思議な娘。彼女は踊りの稽古《けいこ》に通ったり、動物園に行ったりする話を、記憶をすっかりごちゃまぜにしてくらしている自堕落な女のような調子で話した。ときどき、ひどく子供らしくてひどく技巧的な、熱っぽい目つきで一雄を見た。『この子と俺はどこかへんに似ているところがある』と一雄は思った。『しょっちゅう一緒に寝ていた女の死に少しも感動しない男と、母親の死に少しも感動しない少女と』

房子が一雄の手を引張って立たせた。応接間へ行くのだ。紅茶とお菓子ね、それからストーヴに火をつけて、としげやに言った。しげやは事務的に行動した。スタンド・ランプがともされ、瓦斯《ガス》ストーヴは青い焰をあげた。

「もうあっちへ行っていいのよ、しげや。用があるときは呼ぶから」

しげやは姿を消した。房子は一雄の膝《ひざ》の上へ乗ってきた。

一雄は膝の上の九つの女の児《こ》を抱き緊《し》めた。髪は乳臭く、肉は甘い香りを立てた。抱くと人間の肉の抵抗感がちゃんとあった。房子は急に、体を曲芸のようにくねらして、彼の腕をすりぬけた。とび上り、両手を叩いた。

「ダンスしよう！　ダンスしよう！」

彼女はレコードをかけた。音楽が辷《すべ》り出した。自然な動作で、房子はドアのところへゆき、忘れていた鍵をかけた。

「ダンスしよう！　ダンスしよう！」

それにしてもそれは技術の要《い》るダンスだった。房子の背丈は一雄の胃のへんまでしかなかった。彼は右腕で抱き上げて踊った。ひどく重くてよろよろした。しかし顔はおかげで顔の高さになった。房子は脣《くちびる》をすぼめて、乾いた脣のそのすぼめた皺《しわ》を捺印《なついん》するように、一雄の脣に押しつけた。

一雄は乱暴に房子の体を落した。おそろしく混乱して、房子の目を見据えた。

「いいか。もう決してキッスしないと約束しなければ踊ってやらないぞ」

「約束する。約束する」

房子は彼の首へ腕をまわし、急にまた接吻《せっぷん》して、逃げ出した。

春は少しずつ近づいているらしかった。春のさかりに、いよいよインフレーションの破局が来るだろう。

一雄は妄想《もうそう》にとりつかれた。房子のからだ。房子のからだ。少女の体は、どうして妙に冒瀆《ぼうとく》的ないたずらをしてみたい気を起させるのだろう。一雄はあばずれの三十女の体に対しては、敬虔《けいけん》な男なのだ。

しばらく房子を訪ねるのは差控えよう。彼は「引裂く」という言葉を怖《おそ》れた。彼はこのままでいたら、きっと房子の体を、その小さな綻《ほころ》びでは足りずに、引裂いてしまうだろう。

彼は又ひきつづいて、「誓約の酒場」の夢を見た。ある深夜、夢の中でその酒場へ行くと、三四人の男が、焼跡のコンクリートの礎《いしずえ》に腰かけて呑《の》んでいた。

「ビール」

と一雄が呼んだ。ビールはありません、と客の一人が言った。一雄の手にコップをもたせ、酒瓶《さかびん》から真紅の酒を注いだ。呑むと口に粘ついた。これは何だ、と一雄が怒ってたずねた。客の一人が答えた。

「血酒ですよ」

別の一人が註釈《ちゆうしやく》を加えた。

「少女の体から絞って精製した上等の酒です」

一雄は納得が行った。「誓約の酒場」というやつは、サーディストの会合の場所なのだ。政府がサーディズムに法令の保護を加えているのだ。新聞の一角にこの記事が小さく出ていた。政令第×号に基づき、都内各所に「誓約の酒場」が開設される。毎夜一時より。

彼はほかの四人を観察した。一人は禿《は》げた小男で、下町の呉服屋の主人と言った感じ。あとの三人は若い。会社員風の背のすらりとした痩《や》せた男。銀行員らしい謹直な若い男。学究肌の眼鏡をかけた、どこかの研究室の助手らしい男。

四人ともごく穏かな身装《みなり》で、大人しそうな顔つきをしている。猫を被《かぶ》っているのではない。本心から大人しくて、親切で、まじめで、信用できる人間で、そして、サーディストなのだ。

「何か話をきかせて下さい」と会社員風の男が言った。彼の口のはじからは血酒が糸を引いて滴《したた》り落ちていた。それをすばやく手の甲でぬぐって、つづけた。「何でも、われわれ遠慮なく話して下さい。体験を話せというのじゃありません。悲しいことに、われわれには体験がないのです。そこで、空想していることを、あたかも体験のように話すのが、われわれの流儀になっています」

「ともかく、あなたから先に話して下さい」と一雄が言った。

「じゃあ、そちらから」と呉服屋の主人が指名された。

「よござんす」と呉服屋が語り出した。「実は私は呉服屋じゃありません。染物屋なんです。今度新しい染色をはじめて、銀座へも沢山出しますから、皆さん、ごらんになって下さい。とても芸術的なものですから。……私あどういうものか、人体の断面図にひどく美を感じるのです。勿論《もちろん》、女のですね。あれから思いついた染色で、今年の夏のゆかたには、女の腸に髪の毛を散らした模様を考案したのです。なんとも涼しげな効果が出ると思いますよ。赤いところは、みんな殺した女の血を精製した染料で染めました。科学がえらく進歩しまして、変色を防ぐのなんぞ、造作もないことです。ただ問題は、青ですよ。腸のあの何ともいえないデリケートな青ですよ。あの色がどうして出せるか、まったく弱りました。この試験のために、十八人ほどの女を殺して、まだ湯気の立っている腸を大いに研究しました。結局あの色素をそのままとるほかはないという結論に達したんです。私は今、腸を沢山採集していますが、最低せめて二千人分が要りますね。一人当りの青い色素はごくわずかですから」

「私はですね」と銀行員が語り出した。「女の死刑の方法をいろいろ考案しました。今度の方法をやってみましたら、大へん効果があがるので、当分これで行きたいと思います。私はもう女を裸かにするのがあきあきしました。そこで今度は著物を著せてやるのです。それにはまずファッション・ブックが要りますな。このあいだもこの手で行きましたが、女は大喜びですよ。まず女に衣裳《いしょう》をえらばせます。ぴったり身についたスーツなんぞ粋《いき》なものです。とにかく衣裳はぴったり身についたものでなくちゃいけません。著せるためには、まず全裸にします。著せるには大分時間がかかります。何故《なぜ》って、これは刺青《いれずみ》の著物なんですからね。

全身に刺青でスーツを著せるのです。スーツの縞《しま》模様の刺青なんか、凝れば凝るほど結構です。女はひいひい苦しみますが、いい衣裳のためなら何でも我慢します。出来上ったら、たびたび一緒に寝ます。当座はカッカとしていますが、数日後にはひんやりと蛇の肌のようになります。著物を著たままの女と寝るのも乙なもんですよ。

さて死刑はこれからです。女にハンカチやコムパクトを買ってやり、それをハンドバッグではなく、洋服のポケットに入れてやるのです。造作もありません。小刀で胸のポケットのところに横線を入れ、そこにきれいにたたんだハンカチを奥深くさし入れます。みるみるハンカチが血に染って、きれいなものですよ。それから横腹の刺青のポケットにもうまく深い創口《きずぐち》をこしらえて、そこへコムパクトを押し込んでやるのです。しばらくしてコムパクトを出してあけてみると、白粉《おしろい》に血がにじんで目がさめるようです。女は五六時間で死にます」

「そのコムパクトの鏡に映ったあなたの顔はどんなでした？」

と一雄がきいた。銀行員は窓口で見せる愛想のよい微笑をうかべた。

「そう、悪鬼の形相というのはわれわれとは縁がありません。あれはサーディズムについて世間の持っている誤解の最たるものですね。私は……強いていえば、非常に温厚な顔をしていました」

皆が一雄の話をせがんだ。一座にはだんだん昼飯のあとの雑談のような、たのしい雰囲気《ふんいき》があふれて来た。

「僕ですか？　僕は少女を凌辱《りようじよく》しました。少女を『引裂いた』のです。少女は血を流して死にました。九つの子ですよ」

「それだけですか」

「それだけです」

一人が笑った。みんなは大いに笑った。笑いは廃屋に谺《こだま》した。

「あなたはまだ既成観念にとらわれていますね」と学究肌の男がなだめるように言っ

た。

「われわれは空想を話しているだけなんです。内心の自由はわれわれのものだし、今のところ、言論の自由もわれわれのものです。政府はわれわれに味方しています。われわれの誇りと云《い》ったら、何と言いましょうか、人間愛と残虐《ざんぎゃく》への嗜好《しこう》とが、ぴったり一つものだということです。われわれの愛はやさしいのです。精神的残酷さとわれわれほど縁の遠い連中はありますまい。皮膚の下にこそ愛の本拠があります。世間の人間は、皮膚を愛することにすぐ飽きて、女の心を、心臓を愛するじゃありませんか。それに比して、われわれは血や腸を愛するだけです。内臓を愛する点では同じことです。われわれは幸いに政府の支援を得て、啓蒙《けいもう》運動を展開して、世間の目をさましてやらねばなりません。愛は必ず残虐に帰著する。愛することは殺すことだ、と。われわれは生ぬるいものには飽き足りません。たった一つ例外があります。それは血です。」

拍手《はくしゅ》が深夜の廃屋に谺した。学者肌の男は様子ぶった態度で結びの言葉をのべた。

「本日かくも多数の御参集を得まして、本大会が開催されましたことは、私の深く欣《きん》快《かい》とするところであります」

『俺の書いた原稿だ』と一雄は思った。

そこで目がさめた。

……この夢の影響はしつこかった。たとえば商工省へ出張を命ぜられたかえり、虎《とら》の門の停留所で電車を待っていると、おなじ電車を待ちながら愉快そうに立話をしている四五人の男に、一雄は聴耳を立てた。きっと「誓約の酒場」の話をしているにちがいない。

晴れた日の昼休みには、上智《じようち》大学の横の土手の上をよく散歩した。風がなければ、日の当っている枯草があたたかい。四谷駅の上から、赤坂見附まで、その土手づたいに行けた。一雄は土手の松林の一本の松の木の下で、三四人の男が枯草に腰を下ろし、談笑しているのを見た。一人が道をゆく一雄の姿をみとめて、挨拶《あいさつ》した。するとそれは「誓約の酒場」にいた背の高い会社員風の男の顔だった。

一雄は歩をはやめてとおりすぎ、独り言をくりかえした。『あいつもサーディストだったんだ。あいつも！』……そのうちに自分のばかばかしい考えに気づいた。男は多分よその局の事務官で、一度一雄が資料をもらいに行って顔を合せたことがあるくらいの仲なのだ。むこうがおぼえていて愛想よく挨拶したのだ。こちらも多分おぼえていて、その顔が夢の中に現れたにすぎなかった。

銀座で一雄は、高等学校の友達にぱったり会った。ひどく思い悩んでいる様子なので、一緒にビールを呑んだ。友達は一卵性双生児の片方だった。兄は瓜《うり》二つで、紛わしいことに、兄弟とも伯父の同じ会社に通っていた。兄弟の左手の小指は同じように曲っており、離れていても兄が弟のことを想《おも》っている同じ瞬間に、弟も兄のことを思っていた。

「俺はとても悩んでいるんだ」と彼は言った。

「こうしてビールを呑んで俺が打明けていれば、きっとどこかで、兄貴もビールを呑んで昔の友だちに打明けているにちがいない。実は兄が、双生児《ふたご》の姉妹の姉のほうに惚《ほ》れて結婚することになったんだ。そうしたらみんなが、俺にも、妹のほうと結婚しろとしつこくすすめるんだ。ところが、俺はその妹を好きじゃないんだ。他に惚れた女がいるんだ。それでもみんなは、俺に双生児の妹と結婚しろってすすめるんだ」

「わかったよ」と、一雄は筋道を立てた。「世界は対《つい》ということが好きなんだよ。花瓶だって対でもらうのをよろこぶじゃないか」

「そうじゃない。そうじゃない」と彼は卓を叩《たた》いた。「俺はどうして自分が兄貴とおんなじに、その双生児の妹のほうが好きにならないか、ということを考えると気が違いそうになるんだ」

それから彼は壁鏡のほうに向き直った。鏡は彼の顔を映した。彼はしつこく説得する調子で、鏡を指さして、こう言った。

「ほら、見ろよ。あそこにいるのは俺じゃないんだぜ。あれは兄貴だ。俺はここにいる。むこうにいるのは兄貴なんだ」

――ストライキは蔓延《まんえん》していた。芦田聯立《れんりつ》内閣は弱体だった。役所ではたびたび組合が一斉賜暇《しか》を指令し、職場大会が数時間にもわたって屋上でひらかれた。一雄が役所をぬけ出して映画を見に行ってかえってくると、まだ大会はつづいていた。雨がふり出していたので、屋上は傘に埋まっていた。銀行も一斉賜暇をやった。三月二十五日には全逓《ぜんてい》ストがはじまった。電話もラジオも郵便も杜絶《とぜつ》した。

役所の組合は二千九百二十円ベースを拒否した。政府は弱腰だった。司令部へ泣きついた政府は、更に、不利な条件を出されて、泣きっ面《つら》に蜂《はち》になった。

或《あ》る税務署長は首でもくくる気持になっていた。その土地の軍政部から、職場大会は職務時間中にひらいてはならぬ、という命令が出た。しかし組合は、本部の指令だと云って、頑として職務時間中に大会をひらいた。それは十五分ぐらいですんだ。しかし軍政部はこれをかぎつけると、署長もぐるだろうと推測して、検察庁へ電話をかけ、署長を逮捕させたのである。

革命とインフレーションの破局は、おそらく同時に来るだろう。『俺はサーディストだ！』と一雄は中空へむかって叫んだ。しかし実のところ彼は、サーディストですらなかった。彼は房子と会うことを怖れていた。

桜は四月七日ごろに満開になった。上智大学の横の土手はお花見によかった。一雄は同じ課の人たちとそこを散歩した。花があんまりぎっしり咲いているので彼はいやな気がした。

四月十日の土曜は晴であった。役所が退《ひ》けて、一雄は弁当をたべていた。廊下へ出ていた前の机の女事務員が、面会の人だとしらせて来た。しげやと房子が事務室へ入って来た。一雄は、あとでうるさい課員たちにきかれたら、母親をなくした親戚《しんせき》の娘だと言訳しようと考えた。『これは思いすごしだ』とすぐ一雄は思った。『誰もこんな子供と俺との間柄を疑ったりするやつはいない。房子はただ、微笑《ほほえ》ましい面会人にすぎないんだ』

しげやが一寸《ちよつと》一雄をにらむようにしてから、空いている椅子《いす》に坐《すわ》り、房子を自分の膝《ひざ》にもたれさせた。房子はすねていた。しげやが代って口上を言った。

「あんまりお出《い》でがないんで、お嬢様が毎日おじちゃま、おじちゃま、と言い暮して、お可哀想《かわいそう》なんでございますよ。ですから、御迷惑でしょうが、お嬢様をお連れしてお迎えに上ったんでございます」

「僕はあんまりお宅へ上りたくないんです」

「だって旦那《だんな》様はどうせ夜中の一時までおかえりにならないんだから、御遠慮は要りませんのよ。今も留守番を人にたのんでやっと出て来ましたの。そのまますぐおいで下さいまし」

一雄はしげやの大きな声を怖《おそ》れて、帰り支度をした。良い思案がうかんだ。しげやを帰して、房子をほかへ連れ出せばよかった。彼は房子に、映画を見に行ってお菓子を食べよう、と誘った。房子はよろこんだ。四谷見附でしげやと別れて、二人は新宿行の都電に乗った。

出来心というものならいくらもある。出来心の殺人というやつはいくらもある。しかし持続は狂気だ。房子に対する彼の感情は持続していた。憐憫《れんびん》や残酷さやいろんなものがまざり合い、そうしていつも房子の肉について考えた。この未熟で、桃いろで、ふわふわしたもの。完全に技巧的な無邪気さ。彼は手のなかにしばらく置いて、じっと眺めて、それから握りつぶしたかった。果汁が流れ出るだろう。

ロマンチックな人間は、一雄が清純さを自分のものにしたがっていると考えるだろう。ところが清純さにもちゃんと肉が在るのだ。みんなは子供なんかには肉はないと思っている。しかしちゃんと心臓と血と腸があるのだ。夢の中のサーディストたちはその限りでは正しい。しかし……、おそろしい矛盾だが、汚濁と淫蕩《いんとう》にもちゃんと肉が具《そな》わっている。肉は同質だ。

房子はどうしても両手で吊革《つりかわ》にぶらさがりたがるので、一雄はしばらく体を支えてやった。薄い皮膚の下で、女の体が九分通り出来上っていた。自分でも意味がわからずに、子供の言葉をではなく女の言葉をばかり喋《しゃべ》りたがるのは、房子自身は一向自分の外形にあざむかれていないためだろう。……房子はよろこんで、一雄に手を離せと言った。一雄は一寸手を離した。房子は両手で空中にぶらさがった。乗客たちはこのお転婆《てんば》にびっくりしていた。三十年も勤続しているらしい煤《すす》けた車掌が、これをとめに来た。

映画は面白かったし、お菓子はおいしかった。房子は満足しているらしかった。家の外ではすこしも媚態《びたい》を見せなかった。彼女は「子供に返って」みせていた。一雄は風が出ていた。二人は歌舞伎町《かぶきちょう》とよばれるまだ出来かけの町を歩いていた。一雄は手の形をした立札を見た。《星空ダンスホールはあちら！》

二人はそのほうへ歩いた。「星空ダンスホール」は節穴だらけの粗末な目かくしの板をめぐらした、三百坪ほどのただの地面だった。目かくしの内側には、貧弱なひばが一米《メートル》間隔に植って埃《ほこり》をかぶっていた。木立の枝から枝へ、色とりどりの豆電気がともっていた。豆電気は風に揺られながら明滅していた。

夕方になって曇りだした空は暮れ悩んでいたが、星の出る気配はなかった。すべてがまだ明るすぎた。レコード音楽が景気をつけ、運動靴や下駄穿《げたば》きのお客を誘い込もうとしていた。ここならゴム長だって入れてくれるだろう。今のところ客は一人もなかった。踊っているのは、つむじ風が舞い立たせている埃だけだった。

房子がそこへ入りたがった。ペンキをけばけばしく塗った切符売場があった。入場料三十円。御同伴五十円。一雄は五十円払った。切符売場の女は、椅子に中腰になり、金網の目から房子をのぞき下ろした。

三百坪の四角い地面の中央に、メリイ・ゴーラウンドのような円舞台があった。波型に軒につらねた花綱《はなづな》の一カ所が外れ、たるんだ大きな半円になって垂れていた。三四人の楽士はしらん顔をして話し込んでいた。客が集まるまでレコードをかけておけばよいのだ。一隅にはペンキを塗り立てた売店があって、するめ、落花生、サイダアなどを売っていた。

房子はひばの枝に豆電気が揺れているのを面白がった。

「あんなの、家《うち》にもほしいな」

今度また貯蓄宣伝ポスタアを描かされたら、きっと豆電球を描くにちがいない。一体東畑家に貯金なんかあるだろうか。

『この子の肉体』と一雄は房子の手を握りながら思っていた。『この肉のことを考えると、不可能なものにぶつかってしまう。俺は今一人ぽっちだ。この子とあの鍵《かぎ》のかかる部屋にとじこもることができるだろうか。俺はこの子を壊すだろう。引裂くだろう。もう一つの鍵のかかる部屋、牢獄《ろうごく》が俺を待っているだろう』

二人のまわりには抒情《じょじょう》的な背景がみんな具わっていた。『人間愛と残虐への嗜好がぴったり一つものなのです』そんな馬鹿《ばか》なことはない。一雄がこの少女を、人間らしく、公明正大に、庇護《ひご》の感情で愛していると仮定する。そうすれば、この春の夕暮や、豆電気や、懶《なま》けている楽士たちのいる舞台や、派手なペンキ塗りの売店や、こういうものは、たとえようもなくセンチメンタルで、哀愁を含んだ甘いものになるだろう。彼は少女とダンスをするだろう。実際そういう一組をパーティーで見たことがある。しかし一雄は、この柔かい、水分の多い肉のことだけを考えていた。世界と無秩序はそのむこう側にあり、冒瀆《ぼうとく》されたがっている小さな肉が目の前にあった。この肉をつきぬければ、彼の前に世界がひろがるだろう。あるいは彼は、自適した、自在な、無秩序の住人になるだろう。

豆電気は風に揺れ、客観的には、一人の気の弱そうな青年が、愛らしい少女の手をつないで立っていた。懶けものの楽士たちは、ものぐさそうにギターを弾きはじめた。風がひどくなって、ひばの葉がはためき、だんだん暗くなる地面の上に、埃をさらさらと移していた。そのとき近くのカフェの性能のよい拡声器が、雷《らい》のような音で流行歌をうたいはじめた。ギターの音楽は一そう見すぼらしくきこえ、楽士はいらいらと何度も爪先《つまさき》でマイクロフォンを叩いた。

一雄は似たような客の一組がいつのまにか入って来ているのを見て、おや、と思った。鏡だった。目かくしの板ぞいに、雨よけの屋根をつけた姿見があり、その枠《わく》に白ペンキで、川口家具店と筆太に書いてあった。鏡が一雄を救った。それは他人の目だ。ほんの一瞬間だが、彼も他人の目で自分たちを見た以上、(全くそれは、センチメンタルな青年と九歳の女の子との抒情的な一組にみえた。) 他人も同じように自分たちを見るのは確実だった。彼はあの双生児の弟が鏡を見て、「あれは兄貴だ」と叫んだのを思い出した。

「踊ろうか」と一雄が言った。

「踊ろう、踊ろう」と房子が彼の首筋にとびついた。

彼らは、丁度親が子供をあやすような恰好《かっこう》をして踊り出した。今日の房子の髪は乳臭くなかった。

「おや、香水をつけてるね」と一雄が言った。

「うん」

房子は彼の胃のところへ頰を押しあてて踊った。房子が言った。

「あら、今、お腹《なか》が鳴ってるわ」

一雄はその一言でとても愉快になった。彼は空を見上げた。「星空ダンスホール」の看板は嘘《うそ》ッ八だ。星はなかった。円舞台の軒のまわりにいっぱい貼《は》りつけた大小の銀紙の星のほかには。

みんなのたのしみにしていた事が実現した。それは新任学士の歓迎の恒例だが、去年の秋からいろいろな事情でのびのびになっていたのだ。週一回の「ゼネラル・セオリイ」のゼミナールがすむと、みんながそれを話題にした。横浜税関がエロ映画を見せてくれるのである。

一雄はこの十数人の同年輩の仲間の、少くとも半分は童貞だろうと睨《にら》んでいた。勉強ばっかりで女と寝る暇なんかなかったのだ。あるいは女を知らなかったから法律書を読めたのだ。性的な話がはじまると、童貞様は憧憬《どうけい》的な目つきになる。彼らの先輩の一人は、二十九歳でこの間童貞のまま結婚した。彼は親しい後輩のところへ、はじめて女と寝るにはどうしたらよいかをききに来た。二十九歳まで童貞でいられるとはすばらしい才能だ。世界の半分を無瑕《むきず》でとっておく。それまで女をドアの外に待たして、ゆっくり煙草《たばこ》を吹かしたり、国家財政を研究したりしていたのだ。

決して急がない男がいるものだ。世間で彼は「自信のある男」と呼ばれる。蠅取紙《はえとりがみ》のようにぶらぶら揺れて待っている。人生が蠅のように次々とくっつくのだ。こういう男はどんなに蠅を馬鹿だと思い込んで、一生を終るだろう。事実は、蠅取紙に引っかからない利口な蠅もいることはいるのだが。

税関はランチを出して一行に港内の見学をさせた。ほとんど外国船で、日本船はこれが動くかと疑われるボロ船ばかりだ。沖に碇泊《ていはく》している白い輝かしい汽船は、静かな緩慢な火災のように煙をあげている。晴れたすばらしい日だ。ランチがそばをとおるときよく見える船の美しさ。船の形は海がメカニズムを美的に修正して出来たのだ。その形態の、見れば見るほど見惚れる複雑さ。皿にうまく積み上げた御馳走《ごちそう》みたいだ。複雑な形態の部分部分が、海のかげりのない日光のために、明確な形と影と量感をもっている。彼はいつのまにか、自分が「肉体」について考えているのに気づいた。

「君は革命が起ると思うか?」と一雄は同僚にたずねた。

「起らないだろう」

「何故《なぜ》」

「だって司令部があるもの」

「破局的インフレーションは来るかしらね」

「来ないだろう。その前にGHQが何とかするよ。第一、そうしなけりゃ司令部の損じゃないか」

解答者はこの年でもう二本筋のある太った頸《くび》から、カメラの革紐《かわひも》をかけていた。革紐は首のうしろで捩《よじ》れていた。彼は金輪際そんなことに気附《きづ》かないし、気附いたって大したことではないのだ。彼の現実判断はまちがっていない。未来についてはすべからく断言すべきだし、過去についてはそばからみんな忘れてしまうべきだ。実際こういう男は、人間関係に生きていて、人間関係しか信じていず、大抵のやつが権力機構だと思い込んでいる司令部を、人間関係としか見ない大人の目の持主だった。彼が生きているあいだは、多分この考えは修正されないですむだろう。

一行はトラックで税関長官舎へ運ばれた。酒と晩飯が出、それから映画がはじまった。最初の字幕が出たとき、襖《ふすま》がたおれて、それが映写機にぶつかった。一時間修理にかかった。映画がはじまった。「森のニムフ」というのは、池のほとりに寝ている裸婦の夢の話で、よくあるやつだった。二人の妖女《ようじょ》にかしずかれているところへ、おそろしい形相の森の魔があらわれる。「悪魔の形相というのはわれわれとは縁がありません。」――女は森の魔に追いかけられ、倒れ、羊歯《しだ》で体をおおわれる。そこで夢がさめる。どれも無声映画だったが、おしまいのがいちばん凄《すご》かった。要するに味覚に訴えるやり方なのだ。女はせかせかと男の洋服を脱がせてやる。釦《ボタン》を外すときの、あの神経質にこまめに動く白い繊細な指。一雄は桐子の指を思い出した。裸かの女が部屋のすみへ行って、自分のハンドバッグを小脇《こわき》にかかえて戻る。彼女は男に金を払うのだ。まっぱだかでハンドバッグを抱えて小刻みに歩く恰好は、崇高なほど滑稽《こっけい》だった。童貞たちも笑った。ハンドバッグはたしかに威厳のある品物だ。

あくる日、一雄は、久しく会わない友達から葉書をもらった。たった一行、

「前略、生存しております、敬具」

と書いてあった。二三日のち、そのおふくろが一雄に電話をよこした。自殺したのだ。

一雄は久しぶりで葬式に出た。少しも悲しくなかった。焼香の行列はゆったり進んだ。人数が少いので、できるだけゆっくり進まなければ恰好がつかなかった。会葬者は他処《よそ》では大きな声で話すことを、ひそひそ声で話していた。政治の話とか、息子が

一番で卒業して就職した話とか。『生存しています、と書いたとき、あいつは自殺の決心をしていたろうか』と一雄は考えた。『不在証明《アリバイ》をつくった葉書。あいつは多分事実を報告したにすぎないんだ。あいつがあの葉書を書いたとき、多分あいつは、自分の死後にも必ず他人たちが生存して、葬列に加わることを知っていた。世界が崩壊するなんて、幻想にすぎないことを知っていた。他人は永遠に生き永らえることを知っていた。こんなことを確実に意識したら、自殺するほかないだろうな』

不死は、子や孫にうけつがれるなんて嘘だ。不死の観念は他人にうけつがれるのだ。

一雄の前の机の毛糸の人形は頑健だった。そいつはなかなか死ななかった。女事務員は毎朝出勤しては、十本の鉛筆の尖《さき》を錐《きり》のようにとがらし、それで毛糸の人形の体を突き刺していた。人形はころがり、じっとしていて、彼女の指が起してくれるのを待っていた。

新聞で一雄は「冷い戦争」という新語をたびたび読んだ。去年の十二月二日にA新聞に出た外人記者の文章からはやりだした新語だそうだ。総司令部が全逓《ぜんてい》ストを停止して以来、ストライキは逼塞《ひっそく》した。夢の中で、サーディストたちは、あの大人しい市民たちは、秘策を練っていた。『……この世界を血と暗黒で塗りつぶしましょう』

一雄は単調に役所へ出、又かえった。資金計画はのんびりと運ばれた。不快な、何か爆発的なものがあって、彼を内側と外側からゆっくりしめつけていた。胃が悪いせいだろうと思い、胃の薬を呑《の》んだ。彼は医者に行った。百パーセント健康、と医者が保証した。実際、不眠や食欲不振や疼痛《とうつう》や、あらゆる病的症状から彼は遠かった。ただ、何かにやんわりと抱擁されているような気がした。そいつが何か出来心を起して、もう一つしめつけたら、彼の息の根はとまるのだ。『俺は今では無秩序なんか信じてやしない』と彼は思った。観念はみんな死に絶えていた。

女を買いに行ったが、そんなことで事態は別にかわらなかった。ただ、世界が寸断されていた。それを縫い合せようとする不気味な、科学的な、冷静な手がどこかに見えた。彼はその手をおそれた。硝子《ガラス》はこわれているほうが安心だったし、粉々の硝子はすぐに硝子だとわかった。あんまり透明で、あんまり磨かれすぎた硝子は、見えない。

俺は一人ぼっちだ。今のところ、たしかにそうだった。もうすこしすると、みんな彼の噂《うわさ》をし、みんなが彼をよけて歩くようになるかもしれない。今のところ、誰も彼をよけて歩かない。朝はみんなが「おはよう」と言ってくれたし、別れ際《ぎわ》には「さよなら」と言ってくれた。彼は人間の挨拶《あいさつ》というやつがやりきれなかった。不当にいたわられているような気がした。

昼休みにはよく散歩に出た。あかるい街路樹の下で、財務省の給仕たちがキャッチボールをしていた。球は直線や曲線をえがいて飛び、離れた一対のグローヴは、まるで球をその凹《へこ》みに強く引寄せるように見えた。一雄はしばらく立っていて、それを眺めて感嘆した。あの球が何か意味があったら、あの球に何らかの意味がそなわっていたら、ああは行くまい。球はころがり落ち、どこの叢《くさむら》にも永遠に見つからないだろう。

四月の太陽はすばらしかった。道を行く人は、ときどきハンカチを出して額の汗を拭《ふ》いた。汗が出るというのは生きている証拠だ。小便が出るのと同様に。汗にも小便にも意味はなかった。もし意味がついていたら、汗と小便は梗塞《こうそく》し、彼は死ぬだろう。一雄の世界は瓦壊《がかい》し、意味は四散していた。肉だけが残った。この意味のない分泌《ぶんぴつ》物《ぶつ》を包んだ肉だけが。それは見事に管理され、完全に運営され、遅滞なく動いていた。医者の言ったとおりだった。百パーセントの健康。

歩いているうちに、一雄は小公園へ入っていた。小公園の裏口から抜ければ、東畑家はすぐだ。あそこへ行ってみよう。今日は平日だった。房子はまだ学校からかえっていない筈《はず》だ。彼は「鍵のかかる部屋」でしばらく一人で休みたい。しげやは別にいやとは言わないだろう。一人になって、内側から鍵をかける。あそこの空気は墓のように清浄だった。もし気が向いたら、瓦斯《ガス》の栓を抜いてもよかった。しかしおそらく、俺は自殺しないだろう。彼は自殺するように生れついていなかった。未来に対する確実な意識がないのに、自殺できる筈がない。彼は燐寸《マッチ》箱を出した。燐寸の薬のついていないほうで歩きながら耳を搔《か》いた。耳がかゆいのは快かった。遠くの、手のとどかない奥のほうのかゆみ。真暗な、見えない入りくんだ場所で、じっと身をひそめているかゆみ。燐寸は届かなかった。燐寸が決して届かないことが彼を一寸《ちょっと》の間幸福にした。

一雄は呼鈴を押した。がらんとした家の中へ呼鈴がひびいた。毛の薄い、白い蛆《うじ》のように肥《ふと》った女中が玄関の扉をあけた。そとが明るいので、玄関はひどく暗くて、かびくさかった。一雄が何も言わないさきに、しげやはなまめかしい声でひとりで喋《しゃべ》った。

「よく来て下さいましたわね。こうやってお昼休みに来ようと思えば、いつでもおいでになれるのにね。でも丁度よかった。お嬢さまは、今日はおうちなんですの。一寸加減がわるくて学校をお休みしたもんですから。でも、いいえ、ちっとも心配は要《い》りませんの。……ほら、奥で音がきこえますでしょう。あなたのお声をきいたので、いそいでとび起きて、お寝巻を洋服に著《き》かえているんですわ。お目にかかるたんびに、いつもちがう洋服を著ていたいもんですから、大へんですの。その上、鏡の前へとんでいって、お顔も作らなくちゃなりませんしね。お嬢さまはこのごろとてもお上手にお化粧をなさるんですよ。それも子供がすぐわかるようなお化粧をしたらおかしいでしょ。決してお化粧していないように見えるお化粧のコツをおぼえちゃったんですよ。いつ児玉さんが見えてもいいようにって、寝る前にも、いろいろお顔の肌をいたわってお床に入るんですよ。……さあ、さあ、お上り下さい。応接間でお待ち下さいます？　すぐお嬢さまがまいりますから。私も一寸お茶をいれて来なくちゃなりませんから。児玉さんをだしにして、いつもお嬢さまが紅茶とお菓子をもって来い、と仰言《おっしゃ》るでしょう。……それじゃあ、ちょっとそのままお待ち下さいまし。すぐ見えますから」

一雄は窓ぎわの長椅子《いす》に腰かけた。窓の前の木かげに遮《さえぎ》られて、部屋のなかは暗かった。奥の炉棚には、桐子の写真が、どこか不まじめな表情をしてこちらを見ていた。昼間は公園の音がよくきこえた。子供のつんざくような叫びがきこえた。

ドアが薄目にそろそろとあいた。女中は洋服と云《い》ったが、房子の着ているのは虹《にじ》のようなネルの著物だった。鮮かな檸檬《レモン》いろの絞りの帯をしめて、うしろで蝶《ちょう》結びにして垂らしていた。帯をすこし上のほうに締めていた。ドアをしめると、一雄をじっと見つめて、少し笑った。いつもとちがって動作がひどく静かだった。長椅子の一雄のそばへ来て、大人しく坐《すわ》った。それから自分の指をおもちゃにして、そこへ男の注意を惹《ひ》いた。見ると、爪《つめ》はみんな薄桃色にマニキュアされていた。

「病気だってね」

「うん」

「出て来ていいの？」

「うん」

「元気がないね」

「ふふふ」

房子は遠くのほうを見て笑った。一雄はいつものように肩を抱いた。すると体を固くしているのがわかった。この抵抗が彼を刺戟《しげき》した。はじめて女にするような接吻《せっぷん》を房子にした。房子の唇《くちびる》は乾いていなかった。

一雄は永いあいだ怖《おそ》れていた言葉にとらわれた。引裂くこと。彼はどうしてよいかわからなかった。壊すだろう。俺は引裂くだろう。房子は大人しく抱かれていた。肉は彼の掌の中にあって、待っていた。

一雄はさっき房子が鍵《かぎ》をかけなかったのに気づいた。立上ってドアの鍵をまわそうとした。そのときドアはノックされた。ドアの外にはしげやが、紅茶茶碗《ちやわん》と菓子の盆を持って立っていた。薄目にあけたドアから首をさし出した一雄に、低声《こごえ》で、「ちょっと」と言った。一雄は外へ出てドアをしめた。しげやは盆をかたわらの棚に置き、一雄を廊下のほうへ呼んだ。安クリームの匂《にお》いがした。女中は声をひそめて云った。

「お嬢様の病気何だかわかります？」

「何です」

「今朝はじめてあれがあったんですよ」

「え？　だって房子ちゃんはまだ九つだ」

「ずいぶん早い人もあるもんですよ。でも、私も早かったんです。それだから、仕方がないんですわね」

「何故《なぜ》」

「今まで申上げませんでしたけど、あの子は実は私の子なんです」

しげやは玄関へ盆をとりに戻った。盆を捧《ささ》げて応接間へ入ってゆく女中のあとに一雄は従った。房子は大人しく待っていた。一雄はその部屋が血潮で真赤に染っているような気がした。

しげやは茶碗と菓子をそろえて出て行った。一雄は物を言わなくなった。房子も黙っていた。一雄の横には一人の女が居た。完全に自分を正常化して。

一雄はもう何事も主張することはできない。彼はゆっくり言った。

「僕はもう来ないほうがいい。これでお別れだよ。もう君に会わないほうがいい。君のためにそのほうがいいんだ」

房子は黙っていた。一雄は立上って房子の手をとった。房子の手はだらんと垂れた。さよなら、と一雄は言った。恐怖から、彼は接吻を避けた。

房子は立上らなかった。一雄はドアをあけた。彼がドアをしめおわるとき、うしろに飛んでくる房子の影を感じた。

一雄は自分の背後に、あの輪郭のくっきりした小さな音をきいた。房子は鍵をかけた。彼はその音を外側にいてはじめてきいた。

白い肥った女中が玄関に出て来て、喋りながら彼に迫って来た。

「もうおかえりになるんですか。それはいけません」

彼女は溺死体《できしたい》のような大きな雑巾《ぞうきん》を手にもっていた。それから夥《おびただ》しく水がしたたった。

一雄は鍵のかかった扉に背をあてて立っていた。部屋のなかには物音一つしなかった。部屋のなかにいるのは桐子かもしれなかった。

女中はますます近く迫って来た。彼を追いつめるようにみえた。そしてこうくりかえした。

「もうおかえりになるんですか。それはいけません」

山の魂

電源開発の問題がいろいろと論じられる。そのための外資導入が、日本の植民地化に貢献しているなどという人がある。しかし戦前でも、ダム工事のための資金は、主としてアメリカの外債によっていたことを知っている人は案外すくない。戦前から電力会社は、ダム建設のために一億数千万弗《ドル》の社債を、アメリカへ売りに行っていたのである。

一

このごろになってやかましく論じられるダム工事の補償問題も、今にはじまったことではない。生涯を補償問題で駈《か》けずりまわって名を成した人物もいたのである。

桑原隆吉は明治十一年に、伊勢の材木屋の子に生れた。

子供のころから山をかけまわって、自分の家で商う材木の原木に親しんだ。木登りを能《よ》くし、動物のように自在に屈伸する足の裏は、十里や二十里の山道を歩いても、疲れを知らなかった。

小学校を出ると、父親はすぐ家業に就かせた。隆吉は鳶《とび》をもって山へ入り、樹《き》に手をふれれば、その材木の値打をあてた。二十代には、五十鈴川の上流で材木を伐《き》り出し、川流しをして、父親の目を丸くさせるほどの金を儲《もう》け、伊勢の町でお大尽遊びをした。この金時みたいな若者は、優雅な遊びを知らなかったので、十人の女を荒縄でつないで、座敷から座敷へ引張って歩いた。

これと目をつけた山から、隆吉は次々と材木を伐り出した。伊勢近傍に彼の知らぬ山はなくなった。あんまり記憶力のよくないこの男が、後年、日本地図のどこを指さされても、そこにどんな種類のどれだけの山林があるかを、立ちどころに答えることのできる男になるのである。

若いころから碁が好きで、山歩きのあいだには、半端《はんぱ》な材木で自製の碁盤を作り、杉の下かげの苔《こけ》に据えて、気に入りの人夫と碁を打った。あるとき、雨が沛然《はいぜん》と降りだした。長考している隆吉は、立上らない。雨は不ぞろいの碁石の上にしぶきを上げ、強い雨脚が碁石をうごかした。彼は、すでに雨をよけて立去った相手が目の前にいないのにも心づかず、動かしたらいかんぞ、と大声で叫んだ。

三十二歳の時、隆吉は、帝室林野開放論をとなえ、地元の村に山林を委《まか》せろと建白して、波多野宮相のところへ強談に行ったが、容《い》れられなかった。

大正十年ごろ、四十五六歳に達した隆吉は、岐阜県に広大な山林を擁して、材木王と呼ばれるようになっていた。このころ庄川ダムの建設計画が起ったのである。

二

日本三大急流の一つと云《い》われる庄川《しょう》は、両岸が切り立って、川底は薬研《やげん》状をしている。舟底のような形で、これが流木に適している。たとえば橅《ぶな》、欅《けやき》、栃《とち》、などの闊葉《かつよう》樹《じゅ》の材木は、水を含むと、石のように重くなって沈み、筏《いかだ》に組めないから、一本流しにするほかはない。庄川のように薬研状の急流であると、一本流しの流木が沈んでも、川底をころがって、下流まで行くのである。この流木のことを木呂《ころ》という。

富山県を北へ流れる庄川の下流には川倉があった。流れの中に設けられた川倉が、水だけを流して、木呂を漉《こ》し取ると、漉し取られた木呂は、誘導水路をひしめき流れて、貯木場にたまるのであった。

富山県東礪《と》波《なみ》郡東山見村小《こ》牧《まき》というところに、小牧ダムが設けられることになり、のちに日本電力に合併される庄川水力電気会社がこれを立案し、大正十四年の着工をめざして、すでに沿岸の目ぼしい村民には、買収の手がのびていた。

南に長良川《ながら》、北に庄川を分ける分水嶺《ぶんすいれい》は、飛驒《ひだ》と美濃《みの》の堺《さかい》にあった。むかしの飛驒の高山では、新らしい魚は中毒《あた》ると云われたくらいで、鼻にツーンと来るような魚でなければ体にさわると云われた。常食は稗《ひえ》で、人の臨終というときには、竹筒にわず

かな米を入れて、耳もとで音をきかせ、

「オーイ、これが米だよ」

と呼ぶと、

「ハーア米か。ありがたいのう」

と合掌して死んだ、というくらいである。

間引も行われ、間引のできないような嫁御では、意気地がない、と云われた。その方法は、半紙百枚を濡《ぬ》らして嬰児《えいじ》の顔に貼《は》りつけ、窒息させるのである。半紙百枚は四銭であったが、その四銭にも窮するものがあった。

電力会社の買収に心を動かされたのは、こういう朴訥《ぼくとつ》な貧民ではなかった。この人たちが何も知らないあいだに、買収の交渉は、地主や山林の所有者を相手に進められていたのである。

こうして煽動家《デマゴオグ》としての隆吉が登場する段取になるのであるが、隆吉の行動は、必ずしも確たる社会的正義感に支えられていたのではなかった。山林は隆吉の肉体に等しく、庄川事件と呼ばれる八年間にわたる補償争いは、山に育てられた男の肉体的なエゴイズムのようなものが、支柱になっているのである。

三

ダムの堰堤《えんてい》の高さは二百八十尺に及ぶ筈《はず》で、湛水《たんすい》区域（backwater）は上流七里になる。木呂《ころ》ははけず、庄川上流三十里の山村民はこれがために飢える。木は一定の年数がたてば伐採して、そのあとに植林すべきであって、ほっておけば山林は立ちぐされになる。流木に適した薬研状の庄川を、ダム工事から守らねばならぬ。その上、下流の漁民にとっても、ダムのために、産卵期の鮎《あゆ》が上流へ遡《さかのぼ》れないという不利がある。

山村民が実力で工事を妨害しようにも、烏合《うごう》の衆ではあり、ダイナマイトと腕力を持つ土建屋にはかなわない。それればかりではない。許可を与えたのは県庁であるから、いざとなれば警察力も会社側に味方をする。金と警察力とダイナマイトと土方とが、みんなダム側についている。

桑原隆吉は中央官庁へ直談判をする下準備に、そこかしこで演説会を催おして、電力会社と県政を攻撃した。警官がたびたび、

「演説中止」を叫んだ。

隆吉は演説が好きである。古風な大時代《おおじだい》な演説で、これまでにもしばしば、政友会の応援演説を買って出たことがある。聴衆の賛同を示す合の手や拍手《はくしゅ》が、彼の心にこ

の上もない生甲斐《いきがい》を与えた。聴衆の感動を疑ったことがなかった。驟雨《しゅうう》を相手に碁をさすこともできた隆吉は、喋《しゃべ》っているうちに、やすやすと聴手と一体になるのを感じた。まず自分を煽《あお》り立てることからはじめるから、他人を煽動《せんどう》する気構えなど、毛頭なかったのかもしれない。

隆吉は数百人の山村民を引きつれて、筵旗《むしろばた》を立てて、内務農林両大臣のもとへ陳情に出かけた。流域の村長や村会議員も、演説につられて、これに随《したが》った。隆吉はこれら数百人の旅費や弁当代に自腹を切った。

陳情がうまく行かぬとなると、行政裁判所へ、ダム建設許可取消の行政訴訟を提訴した。巨額の金が入用になった。

このとき、隆吉と終生敵になり友になる因縁をもった飛田《とびた》という男があらわれた。

これ以上隆吉と好対照をなす人物は考えられない。隆吉は色黒く、容貌魁偉《ようぼうかいい》で、飛田は色白の優男《やさおとこ》であった。隆吉は声あらかに、飛田は蚊《か》の鳴くような声で話した。隆吉は理詰めでゆくが、飛田の話は、きいているうちに、どこへつれて行かれるかわからぬほど、曖昧模糊《あいまいもこ》としていた。隆吉は昂奮《こうふん》するとすぐ真赤になったが、飛田はおよそ顔を赤らめず、いつもぞろりとした絹物を着て歩いていた。

飛田ははじめて隆吉に会ったとき、一生の好餌《こうじ》に出会ったような気がした。隆吉にはこの男が得体がしれず、それでも何か自分に必要な人物であるらしいと感じた。

飛田は隆吉が必要なだけの金を、倉井忠兵衛から出させようと確約した。倉井忠兵衛は当時日本一と云《い》われた高利貸である。隆吉は信じなかった。

しかし飛田がどう話をつけたものか、つぎつぎと倉井は、この当てもない補償の係争に出資した。飛田の紹介で隆吉に会った倉井は、たちまち隆吉の知己になった。必要に迫られる毎《ごと》に、飛田は岐阜の隆吉と神戸の倉井とのあいだを往復し、係争八年の間に倉井は八百万円、今の金で三十億に近い金を、隆吉のために融通した。

飛田の入知恵で、隆吉は見込みのない行政訴訟を放棄して、大阪地方裁判所へ、民事訴訟で、一千万円の補償要求の訴えを起した。

四

この訴訟から隆吉が何を得たかというと、莫大《ばくだい》な借金のほかには、何もなかった。訴訟は時の内務大臣が中へ入って落着し、採木は電力会社で皆買い上げ、鮎《あゆ》の産卵のためには、ダムのわきに、魚の遡《さかのぼ》る水路をつけることが約された。しかし消費者の側から云うと、隆吉の訴訟のおかげで工事の時期がのび、会社は莫大な補償をとられたために、今まで一キロワット時八百円の電力コストが、一躍五倍の四、五千円にはね上り、これに伴う電力の値上げを受け入れなければならなかった。

山村民にしてみると補償をもらった上、電力会社のおかげで道路ができ、材木の陸上運送が可能になったので、そんなに騒ぎ立てることはなかったような気がした。

この間《かん》、飛田は、切崩しにかかる会社側を利用して、まことに抜け目なく儲《もう》けていた。娘の婿《むこ》に電力会社の庶務課長を迎え、青写真を見せてもらって、用地を手早く買い占めて、高値を吹っかけて、会社へ売ったのである。

隆吉は自ら社長になり、専務に飛田を配して、桑原木材という会社を起していた。飛田はこっそりこの会社の土地を横領して、二百万円で電力会社へ売り、その金を着服した。

これを知った隆吉は怒って、そこらのものをみんな投げ飛ばした。電話機を投げ、インキ壺《つぼ》を投げた。すぐ旅支度をして上京した。

山本農相のところへ実情を訴えに行ったのである。政友会の犬養内閣《いぬかい》は隆吉を庇護《ひご》していた。

隆吉は応接間で坐《すわ》って待っていることができなかった。立上って、歩きまわった。出てきた農相の顔を見るなり、

「裏切られました。奴《やつ》らを引っくくって下さい」

と言った。

「私は警視総監じゃないよ」

と温厚な大臣は言った。

「何でもかんでも、儂《わし》の味方をしてもらえば、政友会の御損にはなりません」

と隆吉はわれるような声で言った。

隆吉は実のところ、喧嘩《けんか》沙汰《ざた》が心《しん》から好きだったので、農相官邸の応接間で大声で怒鳴る材料ができたのは、いろんな点でうれしかったのである。

こうして、隆吉を追って上京した飛田一行は、赤羽駅で逮捕され、寝台車からただちに連行された。しかし調べられているうちに、飛田はその柔軟なふしぎな才能で、警部を手なずけた。出来上った調書は、飛田の罪を語らなかった。

とこうするうち、五・一五事件が起って犬養首相は暗殺され、斎藤挙国内閣が成立した。

隆吉の立場は逆になり、内閣は電力会社の味方に立ち、倉井忠兵衛は別の小事件にことよせて逮捕され、市ヶ谷監獄に入った。

飛田は復讐《ふくしゅう》の機会を得た。

桑原木材は、補償の係争で会社業務はそっちのけになり、株価は底値を示し、配当は無配であった。その株の大半は、倉井のもとに借金の担保になっていた。どうしてこんな無価値な株が、担保になっていたかというと、隆吉が場外《ばがい》株に出して、市場操作をやっていたからである。

たとえば隆吉自身が、証券会社をとおして、三十円で買うという葉書を株主へ出し、株主からその返事が来れば、相場がついたということになるから、隆吉はこの株券を持って倉井のところへゆき、三十円相場できのうも十枚売れたという証拠の下に、これを担保に、株当り十五円ほどの金を借りるのである。

倉井が出獄すると、飛田はすぐ、電力会社の重役を伴って、倉井を訪問した。倉井は日頃の元気がなく、飛田の口車に乗って、共に隆吉の非を鳴らした。きいてみると、倉井は隆吉にだまされたふりをして、無価値を承知で、担保にとっていたのである。昭和初年には、まだ「人間に惚《ほ》れ」たりする高利貸がいたらしい。

しかし今では、倉井は、一株十五円で、この無価値な担保を買い占めたいという話に、乗る気になった。飛田の手引で、こうして、電力会社は桑原木材の半数以上の株主になった。

株主総会がひらかれた。隆吉はじめ、隆吉派の重役はことごとく解任され、桑原木材は電力会社に乗取られた。隆吉は補償争いの本拠を失ったのである。

五

総会が退《ひ》けて、一同が会場を出るときに、飛田は柔和な微笑をうかべて隆吉に近づいた。隆吉はむっつりして、そのまま廊下へ出たが、飛田が追って出たので、おのずから二人は肩を並べて歩いた。飛田は音も立てずに、水のように、いつのまにか傍《そば》へ来ている癖がある。

「まあ、あんた仲好《よ》くしましょうや」

と飛田が言った。隆吉は答えなかった。

「今は腹も立とうが、永い目で見て、結局、あんたの損にはならん。倉井さんの借金も私に委せておきなさい。何とかするから」

隆吉は黙って、顔を真赤にして、肩で飛田をはねとばすような身振をした。そして急に出口へ向って駈《か》け出した。

――訴訟は、数カ月後、内務大臣が中に立って、急転直下、解決するのであるが、それまでのあいだ、隆吉は黙って、山を歩いていた。

株主総会の日、帰宅した隆吉を迎えた細君は、彼の激怒がこんな黙りこくったあらわれ方をするのにおどろいた。隆吉はいきなり庭へ出て、家人がとめる間もなく、欅《けやき》の大樹へするするとよじのぼった。木の股《また》にまたがって、「ええいっ、馬鹿奴《ばかめ》らがッ。馬鹿奴らがッ」と怒鳴りながら、五十男が、木の上から、自分の会社のほうの空へ向って、唾《つば》をはいた。

あくる日突然隆吉が山へ入ると言い出したが、細君は訝《いぶ》からなかった。結婚したあくる日から、木を伐りに山へ行って、二年間帰らなかった良人《おっと》だからである。

隆吉は久々に自分の持山を見てまわった。あるところでは、植林匆々《そうそう》の杉苗を見て、涙を流した。深い杉林の奥に入って、苔《こけ》に坐《すわ》って、数時間をすごした。

樹々《きぎ》は隆吉をかこんで黙っている。

隆吉は、同じく黙っていて、樹々の魂と融《と》け合って、それらの言葉を解するような気持がしている。

彼はこの八年間を、山の荒い魂にそそのかされて行動したように感じたが、こんな蹉跌《さてつ》に際会すると、樹々の押し黙った様子までが、急に彼に対する裏切りのように思われた。

いろんな回心の物語を読んだ人は、こういうところで隆吉が悟達の心境に入ったり、そこまで行かなくとも、自然の慰藉《いしゃ》にひたったという風に考えたいだろう。

しかし隆吉の回心は、大いに期待を裏切るのである。手にした鳶口をふりまわして、彼は狂気のように駈けずりまわり、触れるかぎりの樹々の幹を傷つけた。大声で叫びながら、走りくたびれて息をつくと、自負が目ざめ、復讐《ふくしゅう》の心が起った。世間があれだけ自分を裏切ったのだから、今度は世間を裏切らねばならぬ。後半生には、二度と彼のいわゆる「赤心」で世間と附合うことはしまいと思った。隆吉は決して傷つきやすい心の持主ではなかった筈《はず》だが、一度傷つけられると、今度はその無垢《むく》な熱情を恥じたのである。

六

飛田は美衣美食を好んだ。飛騨の高山に、飛田御殿とよばれる大邸宅を持っていたが、そこにはほとんどかえらず、金沢の別宅にいた。仲のわるい細君は、飛田御殿に住んで、ときどき、白い乗馬の横鞍《よこぐら》に乗って散歩をした。気性のはげしい女で、横鞍のまま、一メートルの障碍《しょうがい》を跳び越えた。

飛田は金沢の別宅で、骨董《こっとう》をあつめ、茶道具を集めた。庭に八窓庵《あん》を摸《も》した茶室を建てた。金沢は土地柄謡曲がさかんなところから、飛田は宝生流の師匠について、たちまち金力で道成寺《どうじょうじ》の披《ひら》キをして、あぶなっかしい乱拍子を見せた。

飛田は隆吉を見捨てる気持がさらさらなかった。とにかく隆吉は立役者である。隆吉を使って演じるべき芝居は尽きない。補償問題の片附《かたづ》いたあとの電力会社に、たとえ忠勤をはげんでも、一文にもならないことを知っている飛田は、地代を吊《つ》り上げるために自分の所有地へ、紡績工場を誘致する運動にも熱意を注いだ。

ダムで一儲《もう》けするには、補償問題ができるだけ紛糾する必要がある。着工までは、電力会社は金に糸目をつけない。そのためにはいつでも隆吉のような人物が要るのである。婿《むこ》の庶務課長から、各所のダム建設計画を聞き込んでいる飛田は、そのひとつひとつが補償でもめるたびに、自分の懐《ふところ》に大金がころがり込む勘定だと思った。

隆吉は庄川問題で、莫大《ばくだい》な借財を背負っている。もし隆吉が正直に返済を心掛ければ、隆吉の山林は消えて失《な》くなるのである。飛田はその借金の肩代りをしてやりながら、しかし決して元本は返さずに、いつまでも利息だけの支払を引受けてやるつもりである。そうすれば隆吉の重荷は除かれず、隆吉もいつまでも、飛田を必要とするであろう。

隆吉の性格に、争いが好きで争いにはまりこむという避けがたい陥穽《かんせい》のあることを、飛田は八年の交遊から知悉《ちしつ》していた。

いよいよ訴訟が最後的に片附いたとき、飛田は自家用車に贈物を山ほど積み込んで、白山越《はくさんごえ》をして、岐阜の隆吉の家を訪れた。

夏の大そう暑い日で、隆吉は昼寝をしていた。飛田は玄関払いを喰わされると思ったが、すぐ奥へとおされた。

廊下で細君がこう言った。

「お昼寝の最中なんですけど、起き上りもしないで、ここへお通ししろというんです。申訳ございませんけど……」

飛田がとおると、暗い十二畳のまんなかの大きな紫檀《したん》の卓の上に、海豹《あざらし》のようなものが寝ていた。

隆吉が褌《ふんどし》一つの裸かで寝ているのである。あとで飛田は知ったが、夏のあいだ、紫檀の冷たい木ざわりを愛して、隆吉はいつも卓の上へじかに身を横たえて、午睡をとるのだそうである。材木屋だけあって、それぞれの材木の用向きをよく心得ていると飛田は感心した。

飛田が坐《すわ》る。隆吉はまだ狸《たぬき》寝入りをしている。贈物が次々と運ばれて、部屋の隅に堆《うずたか》くなった。

飛田はいつまでも待っている。あまり汗をかかないたちで、庭を眺めながら、扇子で軽い風を、絽《ろ》の羽織の袖口《そでぐち》に送っている。

とうとう隆吉は薄目をひらいて、その姿勢のまま、

「来たか」と言った。

「はい、お詫《わ》びに来ましたよ」

と飛田は洒々《しゃあしゃあ》として言った。

「ふん、やっぱり来よった」

と言うと、隆吉は起き上って、卓の上にあぐらをかいた。

「いい酒をもって来ました。冷《ひや》でやりましょう」

と飛田が言った。コップが運ばれて冷酒《ひやざけ》が注がれたが、隆吉はとうとう卓から下りず、主客は、畳の上と卓の上とで酌《く》み交わした。

七

これ以後、ほうぼうでダムの建設計画が緒につくと、必ず桑原隆吉があらわれて住民を煽動《せんどう》し、筵旗《むしろばた》をかついで、数百人を引き連れて、上京する。陳情をする。強談をする。電力会社は手を焼き、飛田はそのたびに儲《もう》けた。

隆吉は飛田の銀行勘定で、野放図に小切手を切った。隆吉のところへ無心に行く者がある。俺に委《まか》せておけ、と小切手を切る。酒が要《い》る。小切手を切る。旅費が要る。

小切手を切る。

隆吉がどんなにせっせと小切手を切ろうと、飛田の懐《ふとこ》ろには、それを上越す金が転がり込んだ。

ダムと隆吉と飛田とは、三位《さんみ》一体のようなものであった。

隆吉の演説はますます熱情的になり「火の玉演説」と呼ばれて有名になった。それは単純な心の琴線によく触れた。人を感動させるのも道理で、今も演説をしているあいだだけ、隆吉は幸福だったのである。

政党政治が崩壊し、軍閥独裁の時代に入ると、隆吉の演説はますます国士風になり、心酔者は増して、彼はひとかどの偉人になったが、彼の切る小切手は、依然として飛田のものであった。

ダムは、その後もつぎつぎと計画されたが、朝鮮や満洲《まんしゅう》のダムには、かれらも手が届かなかった。

戦後、老いた隆吉と飛田の友情はますます深まり、あいかわらず隆吉の上京は、電力会社をおびやかした。

飛田の資産は十億をこえ、北陸きっての富豪になった。

蘭《らん》陵《りょう》王《おう》

八月二十日、私どものやっている楯《たて》の会は、新入会員の卒業試験ともいうべき小隊戦闘訓練を、炎天の富士の裾野《すその》で行った。行軍と陣地攻撃、三回にわたる匍匐《ほふく》前進や突撃のあいだ、暑熱にやられて倒れた学生もあった。その午前中の行軍の途次、林間の小径《こみち》の、清流に懸《かか》った小橋のところまで来て、尖兵《せんぺい》が進路をまちがえていることが発見されたために、小隊はしばらく停止した。そのとき、学生の一人が私をついて、渓流に深くさしのべた青葉の枝を指さした。

水の上へ庇《ひさし》のようにさし出された雑木の枝が、幾重にも累《かさ》ねている影の繁茂のうち、いちばん日に晒《さら》されている枝に蛇が寝ていた。葉叢《はむら》によって胴のあちこちが隠れているので、茶色の斑《まだ》らを葉間に散らしたようで、はじめは指呼されても全身が辿《たど》りにくい。そのうちに、枝が山形に反《そ》っているその山形なりに、頭は頭で別の下枝《しずえ》に委《ゆだ》ねて、ひとつながりに眠っているのがわかった。

さわがしさに目をさましたらしい。動くに及んではじめて蛇身の照りが見えた。葉むらのあいだを、重い汚れた油がゆっくりと流れ落ちるようだ。しかも頭だけはまだもとの位置にあって、赤い一縷《る》の舌がひらめいていた。

正しい進路がわかったので、小隊はその山間の小径から引返し、夏野のあいだの広い道へ出た。野は撫子《なでしこ》、露草、薊《あざみ》の花々に彩《いろど》られていた。

この行軍と午前中の攻撃の小隊長は、京都の或《あ》る大学から来たSが勤めた。Sは長身で健康だったが、いかにも烏帽子《えぼし》狩衣《かりぎぬ》が似合いそうな顔をしていた。そのSが、横笛を能《よ》くして、長岡のある寺であいびきをしたときに、先に行って寺で待っていて、自分の吹く横笛で、女に所在を知らせたという話が私の記憶に残っていた。又、なぜ横笛を習う気になったのか、という私の問に答えて、能の「清経」のように、

「人にはいはで岩代《いはしろ》のまつことありや暁の、月に嘯《うそむ》く気色にて船の舳板《へいた》に立ち上り、腰より横笛《ようじょう》抜き出《い》だし、音《ね》も澄みやかに吹きならし今様を謡《うた》ひ朗詠し、来《こ》し方行く末をかがみて終《つひ》にはいつかあだ波の」

と謂《い》った最期《さいご》を遂げたいからだ、と答えたことが心に残っていた。現代の青年と一口に言うけれども、青年は実にさまざまである。

その日の演習で汗と埃《ほこり》にまみれたのち、帰営して喰べる夕食は美味《おい》しく、入浴は快かった。

私は全身の汗と泥を、石鹼《せっけん》の泡《あわ》を存分に立てて洗いながら、皮膚というもののふし

ぎな不可侵に思いいたった。もし皮膚が粗鬆《そしょう》であったら、汗や埃はそこにしみ入って、時を経たあとは、洗い落そうにも落せなくなるにちがいない。皮膚のよみがえりとその清さは、その円滑で光沢ある不可侵性によって保障されているのだ。それがなければ、私たちは一つの悪い夢から覚めることもならず、汚濁も疲労も癒《い》やされず、すべてはたちまち累積《るいせき》して、私たちを泥土《でいど》に帰せしめてしまうであろう。

そんな愚かなことを考えるほど、私の疲労からのよみがえりは、目ざましく、すがすがしかった。浴場のかえり、空を稲妻が横切った。

部屋におちつくと、私はここへ来てはじめてきく虫の音が、窓外の闇《やみ》に起るのを知った。何一つ装飾のないこの部屋が私の気に入っていた。

一つの机、一つの鉄のベッド、壁に掛けられているのは、雨衣《あまい》と、迷彩服と、鉄帽と、水筒と、……余計なものは何一つなかった。開け放たれた窓のむこうには、営庭の闇の彼方《かなた》に、富士の裾野がひろがっているのが感じられる。存在は密度を以《もっ》て、息をひそめて、真黒に、この兵舎の灯を取り囲んでいる。永年欲していた荒々しくて簡素な生活は、今私の物である。

私は爪《つめ》のわきの小さな笹《ささ》くれに、沃度丁幾《ヨードチンキ》を塗った。ほかに塗るべき傷はなく、痛みもなかった。肉体は銃器のように細心に管理されていた。要するに私は幸福だった。

ドアの向うに声があって、錦《にしき》の細長い袋を携えたSが入ってきた。さっきSが、今夜私に横笛を聴かせたいと言っていたので、入浴後やって来るがいい、と言い置いた私は、烈《はげ》しい演習のすんだあとの夜こそ、横笛を聴くのにふさわしい、と思っていた。ここへ来ると、私は十時の消燈《しょうとう》までの夜の時間を学生に開放している。さらに四人の学生が入ってきたので、笛の聴手は私を入れて五人になった。

みんなは小隊指揮がいかにむつかしいかということ、各班の掌握がいかに思いどおりに行かぬかということ、咄嗟《とっさ》の命令下達がいかに熟練を要するかということ、又、行軍中の尖兵小隊が敵に遭遇したとき、撃破しうる敵であるかどうかを判断するのに、路上斥候《せっこう》の任務がいかに重大であるかということ、などを語り合った。かれらはそれぞれ、班長や、小隊陸曹や、路上斥候を今日つとめたのである。そして、非常にすぐれた指揮能力とは、勇猛であると共に、おそらく優美なものであろう、と一人が言った。

Sは吹奏の機を逸したようであった。私が促したので、ようよう錦の袋から横笛をとりだして私に示した。

雅楽に使う横笛を、私が手にとって見るのははじめてである。

笛は武器とはちがった軽やかなしっとりした重みを指に伝えた。重みそのものに或る優美があった。百五十年も前に伐《き》られた竹が笛材に使われて、吹口と七つの孔《あな》を避《よ》けて樺《かば》や桜の樹皮を巻かれ、巻いた樹皮には赤褐色の漆を施され、さらに一つ一つの孔に朱いろの漆が塗り込められる。頭の尖端には、左方の楽《がく》のしきたりに従って、小さな丸い赤地錦の断紋《だんもん》があった。その頭を左に、尾を右にして吹くのである。七つの孔は、尾から順に、断金《だんきん》、平調《ひょうじょう》、下無《しもむ》、双調《そうじょう》、黄鐘《おうしき》、盤渉《ばんしき》、壱越《いちこつ》と、日本十二律のうちの七律をあらわしている。たとえば雅楽で黄鐘調《おうしきじょう》というときには、この黄鐘の音を宮音とする調を斥《さ》すのである。

アルキビアデスは、唇の美しい形を保つために、笛を吹くことを避けたそうだが、日本の横笛にはその惧《おそ》れはなさそうだった。

Sは何の曲を吹こうかと迷っていたが、名曲と云《い》われる「蘭陵王《らんりょうおう》」を聴かせてくると言い、少し長いが、と断わった。

舞楽に使われる蘭陵王の面は、顎《あご》を別に紐《ひも》で吊《つ》り下げ、龍を象《かたど》った怖《おそ》ろしい相貌《そうぼう》で名高い。これは人も知るとおり、北斉の蘭陵王長恭が、おのれのやさしい顔を隠すために怪奇な面を着けて、五百騎を率いて出陣した故事にもとづいた曲である。

蘭陵王は必ずしも自分の優《ゆう》にやさしい顔立ちを恥じてはいなかったにちがいない。

むしろ自らひそかにそれを矜《ほこ》っていたかもしれない。しかし戦いが、是非なく獰猛《どうもう》な仮面を着けることを強いたのである。

しかし又、蘭陵王はそれを少しも悲しまなかったかもしれない。或《ある》いは心ひそかに喜びとしていたかもしれない。なぜなら敵の畏怖《いふ》は、仮面と武勇にかかわり、それだけ彼のやさしい美しい顔は、傷一つ負わずに永遠に護《まも》られることになったからである。

本当は死がその秘密を明かすべきだったが、蘭陵王は死ななかった。却《かえ》って周の大軍を、金墉《きんよう》城下に撃破して凱旋《がいせん》したのである。……

Sがいよいよ笛の吹口を唇に宛《あ》てたとき、私は何気なしに、目をあけはなたれた窓へ遣《や》った。そのとき窓外の闇には稲妻がひらめいた。私はその稲妻に一瞬照らし出される広大な富士の裾野の夜に、昼間見た撫子や露草や薊の花は、どんな色合で浮み上るかを思いみた。

Sははじめ短かい音取《ねとり》を吹いたのち、蘭陵王の吹奏にかかった。

するどい序奏は嚠々《りゆうりゆう》と耳を打つ高音ではじまった。

その音が、芒《すすき》の葉のような或る形を描いた。私の心はしきりに野の禾本科《かほんか》植物の尖《とが》った葉端が、頰をかすめる感じを描いた。

窓から来た秋の気配が室内を包んだ。明るすぎる燈下に、私も学生たちも悉《ことごと》く、すがれた野の色の戎衣《じゅうい》を着ていた。すでに乾いた汗の匂《にお》いが、なおそこから立ち迷うていた。

節は次第に喜色を帯び、リズミカルになった。かと思うと、ふたたび厳粛になり悲壮になった。

音が、はりつめた目《め》の眼尻《じり》に涙を含んだ感じの、凛々《りり》しい緊張を醸《かも》し出したかと思うと、次には宴《うたげ》の快楽の倦怠《けんたい》を思わせる音になった。

この変幻を貫ぬいて、たえず背後に、青年の息の音《ね》があって、それが抒情《じょじょう》の核をなしていた。烈《はげ》しい、懸命な青年の息の音は、たちまち午前の苦しい炎天下の行軍の喘《あえ》ぎにつながり、又、涼気のまさる夜に置かれた青春のはかなさを想起させた。

笛が、息もたえだえの瀕死《ひんし》の抒情と、あふれる生命の奔溢《ほんいつ》する抒情と、相反する二つのものに、等しく関わり合っているのを私は見出《みいだ》した。蘭陵王は出陣した。そのときこの二種の抒情の、絶対的なすがたが、奇怪な仮面の形であらわれたのであった。きりきりと引きしぼられた弓のような澄んだ絶対的抒情が。

……笛の音は、しかし、聴く耳に、あとからあとからあとから押し寄せて来るように感じられた。茫々《ぼうぼう》たる海の夕波のように。

「あとより恋の責め来れば」という「松風」の一句が突然心に浮んだ。

耳で聴くのではなくて、頭の奥底で聴くようで、自分の頭のなかにも暗い広野があるから、その遠くの奥のほうへじかに響いてくるのは、あたかも笛が、その頭の奥の遥《はる》かかなたの、非常に深閑としたあたりで吹かれているような気がする。

音には、しかも一片の暖色もなくて、寒色ばかりで占められている。はなはだ遠くにきこえるかと思うと、忽然《こつぜん》として近くに在る。そのとき笛の音のなかに、何かの面影が立ち休らうのが見える。

音がなだらかな坂を下り切ると、今度は永遠につづくような急坂を昇りはじめ、切迫した息の苦しみはひしひしと身にせまり、氷結した死が、青年の息を迎え入れるために、かなたに口をあいていた。

私は、横笛の音楽が、何一つ発展せずに流れるのを知った。何ら発展しないこと、これが重要だ。音楽が真に生の持続に忠実であるならば、(笛がこれほど人間の息に忠実であるように!)、決して発展しないということ以上に純粋なことがあるだろうか。

音があとからあとから押し寄せて、寄せてはかえる波のようにつづいているのは、しかし、一時《いっとき》のことであった。

音はあるときは、まるで奇蹟《きせき》のように停滞するのだ。

そして又、前に会った音が何度も戻って来、再会する音には懐旧の響きがあり、或るゆったりした流れの中で、深い焦躁《しょうそう》が同時にもつれていた。

何度も！　何度も！　くりかえされる感情と、そのたびにちがう愛の切実さ。百とおりもの、それぞれに微妙にちがった真実。すべてが闇のなかの清流のように、きらめいて流れる。昼間見たあの小橋の下の激湍《げきたん》は、今も闇に、おなじ水音を立てて流れているのであろう。

そして気がついたときは、笛の音は二度と引返せない或る深みへわけ入ってゆくところだった。その笛の音の蒼々《そうそう》たる滑らかな背中を私は認めた。どんな心情の深みであるかは知れぬが、おそらく心情をつきぬけて、さらに深い透明で幽暗な堺《さかい》へ入ってゆき、それが私たちの世界を突然鷲《わし》づかみにし、子供が掌の中で何気なく握りつぶす酸漿《ほおずき》のように、それを押しつぶしてしまう。……

――「蘭陵王」が終ったとき、私も四人の学生も等しく深い感銘を受けて、しばらくは言葉もなかった。

すべてがこの横笛を聴き、蘭陵王を聴くのにふさわしい夜だった、と一人が言い、皆が同感した。

Sも喜んで、横笛にまつわるいろいろな話をした。

雅楽の演奏の際、横笛の音は篳篥《ひちりき》の音のまわりを、あたかもくねってまつわる蛇のように纏綿《てんめん》するので、これを龍笛《りゅうてき》という、とのSの話は、たちまち私に、今朝見た樹上の蛇の姿を想起させた。

又Sは、何時間もつづけて横笛を練習すると、吐く息ばかりになるためであろうか、幽霊を見るそうだ、という話をした。

君は見たか、と私は問うた。

いや、見たことがない、幽霊を見れば一人前だと言われているが、まだ見たことがない、とSは答えた。

しばらくしてSは卒然と私に、もしあなたの考える敵と自分の考える敵とが違っているとわかったら、そのときは戦わない、と言った。

解説

田中美代子

ここには三島由紀夫が十五歳から四十四歳まで、約三十年の作家生活を通して、各時期に書かれた短編小説十二編が収録されている。一読して驚かされるのは、やはりこの作家の多彩豊饒《ほうじょう》な才分であろう。

たとえば、いずれも十代に書かれた初期の一作品『彩絵硝子《だみえガラス》』『祈りの日記』を比べても、同じ作家のものと思えないほど、作風がちがっている。無論、作家は必ずしも一定の個性を打ち出すとは限らず、さまざまな傾向の作品を書くし、またすすんで文学上の実験を行なって不思議はない。それにしても、はやくもありあまる才筆を駆使して、素材、文体、作風、についてありとあらゆる実験を愉《たの》しんでいる、堂々たる一人の作家の出現には驚かされないわけにはいくまい。

さらに特徴的なのは、自己の生活を描いたり、自己告白したりする、「私小説」型の作品がごく少ないことであろう。彼にとっては、奇抜な題材を得て、たのしい作品世界を造り出すことは〝自己告白〟にまさる悦びであって、作家精神の本領は、もっと別のところに発揮されたのである。

因《ちな》みに彼は三十一歳のときに、『自己改造の試み』と題するエッセイで、それまで書いてきた小説を年代順に並べ、作品ごとに文体がいかに変遷《へんせん》してきたか、について語っている。

この目録によると、たとえば『彩絵硝子』の文体は、新感覚派、ポオル・モオラン、堀辰《たつお》雄、ラディゲの『ドニイズ』などの影響のもとに合成されたものである、という。そのほか、後につづく作品も同様に、それぞれ年代によって様々な文学的影響をこうむり、それはたとえば日本古典であったり、ヨーロッパ頽唐《たいとう》派文学の翻訳であったり、森鷗外《おうがい》であったり、スタンダアルやトオマス・マンの翻訳であったりする。

人がいいネクタイをしていると、すぐそれと同じものが欲しくなるように、いい小説を読むとすぐ真似《まね》てみたくなった、ということであるが、作者の趣味嗜好《しこう》は、おのずからその撰択《せんたく》の傾向にあらわれる。

たとえば『祈りの日記』は、紀貫之《きのつらゆき》が自分を女に擬して仮名日記を綴《つづ》ったように、王朝時代の女人の雅文を現代語に移植したかの趣きをもっているが、炷《た》きしめられた古風な香の匂《にお》いに、ふとフランス香水のかおりが混じてくるような、優雅な物語である。幼なじみの少年へのほのかな思慕を綴った少女の物語の中に、作者の姿を探すことはむずかしいが、真の文学的自叙伝は、このように自在に文体を使いわける作家的手腕のうちにあるといってもよいだろう。それは同時に、いっさいの人間的感情や事件を、冷静に、技術的に扱う、自負やダンディズムにもつながっている筈《はず》である。とはいえ、ここにこもごもに顔を出すのは、ロマンティックな抒情詩人《じょじょう》と、辛辣《しんらつ》きわまる諷刺《ふうし》作家とである。この相反する二つの要素は、光と影のように、表裏一体となってこの作家の特性を形づくっている。

『彩絵硝子』は、昭和初期の有閑階級のモダンな初老の夫妻と、その甥《おい》と女友達のカップルを描いた一種の心理小説であるが、本来なら甘い抒情的な恋愛小説となるべき題材が、その諧謔《かいぎゃく》的な文体によって、たえず裏をかかれるところとなる。

「この種類のエピソオドを一座の夫人たちは少くとも一つ二つは持っていた。自家製造のものもあった。その価値の多少は吹聴《ふいちょう》術の巧拙によることは勿論《もちろん》だった」

これはどうしても写実的、或《あ》るいは叙述的な文体とはいえない。平坦《へいたん》な道のりを行く歩行の文体ではなく、跳んだりはねたりの舞踏的な文体だ。読者は、ここで意表をついた言葉の機関銃の連発射撃を浴びせられ、作者はあたかも道化師のように、洒落《しゃれ》、機智《きち》、諧謔《かいぎゃく》、ユーモア、冗談、パラドクス、アフォリズムのありたけをつくして、めまぐるしく動きまわる。それはまさに溌剌《はつらつ》たる精神の体操の軌跡なのである。

その一方には、「石竹色の眠った女の目のような泡《あわ》が（それはどこか石女《うまずめ》のようでもある）限界を超えようとせずに、自分の世界にとじこもって楽しそうにわき上った。すぐ泡は石になり、そしらぬ顔をした」のような、どこか冥想《めいそう》的な、アニミスティックな詩的表現にあふれている。

「プチ・ブゥルジョアを描くのに、片時も侮蔑《ぶべつ》のタッチを忘れてはだめだ」（「小説とは何か」）と三島由紀夫は言っているが、カリカチュアやシニシズムの手腕は、ことに俗物に対する彼の嫌悪《けんお》や侮蔑に比例して冴《さ》えるようにみえる。

たとえば、『訃音《ふいん》』は、作者が大学を卒業して大蔵省銀行局に勤務した約九カ月の役人生活の経験から生れたものである。モデルとなった当時の局長はのちに政治家として名をあげたということであるが、その微に入り細を穿《うが》った諷刺《ふうし》と皮肉の筆力はまことにすさまじい。いわゆる世の実力者、政治家、官吏、実業家、金融業者、地方の有力者などなどに対して、心底から湧《わ》き上る作者の憎悪のほどがうかがわれよう。

しかし、これらの作品群に登場する人物たちは、いかに忌《いま》わしい怪物であれ、人非人であれ、ペテン師であれ、いずれも何らかの意味で作者の魂を惹《ひ》きつけてやまない人間であり、作者の分身でもあるだろう。

『怪物』では、没落貴族松平斉茂子爵《なりもちししやく》の悪行を描こうとする。しかしここに表出しているのは悪のアイロニイともいうべきものである。悪への無償の情熱に駆られるほど、実は道徳的な人間はないのではなかろうか？　なぜなら子爵の悪への意志は、「故《ゆえ》ない幸福」への復讐心《ふくしゆうしん》であって、「故ない幸福」とは、すべて無道徳的なものにほかならないからだ。彼のしてきた悪事はすべてそれに先行する現実の無限定の悪に対応している。宮内《くない》省の同僚の恋愛の暴露、若宮の専横への復讐、敵への仕返し、猥《わい》写真の悪戯《いたずら》、横恋慕、姦通《かんつう》の告げ口、妾《めかけ》の子を家に入れること、無数の暴力、無数の悪罵《あくば》……それらはまた、世のつねの紳士連が、多少とも無意識に、即《すなわ》ち何ら悪の意識をもたずに、無神経に犯している行為の数々ではあるまいか。とすれば「つねづね多くの人を傷つけ不幸にしているという自覚」を生きる支えにしているこの斉茂という人物の、道徳感覚は実に先鋭で、厳格なものだといわねばならない。彼に比べれば「人の悪意というものを信じることのできない快活な青年」などは、ただ鈍感なのにすぎまい。逆に善意にかこつけ、その蔭《かげ》で抜け目なく、快楽や利得を盗み取っているのが、善人というものである。……

『慈善』では、当時アプレ・ゲールと呼ばれた青年の、「お互いに不道徳を働らいていながら少しも良心の苛責《かしやく》がない」無道徳な時代の混迷を描いている。「道徳」ではなくて、「道徳的神経」をなくしてしまった戦後派の困惑は、その後滔々《とうとう》たる時代思潮となって、今なお社会全体に瀰漫《びまん》している。

こうした中で悪を抽出し、悪を限界づけることこそ、悪の魂の道徳的使命ではなかろうか。『江口初女覚書』もまた一人のめざましい悪女の行状記である。江口の君といえば、普賢菩薩《ふげんぼさつ》の化身だったといわれる伝説の遊女であるが、このいかがわしいヒロインは、天真爛漫《らんまん》なヴァイタリティと嘘《うそ》つきの才能によって、綱わたりのような人生をおくる。そして彼女が渡ってゆくのは、社会の底に黒々と渦巻く悪徳の淵《ふち》である。「占領時代は屈辱の時代である。虚偽の時代である。面従背反と、肉体的および精神的売淫《ばいいん》と、策謀と譎詐《けつさ》の時代である。

初子は本能的に自分がこういう時代のために生れて来たことを感じていた」

そういえば、ここに登場するヒーローやヒロインは、みな様々な局面で、この日本の社会共同体の集合的魂の顕現であり、時代精神の体現者なのだ、といってもよい。またそうした意味で作者の胎内から産み出された、夢魔的人間像なのである。これは、快楽の自閉症状におちいって窒息死する『果実』のレズビアンも、父親不在の『鍵《かぎ》のかかる部屋』で、若い男を呼び入れ、奇妙な秘密の遊びをつづける母親と幼い女の子も、『山の魂』の、補償問題に勇躍する材木屋や黒幕の利権屋も、すべて例外ではないだろう。近代化推進の基礎であるダム建設と、その下に押しつぶされる日本の自然と生活、その蔭《かげ》で暗躍して肥え太る利権稼《かせ》ぎ、の「三位一体《さんみ》」は、いうまでもなくグロテスクな日本の近代の象徴的な姿である。

『死の島』は、旅する青年に托した、作者の美しい詩的表白である。「彼は青年になろうというころ、皮肉《シニシズム》の洋服を誂《あつら》えた。（中略）……やがてこの服が自分に少しも似合わないことに気付いた」彼は、皮肉《シニシズム》を癒《いや》すために、美しい風景の只中《ただなか》に入ってゆく。けれども「どんな対象の中へもやすやすと入って行け、どんな部厚な壁をも通り抜ける」この諧和にみちた透明な魂こそ、これらの作品のすべての原質であることは疑いない。

さて、『蘭陵王《らんりようおう》』は昭和四十四年十一月に書かれた最後の短編小説であり、同年八月に行なった楯《たて》の会の戦闘訓練の際の一挿話《そうわ》である。いうまでもなく、これは単なる現地報告《ルポルタージュ》ではない。ここに出てくる「私」は、作者自身にはちがいないし、営舎での泊りの一夜、一人の学生が横笛を吹き、四人の学生とともに耳を傾けた、という「事実」はあったにちがいないだろう。しかし、この事実をめぐるくさぐさの感懐や体験は、すべて作者一個の内的世界のものである。そこで、烏帽子《えぼし》狩衣《かりぎぬ》の似合いそうな古風な青年の出現は、もしかすると、作者の見た幻ではなかろうか、とさえ思われてくる。そして、「笛が、息もたえだえの瀕死《ひんし》の抒情と、あふれる生命の奔溢《ほんいつ》する抒情と、相反する二つのものに、等しく関《かか》わり合っているのを私は見出《みいだ》した。蘭陵王は出陣した。そのときこの二種の抒情の、絶対的なすがたが、奇怪な仮面の形であらわれたのであった。きりきりと引きしぼられた弓のような澄んだ絶対的抒情が」というとき、絶対の青春の頂点にのぼりつめ、やがてくる死の予感に息をひそめている、充実した生命の一瞬が、ここに凝結しているのである。

（昭和五十四年十二月、文芸評論家）

鍵《かぎ》のかかる部屋《へや》

新潮文庫　み - 3 - 28

昭和五十五年　二　月二十五日　発　行
平成　十五年　九　月　三十日　二十九刷改版
令和　三　年十二月二十五日　三　十　六　刷

著　者　三《み》島《しま》由《ゆ》紀《き》夫《お》

発行者　佐　藤　隆　信

発行所　株式会社　新　潮　社

郵便番号　一六二―八七一一
東京都新宿区矢来町七一
電話　編集部(〇三)三二六六―五四四〇
　　　読者係(〇三)三二六六―五一一一
http://www.shinchosha.co.jp

価格はカバーに表示してあります。

乱丁・落丁本は、ご面倒ですが小社読者係宛ご送付ください。送料小社負担にてお取替えいたします。

印刷・錦明印刷株式会社　製本・株式会社植木製本所

ISBN978-4-10-105028-7 C0193